Une enfant a disparu

Une troublante affaire de famille

ANGI MORGAN

Une enfant a disparu

Collection : BLACK ROSE

Titre original : NAVY SEAL SURRENDER

Traduction française de CATHY RIQUEUR

HARLEQUIN

83-85, boulevard Vincent-Auriol, 75646 PARIS CEDEX 13.

Service Lectrices — Tél. : 01 45 82 47 47

www.harlequin.fr

ISBN 978-2-2803-3032-9 — ISSN 1950-2753

1

« Engagez-vous dans la Marine. Découvrez le monde. »

Ce slogan ne fait sans doute pas allusion aux enclaves désertiques où l'on m'expédie régulièrement.

John Sloane avait rencontré et aidé de nombreuses personnes, de par le monde. Il s'était rendu dans plusieurs villes fascinantes, avait jeté l'ancre dans des ports de toute beauté — et il avait contemplé beaucoup d'eau.

Toutefois, il n'avait aucune envie de revoir la majorité des lieux où son unité et lui avaient été déployés. Y compris aux actualités.

Il était de retour au Texas. Là même d'où il venait, ce qui n'était pas exactement ce qu'il avait eu en tête à l'âge de dix-huit ans. Mais, à cet instant, il se moquait bien des choix et des destinations. Il voulait seulement des nouvelles de son père.

En rentrant de manœuvre, il avait appris que ce dernier avait été victime d'une attaque foudroyante. Ne parvenant pas à le joindre, il avait appelé l'hôpital puis le poste de police, en vain. C'était à peine s'ils ne lui avaient pas raccroché au nez.

Le message qu'il avait reçu laissait entendre que son père était en vie et qu'il se trouvait au ranch — sauf que, bien sûr, personne n'avait répondu là-bas non plus. John s'était arrangé pour obtenir une permission exceptionnelle et il avait aussitôt pris le volant pour regagner sa ville natale. Il disposerait, sans problème, de tout le temps qu'il voudrait. Et il lui en restait beaucoup à utiliser. Il voulait rester aussi longtemps que nécessaire pour que son père soit remis sur pied. Son seul objectif, dans l'immédiat, était de rentrer chez lui.

Deux heures de route dans une voiture de location à la climatisation en panne, par une température avoisinant les quarante degrés, avaient ajouté à son sentiment croissant de frustration. Il y allait à l'aveuglette, sans information, puisque son frère n'avait pas répondu à ses appels et que la ligne fixe du ranch semblait hors service.

Pour être honnête — à quoi bon se mentir ? — des deux frères, John n'avait pas été celui sur qui son père avait pu le plus compter. Ni le plus communicatif. Depuis qu'ils avaient appris à parler, Brian avait toujours été le jumeau qui s'était adressé aux autres pour faire part de leurs requêtes communes. Brian avait été le frère responsable, qui lui avait évité les ennuis, jusque dans le dernier conseil qu'il lui avait prodigué.

« Pars et ne regarde jamais en arrière. »

Et c'était exactement ce que John avait fait.

Il s'était tenu à cet engagement. Il avait quitté le ranch, avait rejoint la Marine et n'était jamais revenu.

A l'armée, il n'était ni le jumeau de Brian ni le petit Johnny. Il avait rapidement accédé au grade de premier maître, et très vite il avait été l'homme à qui l'on s'adressait afin de résoudre un problème. Il était l'homme qui faisait avancer les choses. En actes, pas en paroles.

Puis les circonstances avaient évolué. De formations en promotions, et après l'obtention d'un diplôme universitaire, enfin. Au lieu de résoudre les problèmes, il suivait les ordres. Point. A présent lieutenant de vaisseau, si quelqu'un se faisait tuer, l'homme responsable, c'était lui. Un homme qui réfléchissait beaucoup trop ces derniers temps.

Le Texas ? La Californie ? La Marine ? Le secteur privé ? Quelle voie devait-il choisir ? Trop d'interrogations, de doutes… Pour le moment, il aiderait son père, s'occuperait des chevaux et peut-être... peut-être seulement, renouerait-il le contact avec son frère. Telle serait sa mission.

C'était décidé, son avenir pouvait attendre.

Il était sur le point de retrouver sa ville natale et, soudain, il ne se sentait plus aussi sûr de lui. Cela faisait si longtemps... Juste après la remise de leurs diplômes, Brian lui avait souhaité bon vent à sa manière laconique. John n'avait plus revu son frère et il ne lui avait pas non plus reparlé depuis. Quant à leur père, il ne l'avait pas revu depuis presque trois ans. Qui la ville verrait-elle en lui, à présent ? Qui serait-il après ces douze années ? L'homme qu'il était devenu ou le lycéen dont il croyait se souvenir ?

Aubrey n'avait plus rien à voir avec l'intersection de lignes de bus pourvue d'un unique feu de circulation qu'il avait laissée derrière lui. Au contraire, elle était devenue une vraie petite ville animée qui incarnait le changement. Elle restait malgré tout la chose la plus familière au monde pour lui. Il savait quel tabouret du snack-bar le vieux Searcy occuperait à l'heure du déjeuner et il savait aussi qui lui servirait son plat du jour. Son estomac se mit à gargouiller, lui rappelant avec insistance qu'il n'avait pas déjeuné. Plus que dix minutes et il serait de retour à la maison.

A la maison.

A cette pensée, il se détendit. Il resterait pour aider son père au ranch, travaillant à la force de ses bras plutôt qu'avec une arme. Il se réjouirait à chaque instant du travail ranchsant qui lui engourdirait l'esprit. Et il finirait par déterminer que faire du reste de sa vie.

Levant un doigt du volant, il salua les autres véhicules. Une coutume amicale du nord du Texas, comme de lever son chapeau. Du moins l'était-ce autrefois. Les conducteurs le regardèrent fixement avant de détourner les yeux. Etrange. Il traversa sa petite ville, qui comptait à présent de nombreux fast-foods, puis il quitta la route principale, emprunta les virages familiers, et il passa devant la boîte aux lettres défraîchie du ranch familial. Une Camaro rouge cerise était stationnée sur le côté de l'allée. Une voiture qu'il connaissait sur le bout des doigts, là aussi, et dont le moteur avait toujours ronronné à la perfection. Mark Miller avait remporté de nombreuses courses à départ arrêté avec ce bolide. Lorsque Mark s'était engagé dans l'armée, John avait tenté, à plusieurs reprises, de racheter la voiture à M. Miller. Il ralentit tandis que la conductrice — qui l'attendait manifestement — ouvrait la portière de la voiture qu'il avait désirée durant toute sa jeunesse. Les pneus de John crissèrent sur le gravier lorsqu'il s'arrêta.

— Waouh !

— Tu rêves toujours autant de cette voiture ? lui lança-t-elle en caressant le capot d'un geste un brin aguicheur.

Par chance, elle crut qu'il restait bouche bée… devant la Camaro. Le véhicule offrait une parfaite toile de fond à la silhouette sensuelle de la jeune femme canon aux longs cheveux bruns. Ses lunettes de soleil aviateur cachaient ses yeux. Dommage. Elle portait un jean qui lui moulait les hanches et un débardeur qui moulait tout le reste. Il aurait été incapable de se concentrer sur la voiture même s'il l'avait voulu.

Il n'en avait vraiment pas envie, d'ailleurs. S'il avait eu la climatisation, il l'aurait poussée au maximum. Au lieu de cela, il sentit la sueur lui perler au front. Il attrapa la chemise qu'il avait jetée sur le siège passager pour s'essuyer le visage.

— Tu conduis les vitres baissées ? Bravant la chaleur du Texas ? Tu as oublié comme il fait chaud, ici, en juillet ? lui fit observer cette beauté sculpturale en traversant l'allée.

Elle remonta ses lunettes sur le sommet de sa tête et elle posa sur lui un éblouissant sourire railleur.

— Alicia ?

Il avait reconnu sa voix — mais aucune des formes qu'elle arborait désormais.

— Bienvenue chez toi.

Elle se pencha par la vitre ouverte, lui offrant une vue

imprenable sur son décolleté. Une bien meilleure vue qu'il n'en avait jamais eue au lycée.

— Comment as-tu su que j'arrivais ?

— Je me trouvais dans la maison. Wanda a cru voir passer Brian dans une nouvelle voiture et elle m'a aussitôt envoyé un message pour me demander s'il avait eu une rentrée d'argent.

Elle haussa ses épaules nues et hâlées.

— Je savais que Brian était dans la grange. J'en ai donc tiré la conclusion qui s'imposait et j'ai attendu.

Elle recula, ouvrant la portière.

— Sors de là que je puisse t'accueillir convenablement parmi nous. Ça fait un moment.

Alicia Miller, ou plutôt *Adams*, à présent. Ou alors avait-elle repris son nom de jeune fille après le décès de son époux ? Quoi qu'il en soit, c'est à peine s'il reconnut sa petite amie du lycée. Sa silhouette s'était agrémentée de formes avantageuses. Il détacha sa ceinture et il se leva, la dépassant d'une bonne tête dans son maillot de corps blanc qui devait sentir aussi fort qu'un box d'écurie. Elle mit ses bras autour de sa taille et elle l'étreignit. Il l'enlaça en retour.

Il était de retour chez lui.

Elle le lâcha. Il s'attendait à se voir gratifié d'un autre sourire d'un blanc nacré. Ce qui explique sans doute qu'il ne prit conscience du mouvement de la main d'Alicia que lorsque celle-ci s'abattit sur sa joue. *Lourdement, même*. Il se frotta la mâchoire. La gifle avait été cuisante, inutile de le cacher. Lui, l'homme d'action, il s'était laissé surprendre par une femme ! Peut-être méritait-il cette gifle, en effet. Il aurait tout le temps d'y réfléchir plus tard, de toute façon.

En tout cas, c'était un peu ce que l'accueil d'Alicia laissait entendre…

— Avant que tu ne le demandes, ça, c'était pour ton père. J.W. ne fera ni ne dira jamais rien qui puisse te faire culpabiliser, mais tu as mérité cette gifle et bien plus encore pour être parti du jour au lendemain. Ça lui a brisé le cœur.

La voix d'Alicia s'érailla sur le dernier mot de sa diatribe. Mais elle avait raison. Et il était assez mature à présent pour reconnaître qu'il avait commis une erreur en n'appelant pas plus souvent.

— Tu l'as vu ? Il va bien ?

— Il reprend des forces de jour en jour. Je suis son infirmière et je l'aide pour sa rééducation.

— Pour ton information, ce sera la seule et unique fois où je te laisserai t'en tirer aussi facilement après m'avoir giflé.

Il s'appuya contre la portière arrière, croisant les bras pour garder le contrôle sur lui-même. Il ne parvenait pas à décider s'il avait envie de reprendre le volant pour repartir sans tarder ou d'attirer Alicia contre lui pour combler le vide qu'il éprouvait soudain.

L'expression du visage de celle-ci s'adoucit.

— Tu vas bien ? Je n'avais pas l'intention de te faire mal, désolée. Je ne suis même pas certaine de savoir ce qui m'a poussée à faire cela. Je ne fais jamais ce genre de chose, d'habitude… Et voilà à présent que je jacasse.

— Vraiment ?

Pouvait-il encore se permettre de la taquiner, après tout ce temps ? La dernière fois qu'ils s'étaient vus, elle venait d'entrer à l'université. Leurs vies avaient changé quand il avait choisi de ne pas suivre cette voie — un changement radical, même, lorsque Brian avait endossé la responsabilité de l'accident. Ils ne s'étaient pas parlé depuis que son jumeau l'avait accusé d'être irresponsable et d'avoir laissé brûler un feu de camp.

Son père lui avait appris que, une fois sorti du centre de redressement, Brian avait décidé de ne pas s'inscrire à l'université. Comme son jumeau s'était publiquement désigné comme responsable pour l'incendie, John avait pu réaliser son rêve de s'engager dans la Marine. Avec un casier judiciaire, cela lui aurait été impossible, et il devait toute sa carrière à son frère.

« Engagez-vous dans la Marine. Découvrez le monde. »

Tel avait été son rêve, et son frère l'y avait poussé, sacrifiant tout pour qu'il s'y tienne. Brian l'avait couvert parce qu'il le croyait coupable. C'était là le problème : le fait que même ses proches aient prêté foi à cette accusation.

— Je devrais être…

Elle fit un geste en direction de sa voiture.

— Ton père m'attend.

— Tu disais que Brian était dans la grange ?

— Il y était tout à l'heure, en tout cas.

Elle enfonça les mains dans les poches avant de son jean, haussant plus ou moins involontairement les épaules.

— Désolée de t'avoir giflé, Johnny.

— Et moi, je suis désolé que tu aies eu à le faire.

Il se frotta de nouveau la joue, râpeuse sous sa barbe de trois jours.

Alicia fit un pas vers lui, l'attirant maladroitement à elle — pour l'étreindre de nouveau, songea-t-il. Il demeura immobile. Les doigts de celle-ci glissèrent légèrement des oreilles de John jusqu'à sa mâchoire. La douleur s'évanouit aussi rapidement qu'un signal radar disparaît d'un écran.

Avant qu'il ait pu réagir, elle l'embrassa sur les lèvres, s'attardant juste un instant de trop pour que ce soit un simple baiser amical de bienvenue. Puis elle lui adressa un signe de la main et elle regagna sa voiture.

— A bientôt.

Il resta planté là comme un idiot, la poussière de la route lui collant aux bras et au visage, tandis qu'elle s'éloignait.

— Waouh !

Le Double Bar existait depuis plus de cent ans, et le ranch avait fourni une quantité honorable des chevaux et du bétail participant aux rodéos du coin. Des chênes qui avaient connu la guerre de Sécession surplombaient l'allée de gravier sinueuse. John leva la tête. Les arbres formaient une voûte, et leur vue aurait dû ravir son regard las. C'était en principe l'un des endroits les plus frais du ranch. Toutefois, les branches au-dessus de sa tête semblaient noueuses et s'étendaient dans tous les sens. Quelqu'un les avait-il seulement taillées depuis son départ ? Il dut ralentir pour éviter les nids-de-poule. Quant au pré, il ressemblait plus au désert de l'ouest du Texas qu'à un lieu où les bêtes pourraient paître.

— Bon sang, qu'est-il arrivé ?

La vieille Dodge de son grand-père était chargée de nourriture et de matériel. Il ne faisait aucun doute pour John qu'il se mettrait au travail l'après-midi même. La vie au ranch ne vous laisse jamais de répit. Il gara son véhicule de location et en fit le tour pour ouvrir le hayon. Il tendit le bras pour empoigner un sac, mais à ce moment-là…

Vlan. Projeté au sol, il cracha de la poussière. Un coup de poing dans les reins suivit. Aussitôt, John contracta le ventre et serra les bras autour de son corps dans un réflexe de protection. L'agresseur s'écarta en traînant les pieds. En un instant, John se remit sur ses genoux et se redressa.

— Tu ne manques pas de culot, de revenir maintenant !

— Brian ? Mais qu'est-ce…

Il essuya la terre sur son visage, juste à temps pour intercepter un autre coup. Il serra les poings, mais se retint à la dernière seconde de riposter. D'un coup d'épaule, il se colla nez à nez contre son frère.

— Arrête ça si tu ne veux pas te retrouver à terre.

— Ah oui ? Et qui m'y mettra ? Mais bien sûr, le fils qui est parti il y a douze ans. Tu penses pouvoir me battre grâce à ton super entraînement militaire ?

John ne pouvait décemment pas donner une correction à Brian dès son arrivée. Il détendit son corps, juste assez pour ne pas paraître menaçant, mais il soutint le regard de son jumeau. Brian était trop prévisible : avant de frapper, il baissait les yeux au sol, c'était systématique. Mieux valait éviter les coups plutôt que d'envenimer la situation en y répondant.

— Du calme, mon vieux, je viens juste d'arriver, plaida-t-il.

Il était de retour depuis un quart d'heure et déjà il avait reçu une gifle et mordu la poussière. Par ailleurs, le bas de son dos était en piteux état.

— Justement. L'attaque de papa remonte à *une semaine*.

— J'étais en mission, je te rappelle, et je suis venu aussi vite que j'ai pu. Comment va-t-il ?

— Dis plutôt que tu étais trop occupé à sauver des étrangers pour prendre la peine de rentrer à la maison.

Brian attrapa un sac de vingt-cinq kilos et il le jeta sur son épaule comme s'il s'agissait d'un gros oreiller, avant de se diriger d'un pas furieux vers l'étable.

— Va voir par toi-même, lança-t-il à John sans même se retourner. En général, Alicia le laisse devant la télévision.

Sans doute n'était-ce pas le bon moment pour rappeler à son frère qu'il avait appelé des dizaines de fois au cours des deux derniers jours. John se massa les côtes puis la mâchoire et il frotta ses vêtements. Quel accueil !

— Papa ?

Il poussa la porte à moustiquaire d'une main hésitante, craignant un peu de pénétrer dans l'inconnu. Puis, il traversa en silence la cuisine et le salon, en proie au doute. Quel serait l'état de son père, assis devant le téléviseur dont le volume avait été poussé au maximum ?

Une grave attaque l'avait fauché, sept jours plus tôt, alors qu'il s'occupait des chevaux. C'était tout ce que savait John. Il avait laissé des messages sur le portable de son père, mais personne ne l'avait rappelé. C'était triste à dire, mais il ne connaissait pas le numéro de son frère.

Son manque d'aptitude à communiquer n'était un secret pour personne, même bien avant son départ pour l'armée. Cette mauvaise habitude s'était renforcée quand il avait été envoyé en manœuvres durant lesquelles il n'était pas autorisé à appeler. Puis il y avait eu les longues missions. Les différences de fuseau horaire. Il en était vite venu, ensuite, à éviter d'appeler chez lui simplement parce qu'il était trop occupé… ou qu'il prétendait l'être. Son père avait accepté ces prétextes. Son frère lui avait dit de ne jamais regarder en arrière, et John avait suivi ce conseil au pied de la lettre.

Il était un homme différent, à présent. Tous deux avaient changé. Ils auraient le temps de régler leurs problèmes. *Plus tard.*

Pour le moment, seul comptait son père… qui dormait, assis dans un fauteuil roulant, au milieu d'une pièce qui ne ressemblait plus en rien à celle qui avait été la préférée de sa mère dans leur maison. Un lit médicalisé, une chaise percée, du matériel médical et de kinésithérapie l'encombraient, à présent, et tous les objets familiers en avaient été retirés. Un téléviseur à écran plat était accroché au mur.

Il tressaillit en entendant couler de l'eau, derrière lui dans la cuisine, surpris par Brian qui était entré sans un bruit.

— Papa, réveille-toi.

Brian donna un coup d'épaule à John en passant. Toujours aussi irrité, de toute évidence. Son jumeau posa une main légère sur l'épaule de leur père pour le réveiller en douceur.

— John est revenu à la maison.

John comprenait sa douleur. Au vu des circonstances, son frère avait le droit d'être en colère. A lui seul, il avait dirigé le ranch et il avait pris soin de leur père.

La dernière fois qu'ils s'étaient trouvés face à face, ils n'étaient encore que deux jeunes hommes. Des jumeaux identiques qui pouvaient passer l'un pour l'autre… et qui avaient dupé plus d'un enseignant. Sans parler des filles. Les différences étaient visibles, à présent. La plus évidente était leur coupe de cheveux. John arborait la coupe militaire réglementaire, les cheveux de Brian tombaient sur son col.

John ne connaissait que trop bien cette tension de la mâchoire. Leurs corps avaient été modelés par les aléas de la vie de chacun, mais ils se ressemblaient encore étrangement.

John se tourna de nouveau vers leur père. Il lui devait des excuses.

— Je suis venu aussi vite que j'ai pu. Je ne savais rien…

Il ne se plaignit pas du manque d'information de la part de son frère. Cela n'aurait fait que le contrarier un peu plus.

— C'est peu de le dire, marmonna Brian.

Leur père secoua la tête, bouleversé. Brian lui tapota l'épaule.

— Je sais, papa. Je t'ai dit que tu lui expliquerais les choses quand il serait là.

John se tut, figé par la frayeur qu'il lut dans les yeux de leur père. L'attaque l'avait laissé paralysé. Il ne pouvait pas parler. Brian leva une paille vers le côté de la bouche de leur père et il attendit patiemment, la lueur de colère toujours présente dans ses yeux lorsqu'ils croisèrent ceux de John.

— Papa a fait une attaque et il a eu la chance d'y survivre. Il lui faudra un moment pour se rétablir, mais il progresse bien.

Il reposa le gobelet sur la table.

— Il semblerait qu'Alicia t'ait épuisé comme d'habitude, papa. Il est temps de faire un somme, d'accord ?

Brian agit avec calme et rapidité. John s'avança pour offrir de l'aider, mais son frère lui fit signe de s'écarter. En deux temps, trois mouvements, J.W. Sloane avait regagné son lit.

— Je m'en charge. Va te doucher. Je suis sûr que tu as des choses à expliquer.

Rien n'avait changé. Son frère donnait les ordres, et lui il obtempérait, comme il le faisait déjà au quotidien dans son métier. Il déposa donc ses affaires dans une chambre qui, à l'exception de la couche de poussière, n'avait pas changé, et marqua un temps d'arrêt. Bon sang ! Quand donc se déciderait-il à prendre le contrôle de son existence ?

2

— Coucou, mon cœur.

— Maman ! Maman ! Regarde, je suis une princesse.

Alicia Adams regarda sa fille de quatre ans traverser la salle de jeux, esquivant les jouets et ses camarades. Sa robe jaune arborait une magnifique tache violette sur le devant… sans doute laissée par la confiture de myrtilles du goûter. Alicia souleva sa fille par-dessus la barrière pour la serrer dans ses bras.

— Qu'as-tu fait aujourd'hui ?

— On a fait de la peinture et on s'est déguisés. J'étais une princesse et j'ai dû porter tout le temps une couronne.

Elle reposa Lauren, appréhendant la suite de la conversation.

— Joue encore un peu mon ange. Je dois parler à Mary.

— Il y a un problème ? lui demanda la femme qui gardait chaque jour sa fille.

Mary Fitz possédait et dirigeait cette garderie depuis toujours. Alicia y avait été admise avant son entrée en maternelle et elle y avait travaillé pendant ses années de lycée. Il n'y avait nul autre endroit où elle avait envie de laisser sa fille. Ce qui lui rendait encore plus pénible le fait de ne pas pouvoir payer Mary.

— Je crains que demain ne soit notre dernier jour. Ce n'est pas juste de vous demander de garder Lauren alors que je ne suis pas en mesure de vous payer, Mary.

Qu'allait-elle faire ? Elle ne pouvait emmener sa fille chez ses clients, et il fallait bien qu'elle travaille.

— Balivernes. Je te l'ai déjà dit, tu me paieras quand tu le pourras. J'ai confiance en toi. Je sais ce que tu traverses. Travailler comme infirmière libérale pour passer davantage de temps avec ta fille est admirable, ma chérie. Monter cette garderie n'a pas non plus été facile. A l'époque, tout le monde m'a prise pour une veuve un peu folle. Aussi, ne te tracasse pas. Elle est très bien ici.

Mary se retourna vers les enfants.

— Lauren, il est l'heure de partir, ma puce.

Les larmes montèrent aux yeux d'Alicia. Il lui était impossible de songer à Dwayne sans que cela évoque tous les problèmes qu'il avait laissés derrière lui lorsqu'il était décédé, quatre ans plus tôt. Le fait de la laisser avec un nouveau-né et sans testament avait semé le chaos dans la vie jusque-là heureuse d'Alicia. Ces pensées semblaient parfaitement ridicules, comparées à sa mort… Néanmoins, elles reflétaient la réalité.

Non, elle ne pleurerait pas. Pas devant sa fille. Vite, elle appuya les paumes de ses mains contre ses yeux fermés pour tenter d'endiguer les larmes. Mary venait de lui sauver la vie. Une fois encore.

— Ce ne sera pas trop long. Je devrai m'éloigner un peu plus, mais j'aurai deux patients supplémentaires à Sanger.

— Ce n'est vraiment pas un problème, Alicia. Je suis contente de t'aider.

Mary souleva Lauren par-dessus la barrière.

— Elle s'est tellement amusée en jouant à la princesse, aujourd'hui. Garde la couronne, mon ange.

— Dis au revoir à Mary.

Toutes deux firent un signe de la main à l'une des personnes les plus adorables de leurs vies.

— A demain.

Malheureusement, Alicia n'avait pas choisi de se mettre à son compte de son propre chef, comme Mary le supposait. Elle avait été contrainte de démissionner de l'hôpital de Denton.

Après avoir eu un dossier exemplaire durant des années, elle avait soudain vu les questionnaires de satisfaction de ses patients se remplir de mystérieuses plaintes. Des plaintes qui avaient toutes vu le jour au moment où le fonds de placement de Dwayne avait été gelé et où sa belle-mère cherchait à en prendre le contrôle.

Coïncidence ?

Et ensuite, un correspondant anonyme avait affirmé l'avoir vue revendre des médicaments. « Anonyme » ? A d'autres ! Il s'agissait forcément de Shauna.

Elle n'aurait jamais cru qu'une personne puisse se montrer aussi cruelle. En particulier un membre de sa propre famille. Elle aurait voulu ne pas croire que Shauna, sa belle-mère, fût responsable de la perte de son emploi à l'hôpital régional de Denton. Mais si elle n'avait rien eu à voir avec ça, elle n'aurait pas eu connaissance de la démission d'Alicia et elle n'aurait pas demandé la garde de Lauren le même jour.

Etre forcée d'appeler une femme pareille « belle-maman » la révulsait.

Dwayne n'avait jamais considéré Shauna Weber comme sa belle-mère, lui non plus. Ils avaient le même âge, et elle était même sortie avec lui à plusieurs reprises en première année d'université. Elle ne manquait pas de culot, d'avoir épousé un homme de deux ans son cadet, quatre mois à peine après le décès du père de Dwayne !

Pense au temps supplémentaire que tu passeras avec Lauren aujourd'hui.

Ayant seulement quelques visites à domicile sur son planning du lundi, elle aurait dû se réjouir de la faible charge de travail qui lui permettrait de jouer avec sa fille. Mais peu de travail signifiait aussi peu d'argent. La tâche suivante sur sa liste était de parler à son propriétaire. Cela allait le contrarier de devoir accepter un paiement échelonné, mais les recettes d'Alicia ne lui permettaient pas de régler plusieurs semaines à l'avance.

Elle aurait bien voulu se rendre directement au parc,

mais cela n'aurait pas été raisonnable : il faisait quarante-deux degrés à l'extérieur. Presque aussi chaud que dans la voiture, même avec la climatisation au maximum. D'abord les courses, donc, ensuite le dîner, puis un moment de détente sur les balançoires lorsqu'il ferait plus frais, avant l'heure du bain.

Il lui était difficile d'apprécier quoi que ce soit. Elle en tremblait encore. L'argent — ou plutôt le manque d'argent — lui faisait toujours cet effet. Cela, ajouté à ce qui s'était passé avec Johnny, expliquait qu'elle soit dans tous ses états.

Comment avait-elle cru pouvoir l'accueillir en toute sérénité à son retour ? Elle sentait encore la douleur cuisante de la gifle sur sa main. Elle sentait encore l'étreinte de ses bras autour de sa taille, le frisson qui lui avait parcouru l'échine quand elle l'avait embrassé.

Elle jeta un coup d'œil dans le rétroviseur pour observer Lauren qui jouait dans son siège-auto.

Embrasser John avait été une erreur monumentale. L'embrasser *pour de vrai*. Il ne lui manquait plus que cet accès de culpabilité, ce sentiment de trahison envers son époux défunt, et ses mains ne cesseraient plus de trembler ! Si Johnny ignorait auparavant ce que lui inspirait son retour… eh bien, à présent, il le savait. Enfin, il y avait toujours la possibilité qu'il soit aussi obtus qu'au moment de son départ. Elle soupira. Etait-il la seule chose à laquelle elle puisse penser ?

— Génial. Tout simplement génial. Je n'étais pas supposée l'embrasser, bon sang !

— Comme une princesse embrasse un crapaud, maman ?

Aïe ! Elle avait parlé tout haut.

— Exactement, mon cœur. Maman a embrassé un crapaud aujourd'hui, mais il ne s'est pas transformé en prince. Que veux-tu pour le dîner ?

Pense au parc. Oublie l'argent et Johnny Sloane.

— Des nuggets de poulet.

— Tu me demandes la même chose tous les soirs !

Alicia ne put s'empêcher de rire.

Pour être tout à fait honnête, il était vraiment difficile de ne pas songer combien son petit ami du lycée était devenu séduisant. Elle l'avait senti solide comme un roc sous ses doigts. Pourquoi semblait-il plus grand que Brian, elle ne parvenait pas à le comprendre, mais c'était bien le cas, pourtant. Pas une seule fois, depuis qu'elle connaissait les frères Sloane, elle n'avait été attirée par Brian. Ils n'avaient jamais réussi à la tromper comme ils l'avaient fait avec bon nombre de leurs professeurs et de leurs amis.

Non, elle avait toujours pu les différencier.

Elle aimait ses cheveux, coupés court au-dessus de ses oreilles mais pas ras comme la dernière fois qu'elle l'avait vu. En un mot : il était fabuleux. Fort. Robuste. Un vrai homme. Elle avait pensé à lui toute la journée — et il était grand temps de se calmer.

Ce moment était celui de Lauren.

— J'aime bien les nuggets. Les nuggets McDonald's.

Alicia gloussa de nouveau.

Probablement le menu du dîner lorsque Alicia devait effectuer des visites du soir à des patients et que Lauren se retrouvait alors seule avec une baby-sitter… sans la surveillance de sa maudite belle-mère.

— Que dirais-tu de nuggets faits maison ? Nous avons tout notre temps aujourd'hui. Mais d'abord, quelques courses.

Alicia s'engagea sur le parking. Il ne lui fallut pas longtemps pour rejoindre l'épicerie. Elle se gara en bout d'allée, toujours soucieuse de protéger la Camaro de son père des coups et des éraflures.

— On dirait que tu vas pouvoir emprunter ton petit Caddie-bolide préféré. Il n'y a pas trop de monde.

— On pourra acheter du vrai lait chocolaté ?

— Nous avons ce qu'il faut pour en préparer à la maison.

— Mais papy Weber prend le lait chocolaté directement aux vaches.

Sa fille se mit à geindre — exactement comme le faisait

Shauna. Comment était-ce possible à l'âge de quatre ans ? Alors qu'il n'y avait même pas entre elles de liens du sang ?

— Chérie, on ne l'obtient pas de cette façon.

Elle ne cessait de corriger les mensonges que Patrick, le nouveau mari de Shauna, faisait croire à Lauren.

Alicia alla du côté passager pour prendre sa fille, ce qui n'était pas une mince affaire. Les voitures racées et les voitures familiales étaient deux choses différentes… Elle rabattit le siège avant et elle entreprit de libérer Lauren, qui fit un signe à quelqu'un, mais Alicia ne prit pas la peine de se retourner.

— Bonjour, dit Lauren.

Mais alors qu'elle soulevait sa fille, Alicia fut poussée en avant. Ses pieds furent littéralement fauchés sous elle, et toutes deux tombèrent dans la voiture.

Alicia voulut crier à l'aide, mais un tissu épais dont l'odeur lui évoqua un sac en toile de jute s'abattit sur sa tête. Elle ne vit plus rien. La pression dans son dos se fit plus insistante, comme si on y appuyait un genou. On lui agrippa le cou, et son visage se retrouva plaqué contre le cuir brûlant du siège. Derrière elle, Lauren hurlait, lui donnant des coups de pied tandis qu'on l'extrayait de la voiture.

Ils emmenaient son bébé !

— Ne faites pas de mal à ma maman ! criait Lauren.

— Que voulez-vous ? parvint-elle à articuler.

Elle se débattit. Un bras l'étrangla. Elle ne pouvait plus bouger. *Mon Dieu, je vous en prie, envoyez quelqu'un à notre secours.*

— Maman !

— Chut ! intervint une voix grave.

Les cris de Lauren lui parvenaient toujours, étouffés.

— Je vous en prie… ne lui faites pas de mal. Lauren ! Tout ira bien, mon bébé.

— Tais-toi, chuchota une seconde voix rocailleuse à son oreille.

Ses mains furent rapidement attachées dans son dos à l'aide de ruban adhésif.

— Ne faites pas cela. Je vous en prie, implora-t-elle.

Après avoir été délestée de ses bottes, elle fut jetée sans ménagement sur le plancher à l'arrière, les chevilles ligotées. Elle entendit la portière claquer. Les vitres étaient remontées. Les clés se trouvaient dans sa poche. Il faisait plus de quarante degrés à l'extérieur. La voiture était une vraie fournaise. Mais ils ne l'avaient pas tuée.

Ils avaient kidnappé sa petite fille.

Une décharge d'adrénaline parcourut son corps, mais elle n'arriva toujours pas à déchirer l'adhésif qui lui immobilisait les mains. Elle ferma les yeux, irrités par la poussière du sac de toile, et elle se rapprocha de la portière. Elle donna des coups de pied dans la vitre. Elle n'avait aucune chance de la briser sans ses bottes, mais quelqu'un l'entendrait la marteler. Forcément.

Quelqu'un la verrait et appellerait la police. On la sortirait de là. Il le fallait, vite, pour avoir encore une chance de retrouver Lauren.

Qui avait pu faire une chose pareille ? Elle n'abandonnerait pas tant qu'elle n'aurait pas retrouvé sa fille.

La sueur ruisselait sur son visage. Elle avait du mal à respirer. Ce sac l'étouffait. Elle s'étrangla, toussa, eut un haut-le-cœur. Durant tout ce temps, elle ne cessa de se tortiller en se servant du tapis de sol pour dégager lentement le bas de son visage de la toile suffocante.

Continue de frapper. Ne t'arrête pas.

— Au secours ! Est-ce que quelqu'un m'entend ?

Essaie de t'asseoir. Impossible. Elle ne pouvait se tourner suffisamment et elle était accrochée à quelque chose. La ceinture de sécurité ! Ils lui avaient scotché les mains à la ceinture du siège avant.

— Au secours !

Tout ce qu'elle put émettre fut un soupir rauque.

Les larmes menaçaient. Elles se mirent à couler. Mais

il faisait tellement chaud dans la voiture qu'elle peina à reprendre sa respiration.

Pas de larmes. Continue de frapper.

Un client viendrait ranger son Caddie. Quelqu'un l'entendrait. Il suffisait de continuer à donner des coups de pied. Quelqu'un serait intrigué en voyant la voiture de son père stationnée là. N'est-ce pas ?

Seigneur, donnez-moi la force de continuer à frapper.

Lauren…

3

— Pas de témoins. Ni d'indices, ni de demande de rançon. L'alerte enlèvement a été lancée. Mais quarante-huit heures se sont écoulées depuis le kidnapping, et nous n'avons toujours rien, Alicia.

Le shérif Coleman l'avait escortée chez elle depuis l'hôpital après qu'elle se fut remise de son coup de chaleur. Elle avait perdu conscience, mais grâce au Ciel quelqu'un l'avait vue par la vitre. La chaleur infernale à l'intérieur du véhicule aurait pu la tuer. Cela la gênait un peu d'avoir dû appeler le shérif du comté pour se faire raccompagner mais, en raison de la présence de la presse, il lui aurait été absolument impossible de repartir sans escorte. Et la police d'Aubrey avait refusé de l'aider.

A présent, il se tenait dans son tout petit salon comme il l'avait fait si souvent au cours des quatre dernières années. Le même shérif, simplement dans une maison différente de celle où il lui avait appris la mort de Dwayne dans un accident de voiture.

— Je ne comprends pas. Nous savons tous deux que la seule personne qui pourrait être derrière cela est Shauna. Elle a publiquement menacé de me prendre Lauren.

La belle-mère de son époux — et la sienne, par extension — avait joué la comédie de la femme en plein désarroi devant les caméras de télévision, mais Alicia connaissait la vérité.

Elle savait que les Weber voulaient le fonds en fidéicommis de sa fille. Elle avait l'intime conviction qu'ils étaient impliqués dans l'enlèvement. L'appât du gain qu'elle lisait dans leurs regards le lui prouvait constamment.

— Pourquoi les autres personnes ne voient-elles pas au-delà des larmes de crocodile qu'elle verse à l'adresse de la presse ?

Une autre émotion se dissimulait derrière les paupières lourdes de Shauna. La jubilation. Cette même exultation qu'elle avait affichée lorsqu'ils étaient parvenus à faire geler les avoirs de Dwayne.

— Lauren ne se trouve ni au ranch ni dans la maison de San Francisco où Shauna vit actuellement. Nous avons vérifié. Nous avons pris Weber en filature. Nous avons également fouillé toute propriété en lien avec chacun d'eux.

— Et pour ce qui est du FBI ? Avez-vous contacté les Texas Rangers comme vous me l'aviez promis ? Ou dois-je comprendre que vous me conseillez d'abandonner ?

Elle s'y refusait tout net !

— Je vous explique simplement que je n'interromprai pas les recherches, mais que je ne peux pas faire grand-chose. Les Rangers sont en alerte et ils dirigent l'enquête. Ils ont le sentiment d'être confrontés à un différend familial et ils n'ont pas encore fait appel au FBI.

— Shauna les en a-t-elle dissuadés ? Est-ce que tout le monde croit les mensonges qu'elle débite à la presse ? Je n'ai absolument pas kidnappé ma propre fille pour m'approprier son héritage !

Quelle bande de vautours !

— Le moment est peut-être venu de vous en remettre à un détective privé, suggéra le shérif.

— Je me suis renseignée hier, depuis l'hôpital. Ils demandent tous beaucoup plus d'argent que je n'en ai, et ce avant même de commencer !

Elle s'avança vers la fenêtre afin de voir s'il y avait toujours des caméras devant chez elle. Elles avaient disparu — mais pour combien de temps ?

— Shauna affirme qu'elle va en engager un et que s'il

retrouve Lauren, elle l'emmènera loin de moi. Cela ne suffit-il pas pour émettre un mandat ? Vous avez bien perquisitionné ici sur la foi des accusations de la presse, je vous rappelle.

— Voyons, Alicia, ce n'est pas la raison pour laquelle mes hommes ont jeté un coup d'œil ici, et vous le savez. Shauna nous par ailleurs invités à fouiller toute sa propriété sans mandat.

— Vous savez que les médias me présentent déjà comme responsable de l'enlèvement de ma fille même si c'est complètement invraisemblable. Je pense à toutes ces fois où j'ai jugé ces mères crucifiées par les chaînes d'actualités. On n'a jamais entendu dire qu'elles aient été reconnues innocentes. Mais j'encaisserai leurs accusations, shérif. Je les laisserai me traîner dans la boue si ça peut m'aider à récupérer Lauren saine et sauve.

Si elle n'avait pas été aussi fatiguée, elle aurait fait les cent pas. Rester assise à attendre la rendait folle. Trop épuisée pour rester debout plus longtemps, elle se laissa tomber sur le canapé et elle ne put contenir ses larmes.

Lauren avait disparu, et il n'y avait personne pour la retrouver. En sentant une main se poser sur son épaule, elle prit conscience que le shérif attendait poliment.

— Alicia, vous savez que je n'y suis pour rien. Je ne vous pense pas capable de vous servir ainsi de Lauren.

— Je ne sais que faire, Ralph.

Elle devait se ressaisir afin qu'il puisse prendre congé.

— Désolée d'avoir dû vous appeler, encore une fois, mais je ne pouvais pas sortir de l'hôpital avec ces vautours qui attendaient de moi une déclaration.

La presse l'avait traquée, la présentant comme une femme désespérée et instable. Laissant sous-entendre qu'elle avait fait kidnapper sa propre fille pour obtenir une rançon. Le journal local avait lancé les premières insinuations dans son éditorial hebdomadaire. Rapportant qu'elle était sans le sou, dans l'incapacité de payer ses factures parce qu'elle intentait un procès à sa charmante belle-mère dans le but de s'approprier le fonds en fidéicommis de Lauren.

— Tout ceci est tellement stupide, Ralph. Si quelqu'un est avide d'argent, c'est Shauna. Chacun sait qu'elle a épousé le père de Dwayne pour sa fortune. Pour l'amour de Dieu, elle avait le même âge que son beau-fils ! Elle me détestait déjà au lycée et elle m'a détestée plus encore après mon mariage avec Dwayne. Cette haine s'est exacerbée quand Roy a tout légué à Lauren.

Le shérif lui tapota l'épaule.

Ressaisis-toi.

— Vous devriez partir. Je vais bien. Vraiment, réussit-elle finalement à lui dire.

— Fermez les portes à clé, Alicia. Je ne pense pas que l'endroit soit sûr.

Elle hocha la tête. Toutefois, si les kidnappeurs avaient voulu la tuer, cela leur aurait été beaucoup plus aisé lorsqu'ils avaient emmené Lauren. En l'état actuel des choses, ils réussissaient à lui faire endosser la responsabilité de leurs actes.

— Je ne plaisante pas. Ils pourraient revenir terminer ce qu'ils ont commencé. Vous auriez pu mourir en restant enfermée dans cette voiture.

— Je vais bien, je vous assure.

Elle craignait davantage ses propres voisins. Ils pourraient à leur tour se laisser gagner par l'hystérie collective et jeter des briques à travers ses vitres, ou pis. N'était-ce pas arrivé à la mère d'une autre enfant kidnappée ?

— Tant que vous resterez à l'intérieur, tout ira bien.

Il lui pressa l'épaule en signe de soutien avant de gagner la porte.

— Lauren ira bien, elle aussi. Nous la retrouverons. Je vous le promets.

— Sans avoir la moindre idée de l'endroit où elle a été emmenée ? Qui la recherche réellement ?

Il sortit et attendit de l'autre côté de la porte qu'elle la ferme à clé.

Alicia se prit la tête entre les mains. Elle était seule. Sans personne pour la soutenir.

— Mon Dieu, shérif, que vais-je faire ?

— Trouvez quelqu'un qui n'ait aucun lien avec les Weber, lui répondit-il à travers la vitre, pointant du doigt la serrure pour lui rappeler d'être prudente.

Après le départ de la voiture du shérif, le silence lui sembla assourdissant. Combien de fois, le soir, durant les trois années et demie qui venaient de s'écouler, avait-elle aspiré à un moment de solitude ? Sans aucune responsabilité ? Chaque moment passé loin de Lauren avait été consacré à faire des heures supplémentaires à l'hôpital. Et à présent ? Une petite voix rieuse lui demandant un autre verre d'eau, c'était tout ce qu'elle souhaitait entendre.

Elle essuya ses larmes et elle se redressa. Il lui fallait de l'argent. Shauna avait caché Lauren quelque part. L'argent l'aiderait à retrouver sa fille. Alicia s'assura que la voiture du shérif était hors de vue et elle ouvrit la porte.

Elle allait devoir trahir sa promesse et vendre la Camaro de son père. Elle connaissait une seule personne qui y tenait autant qu'elle.

Johnny.

— Tu ne pourras pas toujours l'éviter. Je lui ai déjà donné ses médicaments. La prochaine tâche est inscrite au planning. Il devra faire ses exercices après le déjeuner.

Brian s'empara de son sac de sport posé sur la terrasse et il le jeta sur son épaule.

— Je dois y aller.

— Où vas-tu ? lui demanda John en laissant claquer la moustiquaire derrière lui.

Il voulait que Brian réponde à sa question au lieu de l'ignorer comme il l'avait fait depuis son retour. En dehors des consignes concernant leur père, son frère ne lui avait rien dit d'autre que : « passe-moi le beurre » au petit déjeuner. Il travaillait du lever du soleil jusqu'à plus de minuit, chaque jour, ne s'interrompant que pour prendre ses repas et s'occuper de leur père.

Et voilà qu'il partait « au travail » pour une période de quatre jours.

— Tout ce que tu as besoin de savoir est consigné par écrit. Etant donné qu'Alicia ne peut être présente, tu n'auras qu'à appeler Mabel s'il te faut de l'aide.

— Ne devrions-nous pas engager une autre infirmière ou un kinésithérapeute diplômé ?

Quand son frère lui avait annoncé, la veille au soir, que son tour était venu de prendre soin de leur père, John s'était senti pris au dépourvu. Il n'avait reçu aucune formation pour ce type de tâche !

Prêter assistance à son père n'avait rien de commun avec le fait de faire face à l'ennemi. Il était tout simplement terrifié à l'idée de commettre une erreur.

— Engager quelqu'un d'autre ? Je ne ferai pas cela à Alicia. Et toi non plus.

Brian secoua la tête, ajoutant au dégoût manifeste qu'affichait déjà son visage.

— La vérité est que nous ne pouvons pas nous le permettre. Papa n'a pas de mutuelle. Alicia est venue travailler sans être payée en attendant que j'aie du liquide. Elle a insisté. Je finirai par la payer, mais je dois d'abord vendre l'une des juments. Et je rencontre des difficultés car elle est au nom de papa.

— Je peux payer. De combien as-tu besoin ?

— Garde ton argent.

— C'est pour papa, argua John, se retenant de dire sa façon de penser concernant l'orgueil de son frère.

La situation était bien pire que ce qu'il avait imaginé, mais, même dans ces circonstances, la loyauté de son frère envers Alicia n'était pas une chose qu'il s'aventurerait à remettre en question. *Conforme-toi au plan de Brian et négocie la paix, le moment venu.*

— Quatre jours. Ensuite, il faudra que nous ayons une conversation.

Brian grommela son accord à contrecœur.

Le ranch et la santé de leur père étaient deux enjeux différents. Brian ne pourrait l'empêcher de consulter la comptabilité pendant qu'il serait parti « au travail ».

— Je ne suis pas sûr de savoir ce qu'il faut faire avec papa.

— Il y a une liste d'exercices sur le chevet près de son lit. Cela te donnera l'occasion de lui parler sans que je sois dans les parages. Tu pourras te plaindre autant que tu le voudras.

Brian repoussa ses cheveux en arrière et il mit un vieux chapeau de paille sur sa tête.

— Mabel m'a dit qu'elle serait ravie de t'aider pour papa et elle habite à cinq minutes d'ici, de l'autre côté de la route.

— Je me rappelle où vit Mme Standridge, merci. Pourquoi portes-tu le chapeau de papa ?

Son frère lui décocha un regard noir et il enfonça le chapeau sur sa tête.

— Tu pourrais prendre la voiture de location. Je ne dois pas la rendre avant plusieurs jours.

— Pourquoi je ferais ça ?

Il jeta son sac à l'avant du pick-up et se mit au volant.

— N'appelle Mabel que si c'est vraiment nécessaire.

— C'est ça. Ne t'impose pas, surtout, marmonna John, noyé dans une traînée de poussière mêlée à des gaz d'échappement.

Quatre jours sans la plus petite indication, et Brian trouvait encore le moyen d'avoir des exigences ?

Parler à son frère lui était plus pénible que d'affronter un terroriste. Cela dit, Brian avait raison à propos d'une chose, au moins… John n'avait jamais eu aucun mal à s'entendre avec son père — autrefois. Mais cela remontait à loin, avant que les conversations de deux minutes et les messages vocaux ne soient devenus leur habitude. Bien longtemps avant que communiquer ne devienne si difficile et frustrant pour son père qu'il ne lui faille boire une gorgée d'eau à la paille pour y parvenir. Peut-être pourrait-il lui raconter certains de ses récits de guerre. Oui, après tout, son père pourrait les trouver intéressants…

Mais les confidences devraient attendre qu'il se soit occupé d'une quarantaine de chevaux. Qu'il se soit assuré que le reste du troupeau soit transféré dans le pré à l'avant — ou ce qu'il en restait — et que l'abreuvoir soit rempli. Qu'il ait contrôlé la clôture, ce qui impliquait de seller un cheval qu'il ne connaissait pas et de monter pour la première fois depuis douze ans. Et, au fil des tâches à accomplir de cette liste longue de trois pages, il devrait venir voir toutes les demi-heures comment allait son père.

Comment Brian avait-il réussi à continuer de prendre en charge le travail dont se chargeaient quatre ouvriers agricoles du temps où ils étaient plus jeunes ? Et pourquoi était-il parti pour quatre jours avec pour seul bagage un petit sac ?

Enfin, si Brian pouvait le faire, lui aussi en serait capable, non ? Il était même bien décidé à prendre les choses en main. S'il pouvait gérer les têtes brûlées de l'aviation navale, il pouvait accomplir des corvées dont il s'était chargé la plupart du temps dans sa jeunesse, non ?

Ce serait une simple formalité.

Enfin, il fallait l'espérer.

4

Eh bien non, il n'en était plus capable.

Les fesses endolories, John n'avait qu'une envie : se laisser tomber dans un fauteuil devant la énième rediffusion d'une vieille série et boire une bière. S'il s'était trouvé à San Diego, c'était exactement ce qu'il aurait fait. Ou alors, il serait allé à la plage.

Bien sûr, s'il avait été chez lui, devant son téléviseur, il ne se serait pas senti frustré de n'avoir pu mener à terme aucune des tâches de la liste de Brian. Cette journée lui avait paru interminable. Les allers et retours pour s'assurer du bien-être de son père avaient perturbé chacun des travaux qu'il avait entrepris. En conséquence, il n'en avait terminé *aucun*.

Au bout de quelques heures, il avait bien dû admettre qu'il était hors de son élément. Il avait beau avoir couru et fait de l'exercice presque chaque jour depuis qu'il avait quitté le ranch il y avait des années, pour l'instant, chaque partie de son corps souffrait d'une façon différente. Avant le déjeuner, il avait appelé Mme Standridge. Il n'avait pas honte de demander de l'aide. Il avait l'habitude de travailler en équipe, de reconnaître ses faiblesses et de chercher à s'améliorer.

Aussitôt qu'elle était arrivée, il avait vu le regard de son père changer. Brian aurait pu penser à lui signaler que leur père serait gêné que quiconque le voie dans cet état. Mabel avait servi à ce dernier un repas qu'il pouvait presque manger seul. Il ne voulait manifestement pas d'elle dans sa maison, mais ils n'avaient pas le choix. Il avait besoin d'aide — tout comme John.

En milieu d'après-midi, la température, caniculaire, avait atteint les quarante-trois degrés. Elle retomberait probablement à trente-six, plus tard, dans la soirée. Il n'avait plus fait l'expérience de l'été texan depuis son adolescence. Et alors ? Il serait curieux de voir Brian se débrouiller pour survivre après avoir été largué, en tenue de combat, au beau milieu d'un désert ! John réprima un soupir. La brise de l'océan ainsi que son jogging quotidien sur la plage, en Californie, lui manquaient…

C'était une vie différente. Pour l'instant, il devait se concentrer sur celle-ci et voir si Brian l'autoriserait à revenir plus souvent ici, à la maison. Eh oui, il quêtait la permission de son frère.

Ce qui signifiait qu'il ferait mieux de retourner s'attaquer à d'autres tâches sur la liste, et vite. Mais d'abord, il devait se laver. Il dégoulinait littéralement de sueur et, avec une seule salle de bains, il ne pourrait pas prendre de douche avant le départ de Mabel. Il s'avança donc vers l'abreuvoir qu'il venait de remplir, enleva sa chemise et il y plongea la tête. Le choc de l'eau froide lui donna la sensation d'avoir plongé dans le Pacifique.

Il secoua la tête et se passa les mains sur le visage pour chasser l'eau avant d'entrer dans la maison. Un vrombissement familier, celui de sa Camaro préférée, vint mourir derrière lui.

Alicia était bien la dernière personne qu'il s'attendait à voir. Il se retourna. C'était bien elle, pourtant, serrant d'une main le volant et tenant de l'autre son portable. Elle ne fit pas le moindre mouvement pour descendre de la voiture. D'après ce qu'il venait d'entendre aux informations, sa fille était toujours portée disparue. Quelle était la raison de sa venue ?

Elle paraissait perdue. Il avait déjà vu ce regard.

L'expression pétrifiée de quelqu'un qui n'a pas d'alternative.

— Alicia ?

Il ouvrit la portière, coupa le contact puis il s'appuya contre le toit.

— Hé ! tu vas bien ?

— Non.

Un soupir désespéré, les larmes coulant de ses yeux gonflés. Elle ne ressemblait guère à la femme sûre d'elle qui l'avait accueilli dans l'allée.

— Ils n'arrivent pas à la retrouver et…

— Je suis prêt à t'aider, Alicia, mais je ne suis pas certain de ce que je peux faire.

Il le voyait bien : elle s'efforçait de garder son *self-control* en expirant lentement. Sans succès. De nouveau, il se sentit hors de son élément. Devait-il l'inviter à sortir de la voiture ou demander à Mabel de venir ?

— J'ai pensé… que je devais vendre la voiture, mais il vient d'appeler…

Elle secoua la tête. Les larmes se mirent à couler de plus belle de ses yeux rougis.

— Ils l'ont arrêté.

— Qui ? Ont-ils retrouvé ta fille ?

— Non. C'est… Brian qui vient d'appeler.

— Brian va t'acheter la voiture ? Il n'est pas ici pour le moment.

Il devrait aller chercher Mabel. Peut-être pourrait-elle comprendre et lui expliquer de quoi il retournait.

Alicia se tourna vers lui, inspira un grand coup, puis elle plongea son regard dans le sien.

— Ils ont arrêté Brian pour l'enlèvement de Lauren.

Alicia balaya du regard la cuisine d'un jaune défraîchi. Combien de journées d'été n'avait-elle pas passées ici, chez les Sloane, en compagnie de la mère des jumeaux, à servir de la limonade fraîche et des cookies au beurre de cacahuètes faits maison… Plus récemment, elle y avait occupé son temps à cuisiner des repas simples pour J.W. et Lauren pendant que Brian veillait à la bonne marche du ranch.

Ou du moins le croyait-elle.

Evidemment, voyons, qu'il s'affairait au ranch. Ne te mets pas à douter de lui. Il n'est ni un kidnappeur ni un revendeur de drogue comme le pense la moitié de la ville. C'est Shauna qui est à l'origine de l'enlèvement. Tu dois simplement trouver un moyen de prouver qu'elle est coupable.

— Te voilà, ma chérie. Le dîner vous attend tous les deux. Dites-moi quand vous serez prêts.

— Merci, Mabel. Je n'ai pas vraiment faim.

Alicia se posa un gant de toilette humide et frais sur les yeux. Elle était tellement fatiguée de réfléchir, de tenter de décider comment et par où commencer.

— Etes-vous au courant de quelque chose ? demanda John à Mabel.

— Malheureusement non ! Je sais seulement que la police refuse de laisser quiconque joindre Brian tant qu'il n'aura pas été officiellement inculpé.

Du seuil de la cuisine, John grommela :

— L'ont-ils arrêté sur la foi d'une dénonciation anonyme ?

— C'est la raison pour laquelle ils l'ont appréhendé à l'origine, m'ont-ils dit. Puis ils ont découvert les jouets de Lauren derrière le siège de son pick-up, expliqua Mabel.

Elle tapota l'épaule d'Alicia au passage.

Celle-ci maintint le gant de toilette frais en place à l'aide de ses paumes. Ses yeux étaient gonflés et brûlants à force d'avoir tant pleuré.

— Nous lui avions pourtant dit de ne pas jouer dans le pick-up. C'est ma faute si Brian est en prison.

— Non, ma chérie, ce n'est pas vrai, intervint Mabel. Et demain matin, nous serons fixés : Brian sera soit inculpé soit relaxé. Je m'assurerai qu'il ait un bon avocat, qu'il le veuille ou non.

— Je suis si heureuse que vous puissiez prendre soin de J.W., dit-elle à Mabel.

Elle retira le gant humide de ses yeux. Le simple fait d'être assise à la vieille table la rassérénait. Elle était encore ébranlée, toutefois elle pouvait de nouveau s'exprimer de façon rationnelle. L'angoisse, elle, ne disparaîtrait que lorsque Lauren serait de retour, saine et sauve.

— Je le suis moi aussi.

La voix chaude et grave de John résonna dans la pièce.

— Merci d'avoir appelé le poste de police. Je vais remettre papa au lit. J'aimerais voir Brian dès que possible. Pourriez-vous continuer à prendre soin de lui ? Cela m'ennuie de vous le demander, mais je vais probablement devoir m'absenter aussi demain s'il n'est pas libéré.

— Pas de problème.

Mabel plia le torchon à vaisselle et elle le posa sur l'égouttoir.

— Je crois que la prison ouvre à 8 heures demain matin. Je suis une lève-tôt, mais je ne pense pas que tu veuilles me voir arriver à 5 heures. Je serai donc là à 7 h 30, si ça te va.

Alicia se plaqua de nouveau le gant de toilette sur le visage tandis que Mabel refermait doucement la porte derrière elle. Une bouffée d'air chaud entra dans la pièce. Comment pourrait-elle regarder John en face ? Elle ignorait comment lui parler. Ou comment lui expliquer, voire lui demander d'excuser son comportement. Il s'était passé tellement de choses depuis son départ, et il semblait ne pas en avoir la moindre idée.

Par où commencerait-elle ?

Par le regarder.

Elle se rafraîchit une dernière fois le visage et elle mit le gant de côté. John avait enfilé une chemise. Ses cheveux étaient encore humides, elle avait entendu couler l'eau de la douche tandis que Mabel faisait la vaisselle.

— Est-ce que ça va ? lui demanda celui-ci.

Elle l'observa à travers ses doigts tandis qu'il tirait une chaise de sous la table pour s'asseoir dessus à califourchon.

— Brian s'assied exactement comme ça. Mais je ne te confondrais jamais avec lui.

L'expression neutre de John se teinta légèrement d'agacement tandis qu'il tapotait des doigts sur la table. Cela se repérait facilement chez un homme qui n'affichait guère ses émotions.

— Brian et toi êtes ensemble à présent ?

— Non. Cela n'a rien à voir.

— Pourquoi ne m'expliques-tu pas ce qu'il en est au juste ?

John ne bougea pas. Il était tellement grand que, même assis de cette façon sur la chaise, il semblait encore la dominer.

— Il faudrait probablement commencer par m'expliquer pourquoi la police l'a arrêté pour l'enlèvement de ta fille et pourquoi tu es la première personne qu'il ait prévenue.

— Shauna est responsable de l'appel anonyme. Je suis certaine qu'elle essaie de nous piéger, Brian et moi. Le shérif Coleman le pense lui aussi, bien qu'il ne puisse en faire part à personne d'autre.

— Te l'a-t-il explicitement dit ?

John resta calme, les bras croisés sur le dossier de la chaise. Son regard faisait constamment la navette entre son père et elle.

— Non. Mais il ne l'a pas nié quand j'en ai fait mention. Il faut que tu prennes soin de Brian. Je suis simplement venue te demander si tu voulais acheter la voiture.

— Shauna qui ? Et pourquoi as-tu besoin d'argent ?

— Shauna Weber était la belle-mère de Dwayne et c'est elle qui a fait geler mes comptes.

— Pourquoi sa belle-mère voudrait-elle geler tes avoirs ?

— Parce que c'est une garce vénale. Désolée, je ne peux pas me montrer rationnelle quand je parle d'elle. Johnny, peux-tu acheter la voiture oui ou non ? J'ai besoin d'argent pour engager un détective privé. C'est le seul moyen pour moi de récupérer ma fille avant que Shauna ne feigne de la retrouver par miracle et qu'elle ne l'éloigne de moi.

— Plutôt audacieux, comme présomption.

— Je ne présume rien.

Elle repoussa sa chaise qui vint heurter le mur. Elle perdait patience. Elle se força pourtant à se rasseoir et elle inspira profondément à plusieurs reprises. Elle devait rester cohérente avant tout. Elle se sentit incapable de le regarder pour voir ce qu'il pensait de son brusque accès de colère. Etonnant qu'il ne lui fasse pas la morale comme tous ceux à qui elle avait tenté de se confier.

— C'est la seule explication. Shauna a gelé les avoirs de Dwayne, y compris le fonds en fidéicommis de Lauren… et de ce fait, j'ai besoin de l'argent que peut me rapporter la voiture. Je veux dire, si tu as toujours envie de l'acheter… Ensuite, je ne t'ennuierai plus.

— Tu veux dire que le tribunal a gelé *tes* avoirs, dit-il.

— Shauna m'a traînée devant les tribunaux. Comme si elle avait le moindre droit sur cet argent ! Il appartient à *ma fille*. Cela m'ennuie de devoir l'utiliser, mais il a été notre seul subside alors que cette garce contestait le testament. A présent, il ne me reste rien, hormis quelques patients à domicile qui me sont restés fidèles.

Se rappellerait-il l'amitié qu'ils avaient partagée autrefois ? Compatirait-il suffisamment à sa situation pour lui donner davantage que la valeur estimée de la voiture ? Elle rassembla son courage pour affronter enfin son regard. Mais il avait les yeux tournés vers le salon et vers son père.

— La maison n'a pas été conçue pour y accéder en fauteuil roulant.

Elle tenta de regagner son attention.

— En fait, Brian a installé le lit de J.W. à cet endroit afin de pouvoir travailler à la table tout en gardant un œil sur lui.

— Pour en revenir à l'arrestation de Brian, reprit-il en baissant la voix, pourquoi mon frère ? Si vous êtes simplement amis, qu'a-t-il à voir avec ta fille ?

— Shauna et Patrick Weber ont lancé des accusations visant à faire croire que nous avions une liaison. Que nous avions enlevé Lauren pour la rançon.

— Mais il n'y a pas eu de demande de rançon, non ?

— Il en a été déposé une aux écuries d'exposition des Weber hier soir. Ils ont tenté de m'impliquer, mais ils ignoraient que j'avais un solide alibi. Le shérif était chez moi. Ils ont donc immédiatement accusé Brian d'être mon complice.

— C'est ridicule ! Il est resté dehors à s'occuper des chevaux bien après la tombée de la nuit.

— La note a été laissée dans les écuries qui jouxtent la limite de votre propriété.

— Tu veux dire que Pat Weber possède les écuries du vieil Adams ? Il n'y était qu'un simple employé autrefois !

— Shauna l'a épousé quatre mois à peine après la mort du père de Dwayne. Si cela ne prouve pas que seul l'argent l'intéressait, je ne vois pas ce qui pourrait le prouver. Epouser Roy Adams était pour elle un autre moyen de se rapprocher de Dwayne après le lycée. A présent qu'ils sont tous deux décédés, elle liquide tous leurs biens.

— Attends. Fais-tu allusion à Shauna *Tipton*, la pom-pom girl de quelques années notre aînée ? Pardon, mais ne sortait-elle pas avec Dwayne, à l'époque ? On se croirait dans une mauvaise série télévisée !

— Ne m'en parle pas. Je vis ce cauchemar au quotidien depuis des années. Brian est quelqu'un de bien, je le sais, mais Shauna n'hésitera pas à se servir de tout ce qu'elle pourra sortir de son contexte.

— Bien, je ne vois toujours pas pourquoi la police arrêterait mon frère. S'il n'y a rien entre vous, comment pourrait-elle relier Brian à l'enlèvement ?

— J'ai toujours été son amie et je suis restée ici avec J.W. pendant que Brian était parti assurer sa permanence de quatre jours à Fort Worth la semaine dernière.

— Sa permanence ?

— Il est auxiliaire médical d'urgence. Et il se rendait également là-bas ce matin quand il a été arrêté, j'en suis sûre.

— Il ne m'a pas dit où il allait. Il a simplement mentionné le fait qu'il s'absenterait pendant quatre jours.

On aurait cru entendre parler son frère ! La posture, le ton, les inflexions de voix, étaient absolument identiques. S'ils tentaient de se faire passer l'un pour l'autre, rares seraient les personnes capables de les différencier. Alicia comptait toutefois au nombre de ces personnes. Et à ce moment précis, elle reconnaissait bien l'entêtement qui avait empêché les deux frères de se parler depuis le départ de John pour l'armée.

— Cette fois, je ne jouerai plus les médiatrices entre vous. Tu peux lui parler au poste de police.

Il hocha brièvement la tête. Un geste destiné à mettre un terme au débat sans être grossier. Il prenait en compte ses paroles, mais ne tenait pas à s'étendre sur le sujet.

— Cela n'explique toujours pas pourquoi la police pense que Brian ait pu kidnapper ta fille.

— *Lauren.* Son prénom est Lauren, et je veux qu'elle revienne. Elle a besoin d'être à la maison avec moi.

La peur fit s'étrangler sa voix.

— Je reprends. Sais-tu pourquoi ils le soupçonnent d'avoir enlevé Lauren, tenté de te tuer et puis d'être resté tranquillement au ranch jusqu'à ce qu'on l'appréhende ?

Il avait légèrement haussé la voix et il regarda en direction de J.W. qui, assoupi, semblait assez éloigné d'eux pour ne pas entendre leur conversation.

— Un tel plan n'aurait rien de logique et il nécessiterait la complicité d'une troisième personne au moins afin de cacher Lauren quelque part. Cela n'a pas le moindre sens.

— La police n'a pas besoin de justification : il y a des personnes en ville qui cherchent à le faire mettre en prison depuis douze ans.

John fronça les sourcils. Il secoua la tête, serra les lèvres et il parut sincèrement perplexe.

— Tu l'ignores ? Tu es le jumeau de Brian et tu veux me faire croire que tu ignores ce qui s'est passé après ton départ ?

Il semblait très contrarié.

Le muscle de sa mâchoire s'était mis à tressaillir, ce qui n'avait pas échappé à Alicia. John était de toute évidence ébranlé. Elle pouvait à peine croire que ses deux meilleurs amis se soient autant éloignés l'un de l'autre. De parfaits jumeaux qui avaient partagé secrets et plaisanteries en tout genre durant toute leur scolarité.

— Brian a reconnu avoir provoqué l'incendie qui a coûté la vie à Mme Cook.

— Je le sais. Il a… Il en a assumé la responsabilité.

Johnny ne put dissimuler une certaine émotion. Il se raidit et il cligna les yeux, gardant les paupières baissées un rien trop longtemps. Tous deux avaient changé au fil des années, mais certaines choses restaient les mêmes. L'homme assis en face d'elle était tout aussi meurtri que l'avait été le jeune homme de dix-huit ans lorsque son frère avait prêté foi aux mensonges qui avaient été propagés concernant l'incendie.

— Ils ne le lui ont jamais pardonné.

— Quelles personnes au juste ?

Il paraissait sincèrement ne pas en avoir la moindre idée.

— Tout le monde. En dehors du shérif, de Mabel et de moi, personne ne lui adresse la parole. Jamais. Personne ne t'a jamais dit pourquoi il n'était pas allé à l'université ?

— J'ai supposé qu'il avait changé d'avis. Aucun de nous n'était très doué pour les études.

— Mais tu as tout de même su qu'il avait perdu sa bourse ?

L'impassibilité de façade de John s'évanouit.

— Ton père ne t'en a jamais rien dit ?

— Il ne me parlait pas beaucoup de Brian.

John baissa les yeux sur la table.

— Autrement dit, tu n'as rien demandé parce que tu ne voulais pas savoir.

— Eh bien, je t'écoute à présent.

— La mort de Mme Cook a bouleversé la ville. Peu lui importait que cela ait été un accident. Les gens voulaient que Brian soit puni. Il y a eu une vague de protestations et des pétitions exigeant des sanctions. Les enseignants ont retiré leurs lettres de recommandation.

— Ils avaient le droit de faire cela ? demanda-t-il dans un murmure, blessé.

— Soudain l'université n'a plus disposé que d'une bourse partielle. Son montant a été réduit à mille dollars. Brian ne pouvait pas financer le reste.

L'incrédulité, l'étonnement, la colère… une foule d'émotions déferla sur le visage de John.

— Tu peux compter sur mon aide. Quoi que je doive faire. Nous retrouverons ta fille et nous innocenterons Brian.

— Je ne vois pas ce que tu peux faire, John. La police et les Rangers ont été avisés de l'enlèvement. Personne n'a rien vu. Il n'y a ni indices ni empreintes, aucun moyen de la retrouver. C'est comme si elle avait disparu de la surface de la Terre.

Il serra les poings, prêt à se battre pour défendre sa famille. Il y avait bien longtemps qu'elle n'avait eu le sentiment que quelqu'un était totalement de son côté.

— Je peux t'aider. Fais-moi confiance.

Les traits crispés de son visage se détendirent. Il lui prit la main, et elle eut le sentiment fugace d'avoir un vrai ami. Cela faisait un moment qu'elle ne s'était pas reposée sur quelqu'un. Elle hocha la tête. S'en remettre à lui était chez elle comme une seconde nature, elle en prit conscience. Si elle s'était précipitée au ranch, c'était parce que John y était de retour.

5

— Dis-moi ce qui s'est passé après mon départ, dis-moi ce que nous allons devoir affronter.

John faisait les cent pas dans la cuisine tout en gardant la silhouette de son père endormi dans son champ de vision périphérique. Il voulait éviter qu'il soit contrarié.

Au bout de quelques minutes, il ne prêta plus qu'une oreille distraite à ce que lui rapportait Alicia sur le traitement que la ville avait réservé à Brian. Il restait focalisé sur l'arrestation de son frère. Au lieu de contacter un avocat, Brian avait appelé *Alicia.*

Que devait-il en déduire ? Avait-il cherché à informer son père sans devoir parler à John ? A avertir Alicia ? Elle pensait que l'on s'employait à les piéger…

— La police sait-elle qui Brian a appelé ?

— Je n'en suis pas sûre.

Elle paraissait aussi troublée que lui. Troublée *et* ravissante avec ce pli inquiet qui se creusait entre ses sourcils. *Secoue-toi, John.* Il n'était pas question de céder à cette attirance, ni maintenant ni plus tard. Alicia affirmait qu'il n'y avait rien entre Brian et elle, qu'ils étaient simplement amis. Ils étaient à l'évidence plus proches qu'aucun d'eux ne voulait l'admettre — et cela avait toujours été le cas.

— Qu'a dit Brian exactement ?

Elle plaça ses doigts contre ses tempes, se concentrant.

— Qu'ils l'avaient appréhendé, et que derrière son siège ils avaient trouvé la couronne de Lauren et son ours — celui qu'elle avait avec elle quand… quand on l'a enlevée.

J'en avais parlé aux enquêteurs. Il a ajouté que la police d'Aubrey viendrait chez moi pour me parler.

— Tu négliges en somme l'essentiel, Alicia. Je pense que Brian t'a appelée pour te prévenir de ne pas rentrer chez toi.

— Crois-tu que l'on aurait aussi dissimulé des indices chez moi ? Les médias se sont déjà rangés du côté de Shauna et ils insinuent que j'ai organisé l'enlèvement de Lauren pour récupérer l'argent de la rançon. Crois-tu que l'on va m'arrêter ? Je n'ai rien fait !

Il n'avait pas le temps de ménager la sensibilité d'Alicia, aussi lui répondit-il sans détour.

— Si Shauna s'est donné la peine de faire croire que tu avais simulé un enlèvement, ne crois-tu pas qu'elle a tout intérêt à déposer des indices chez toi pour t'impliquer ?

Il laissa l'information faire son chemin.

— Tu as le choix. Soit tu te rends en espérant que tout cela pourra être démêlé légalement…

Elle leva vers lui un regard éperdu.

— Si je suis en prison, personne ne recherchera Lauren.

John s'abstint de la détromper. Tout le monde avait cherché sa fille. Pour innocenter Brian, il devrait faire plus que se contenter de la chercher. Il la *retrouverait*.

— Dans ce cas, tu dois disparaître.

Elle haussa les sourcils.

— Comment pourrais-je disparaître ? Je n'ai pas d'argent et je ne peux aller nulle part. La voiture de papa est facile à repérer.

— Je peux t'aider.

Il se leva, jetant un coup d'œil dans le salon afin de vérifier que son père dormait toujours. Lorsqu'il se retourna vers elle, elle se tenait face à lui, si proche… Toutefois, chacun d'eux évita de toucher l'autre.

— Johnny, je ne peux pas te demander plus que d'acheter ma voiture. Ton père a besoin de toi.

— Ne t'inquiète pas, Alicia. Tu as besoin de mon aide.

Plus important encore, la seule façon d'innocenter Brian est de retrouver ta fille. Et j'ai besoin de toi pour y parvenir.

— Je ne te remercierai jamais assez.

Elle se jeta dans ses bras et elle l'étreignit.

— Que dois-je faire ?

John l'écarta d'un geste gauche, n'étant pas certain de pouvoir se maîtriser s'il la tenait tout contre lui dans ses bras. Les prochains jours allaient déjà être assez difficiles.

— Nous allons mettre ta voiture dans la grange, et si la police perquisitionne, je dirai que tu me l'as vendue.

— Et ensuite ?

Elle sortit le porte-clés de sa poche, s'y accrochant comme à une bouée de sauvetage.

— Tu as un Smartphone ?

— Oui.

— Prends une réservation sur le prochain vol pour San Antonio. Ou en tout cas rien en dehors de l'Etat. Si le FBI n'est toujours pas impliqué, nous voulons garder les recherches te concernant limitées au Texas. Quand ce sera fait, enlève la batterie et laisse-la dans les affaires de papa. A un endroit où tu accèdes en principe quand tu effectues ses soins.

— Tu veux que la police me croie en fuite. Ça ne marchera pas. Elle sait que je n'irais nulle part sans Lauren.

— Pensais-tu te retrouver accusée de son enlèvement un jour ?

Elle était terrifiée, il le voyait. Sa fille avait été *enlevée*. Même si elle était certaine de l'identité de la responsable de ce kidnapping, elle demeurait pétrifiée à l'idée de commettre une erreur, rongée par le doute qu'elle puisse se tromper.

John éprouvait cela à chaque mission. En particulier celles où la vie d'un homme était en jeu. Remettre en question ses propres décisions avait de quoi rendre fou. Aussi ne fallait-il pas se poser de questions. Une personne comme Alicia avait besoin que quelqu'un l'aide à prendre ce genre de décisions. Tant qu'il serait là pour en porter la responsabilité, elle n'aurait pas à s'inquiéter de savoir si elle agissait au mieux.

— Et si jamais ils libéraient Brian ou si le fait de m'interroger à mon tour les aidait à retrouver Lauren ?

— J'ignore s'ils disposent d'assez d'éléments à charge pour retenir Brian. Il se peut qu'ils le relâchent, et qu'ils le surveillent pour savoir avec qui il entre en contact en espérant qu'il les conduira à la personne qui détient ta fille. Mais, surtout, j'ai besoin de toi pour retrouver Lauren.

— Tu penses vraiment que m'enfuir est la meilleure solution ?

— Et te cacher, aussi. Faire profil bas en attendant que nous rassemblions tous les faits et que nous découvrions qui est impliqué. De nombreux endroits dans le ranch pourront faire l'affaire pour ce soir. Demain, je t'emmènerai en un lieu plus sûr.

— Où cela ?

— Dans la propriété des Adams, juste à côté. Brian et moi y jouions sans arrêt. La police ne te croira pas assez culottée pour te cacher juste sous leur nez.

— Johnny.

Elle le retint par le bras, l'empêchant de s'éloigner.

— Que se passera-t-il si elle me trouve ?

Le regard de John sombra dans les yeux les plus bleus qu'il ait jamais vus. Il contempla ce visage qu'il avait tenté de son mieux d'oublier. Elle ne lui avait jamais menti, elle avait toujours eu foi en lui. C'était lui qui lui avait tourné le dos, qui avait manqué de confiance en elle.

— Crois-moi, cela n'arrivera pas. Je sais ce que je fais. Je me suis caché dans nombre d'endroits pires que la ville d'Aubrey au Texas. Personne ne me trouve lorsque je me terre quelque part.

Il prit son portable et il composa le numéro que Mabel avait inscrit sur le bloc accroché au réfrigérateur.

— C'est John. Changement de plan. Pouvez-vous tenir compagnie à papa cette nuit ? Merci.

Une fois qu'il eut raccroché, Alicia reprit :

— Brian a appelé pour me mettre en garde. A-t-il fait exprès de ne pas t'informer directement ? Personne ne sait que tu es ici, n'est-ce pas ?

— C'est notre atout majeur. Ils surveillent tous Brian et te croient seule. Je ne te mentirai pas, Alicia, cela risque d'être pénible, et de nombreuses personnes lanceront des accusations bien pires que celles formulées à la télévision.

Il regarda par-dessus son épaule en direction du salon. Son père le fixait, souriant, et il lui adressa un signe d'encouragement. Si John avait eu des doutes quant au fait de laisser son père pour aider Alicia, il n'en subsistait aucun.

— Je veux retrouver ma fille et je suis prête à tout pour y parvenir. J'ai confiance en toi, Johnny.

— Très bien.

La véritable question était de savoir si lui-même pouvait se faire confiance.

6

— Où est ma maman ? demanda la fillette pour la centième fois depuis qu'elle avait été traînée en ce lieu, hurlant et se débattant.

Tory aurait juré qu'ils se seraient fait prendre avant même d'avoir quitté Aubrey. Mais les vitres teintées et les haut-parleurs surpuissants de la voiture de son ex avaient couvert leur évasion et les cris de l'enfant. Ensuite, les petites routes de campagne avaient achevé de protéger leur fuite.

Lauren avait pleuré jusqu'à ce qu'ils l'aient persuadée de croire à leur mensonge. Celui-ci faisait partie de leur couverture. Il était issu du plan brillant de Patrick visant à ce qu'ils ne se fassent jamais prendre. Ils avaient dit à la fillette que sa mère lui faisait passer un test et qu'elle viendrait la « sauver » une fois le jeu terminé. Qu'elle ne devait pas s'inquiéter. Qu'elle devait faire semblant de vivre une grande aventure.

— Tu ne peux donc pas faire taire cette gamine ?

Son ex-petit ami se rua sur la petite fille, mais Tory s'interposa pour le calmer. Il tourna les talons et il se jeta sur les coussins en piteux état du canapé décrépit.

— Que veux-tu que je fasse ? Tu sais que si nous la blessons, nous ne serons pas payés.

Elle n'aurait jamais dû consentir à aider Patrick. Et elle n'aurait jamais dû s'adresser à son ex pour l'aider à mettre en œuvre ce stupide plan. Ce fainéant croyait toujours que c'était lui qui commandait et il possédait les muscles pour vous en convaincre.

— Retourne dans la chambre, ma chérie, et amuse-toi avec tes nouveaux jouets.

— Mais je ne peux pas avoir à boire ? demanda l'enfant. Quand est-ce que le jeu sera fini ?

— Plus tard, mon cœur.

Tory la poussa à l'intérieur de la chambre et elle tira le verrou qui venait d'être installé pour l'y enfermer.

Elle passa trop près de son ex, et une main épaisse saisit son poignet. Celui qu'il avait fracturé au précédent printemps. Il était encore douloureux si elle le tournait dans le mauvais sens, et en particulier lorsqu'elle tentait de se libérer. Ce salaud le savait. Elle avait assez hurlé de douleur les premières fois où il l'avait empoigné de cette façon.

— Les actualités prétendent que la mère de la gamine l'a enlevée pour l'argent.

— Ça se passe exactement comme je l'avais prédit, confirma-t-elle en espérant qu'il la lâcherait avant de la faire pleurer.

— J'ai donc reconsidéré notre arrangement. Nous pouvons obtenir plus d'argent. Cet imbécile de Weber est plein aux as.

Tory se força à déglutir.

— Je ne suis pas sûre. Ça semble assez risqué.

Comment expliquerait-elle cela à Patrick ?

— Que peut-il nous faire si nous demandons plus ? Ce n'est pas comme s'il pouvait nous balancer à la police ou à sa femme. C'est sans risque. Nous sommes aux commandes, et il doit s'exécuter.

— Je ne sais pas si nous devrions faire cela. Ça semble plus sûr à ma manière. Nous récupérons l'argent, et la faute incombe à la mère.

Elle devait le convaincre de s'en tenir à l'accord d'origine. Elle n'allait pas tout risquer pour la moitié de la somme dérisoire qu'il pensait avoir négociée la semaine précédente. Elle suivrait le plan, prendrait tout l'argent, et elle planterait là ce crétin arrogant pour s'enfuir avec Patrick.

— A ma façon, on touchera plus d'argent. Je l'ai vu faire des dizaines de fois à la télé.

Il voulait commander. Comment pourrait-elle le persuader qu'à la base ce plan était le *sien* ? Son poignet la faisait souffrir, mais elle ne s'écarta pas. Elle se rapprocha au contraire de l'immonde brute, offrant à son regard le décolleté avantageux que lui faisait ce chemisier ajusté auquel Patrick ne pouvait résister.

— Les kidnappeurs ne se font-ils pas toujours prendre à la télé ?

— Seulement s'ils laissent leur ADN, et nous sommes tranquilles. Weber, cet imbécile, a laissé ses empreintes puisque c'est lui qui nous a donné l'ours à mettre dans le pick-up. Quant à nous, nous portions des gants.

— Mais, chéri…

Elle s'efforça d'adopter un ton doucereux en dépit de l'élancement douloureux dans son bras.

— Tu sais, j'ai déjà déposé le message de demande de rançon sur lequel on a travaillé si dur.

— Nous pouvons en préparer un autre.

Patrick leur avait donné la consigne de faire couper, assembler et coller les lettres par Lauren. Cela avait pris beaucoup de temps, mais seules les empreintes de l'enfant se trouvaient sur la feuille. Cette simple tâche avait demandé à la petite fille de quatre ans deux matinées et deux après-midi entiers d'efforts soutenus. Des petits morceaux de papier avaient dû être jetés, et Tory avait eu l'idée de les dissimuler au domicile d'Alicia. Les ciseaux, les magazines et les chutes de papier avaient été déposés sur la table de jeu de la fillette dans la chambre même d'Alicia.

— Demander à la petite de refaire le message prendra plusieurs jours de plus, dit-elle.

Ce rustre l'attira contre son torse. Tory ne pouvait nier qu'il avait un corps fabuleux. Et il n'était pas vilain à regarder. C'était la raison pour laquelle elle était restée si longtemps avec lui. Si seulement il pouvait maîtriser son côté mesquin et sentir moins mauvais, cela ne la gênerait pas de rester avec lui en attendant que tout cela soit terminé. Il lui empoigna les cheveux et il tira en arrière. Son souffle brûlant se posa entre ses seins tandis qu'elle atterrissait sur ses genoux.

Elle savait ce qui l'attendait. Elle avait prévenu Patrick. Elle l'avait pratiquement supplié de la laisser demander à quelqu'un d'autre. C'était leur meilleure option, lui avait-il expliqué. Personne n'y regarderait de trop près si son ex revenait chez elle, mais cela paraîtrait nettement plus suspect s'il s'agissait d'un étranger, en particulier au moment où la petite disparaîtrait.

C'était donc plus judicieux ainsi, et Patrick ne pourrait pas être furieux si l'inévitable se produisait. Elle laisserait son ex agir à sa guise. Elle veillerait à ce qu'il soit satisfait tout en espérant lui faire oublier son projet de changer de plan. Avec un peu de chance, il ne la molesterait pas trop.

Tory se mordit la lèvre et elle retint sa respiration. Plus que trois jours et elle volerait en première classe à destination de Paris en compagnie de Patrick. Son imagination s'égara, se représentant son amant, plus doué, plus tendre, que cette brute. Elle se renversa en arrière, tombant au sol lorsque soudain il la lâcha.

— Qu'est-ce que j'ai fait ?

— Tu n'as rien fait justement.

Il se leva du canapé, lui donnant un coup de son pied botté.

Le visage de son partenaire s'empourpra sous l'effet de la fureur, et elle se prépara à encaisser le coup de poing sadique qui ne manquait jamais de suivre. Il ne vint pas. Elle se releva timidement, ne sachant trop ce qui allait suivre. Elle ne l'avait jamais vu ainsi. Une gifle du revers de la main l'envoya valser sur l'accoudoir du canapé.

— Sors d'ici avant que je te montre vraiment ce que je pense ! beugla-t-il.

Tory courut à la porte de la chambre de la petite, elle ouvrit le verrou et elle se précipita à l'intérieur. Elle avait déjà eu peur de ce sale type auparavant, mais jamais à ce point. La colère qu'elle avait vue dans ses yeux lui ravageait le cœur… si toutefois il en avait encore un.

La brute qui venait d'exploser n'était pas son ex. Elle était *pire*. Alicia ignorait ce qu'il était devenu ou à quoi il se droguait désormais, mais il s'était transformé en un robot impitoyable.

Elle se recroquevilla au sol, s'appuyant contre la fine cloison, son esprit désespérément en quête d'un moyen de se sortir de ce pétrin. Elle se sentait incapable de retourner dans cette pièce et de faire semblant d'aimer ce monstre.

Plus que trois jours. Pourrait-elle encore tenir ne serait-ce qu'un jour de plus ?

Pour Paris ? Pour Patrick ? Oui, elle pourrait le faire pour lui. Elle le ferait pour un million de dollars. Mais, pour l'instant, elle devrait trouver une explication aux ecchymoses sur son visage. Il serait à coup sûr bleu et boursouflé lorsqu'elle irait travailler le lendemain. Elle devrait prétendre que tout était normal et ne pas fournir à la police de raisons de l'interroger.

Une petite main fraîche vint se poser, apaisante, sur sa joue brûlante.

— Tu vas bien, Tory ? Tu as un coup de soleil.

— Oui. Je suis seulement un peu stressée. Je vais dormir ici cette nuit.

— Tu as peur du gros homme toi aussi ? Il hurle fort, comme mamie Weber.

La petite main de Lauren vint couvrir sa bouche.

— Oups ! Elle hurle encore plus quand je l'appelle «mamie ».

Le petit rire gêné de la fillette était attendrissant, mais pas assez pour faire oublier à Tory celui qui venait de la frapper dans la pièce voisine.

Il ne se trouvait rien dans la chambre qu'elle puisse glisser devant la porte. Qu'elle puisse utiliser pour se protéger. Seulement un matelas par terre et des cubes en plastique dans l'angle de la pièce. Tory entendit des pas déterminés s'avancer dans leur direction. Elle s'arc-bouta contre la porte fine.

Le silence.

Clic.

Ce salaud l'avait enfermée avec leur prisonnière — et son portable était dans son sac posé dans la cuisine.

— Je me charge de prendre de nouvelles dispositions pour l'argent, Tory. Tu m'entends ? Toi, tu t'occupes de la gosse, cria-t-il à travers le battant. Et tu n'iras plus travailler. Je ne suis pas baby-sitter, merde.

Elle laissa Lauren venir sur ses genoux et elle serra très fort la petite fille contre elle. Ce n'était pas ce que prévoyait le plan.

Lauren tira sur le chemisier de Tory pour attirer son attention.

— Combien de temps maman sera partie ? Je n'aime pas être ici.

— Moi non plus, mon cœur. Moi non plus.

7

Le box délabré était encore imprégné de l'odeur du crottin, même après avoir été laissé à l'abandon. Alicia avait chaud, elle se sentait poisseuse, et elle n'avait pas eu la moindre intention de se glisser dans ce sac de couchage — enfin, pas jusqu'à ce que Johnny lui rappelle que les couleuvres affectionnaient les écuries… Ces horribles créatures pouvaient monter sur les chevrons pour y guetter les rongeurs ! Par conséquent, bien entendu, elle ne put fermer l'œil et ne cessa de fouiller du regard les poutres vermoulues.

— Il fallait vraiment que tu fasses mention des serpents, se plaignit-elle.

Elle l'entendit s'esclaffer.

— Vas-tu enfin dormir ?

Elle aperçut la lueur fugace d'une montre LED.

— Quelle heure est-il ?

— Vingt-trois minutes de plus que la dernière fois où tu me l'as demandé, grommela-t-il.

Sa voix lui parvint étouffée. Peut-être était-il allongé, le visage posé sur ses bras musclés. Johnny ne craignait pas les couleuvres hargneuses qui mordaient lorsqu'on les provoquait. Il n'en avait jamais eu peur et il n'avait cessé d'agacer ces créatures à sang froid lorsqu'ils étaient jeunes.

— Es-tu certain que nous ne pouvons pas dormir dehors ? On étouffe ici.

Elle repoussa le sac de couchage, ne gardant la fermeture Eclair remontée que jusqu'au-dessus de ses pieds nus.

— Il n'y a pas un souffle d'air, insista-t-elle.

— Tu sais, je n'ai mentionné les serpents que pour te taquiner.

Sa voix claire et mélodieuse venait d'un peu plus haut cette fois-ci, comme s'il s'était hissé sur ses coudes.

Il était torse nu, tout comme lorsqu'elle était arrivée au Double Bar, plus tôt dans l'après-midi. Le souvenir de ses muscles sculptés laissa le champ libre à son imagination débridée. Elle chassa bien vite ces pensées pour focaliser son esprit sur les créatures qui rampaient au-dessus d'elle.

Les serpents étaient un sujet plus sûr sur lequel se concentrer. Ces prédateurs froids ne lui inspiraient pas le millième de l'attirance qu'elle pouvait éprouver pour l'homme qui lui avait promis de retrouver Lauren.

— Penser aux serpents n'est pas ce qui m'ennuie le plus. Si je laisse mon esprit s'y accrocher, c'est surtout pour éviter de songer à d'autres choses. A bien d'autres choses.

— Telles que ? demanda-t-il, semblant se résigner à ce qu'ils discutent dans l'obscurité plutôt que de dormir.

— Lauren a disparu depuis moins d'une semaine, et je me sens tellement seule. J'ai mal dans chaque fibre de mon être.

— Le contraire serait inquiétant. Tu as reçu un choc émotionnel. Souffrir est beaucoup mieux que de ne rien ressentir, lui répondit-il à voix basse.

— Est-ce ton cas ? Tu n'éprouves rien ?

— Moi ? Négatif. Je suis surtout perplexe.

Elle entendit le froissement du Nylon, céda à la tentation et posa les yeux sur lui. Le croissant de lune distillait assez de lumière pour rendre visibles quelques blessures anciennes sur son épaule. Il était assis, un bras passé autour de son genou ramené contre sa poitrine.

— Perplexe ? Je ne comprends pas. Tu t'es montré très résolu quand tu m'as ordonné de préparer mon sac et quand tu m'as expliqué ce que je devais faire. J'ai constaté exactement ce que ton père me dit toujours : que tu es un meneur d'hommes.

— Mon père ?

Il fronça les sourcils, creusant cette ride, à présent permanente, qui n'existait pas autrefois.

— Oui, enfin, c'est ce qu'il me disait avant son attaque.

Il s'étira le dos en tendant les bras au-dessus de sa tête. Seigneur, son corps était une vraie montagne de muscles. Il ne devait pas comporter un gramme de graisse. Elle ne put continuer à le regarder ainsi et elle reporta les yeux vers la porte ouverte, encadrant le ciel étoilé.

— As-tu passé beaucoup de temps avec papa ? lui demanda-t-il en s'appuyant contre le montant du box.

Elle s'assit, s'adossant à la cloison face à lui.

— En effet. J.W. et Brian ont veillé sur moi après le décès de Dwayne, lorsque je me suis retrouvée seule avec Lauren.

— Je l'ignorais.

— Il y a de nombreuses choses que tu ignores, John.

— Je vois. J'ai dû rater pas mal de trucs. Nous devrions nous reposer un peu. C'est peut-être la dernière fois que nous pourrons dormir sur nos deux oreilles avant un moment.

— Je ne pense pas que je pourrai fermer l'œil. Il y a trop de remue-ménage là-dedans.

Elle pointa un doigt sur sa tête.

— Mes pensées partent dans toutes les directions. Je me sens tellement perdue. Quand nous nous sommes serrés dans les bras l'un de l'autre, tu sais, dans l'allée, eh bien je me suis rendu compte… je me suis rendu compte de comme cela faisait longtemps qu'un homme n'avait pas été là pour moi.

— Alicia.

— Mais en même temps je me sens coupable, et cela me donne envie de pleurer. Lauren a disparu et… et… il n'y a personne. Je ne peux pas y arriver seule.

Elle se couvrit le visage des mains, ramenant ses genoux contre elle, soudain glacée à l'idée de ne jamais revoir sa fille.

— Alicia. Viens-là.

John prit ses mains entre les siennes avec tendresse.

Il s'était rapproché d'elle et il l'entoura de ses bras, lui embrassant le sommet du crâne quand elle posa sa tête contre son torse. Sa douceur réchauffa le cœur d'Alicia. Il lui caressa les cheveux. Son souffle effleurait son oreille.

— Vas-y, pleure, laisse-toi aller. Je suis là.

Dans ses bras, Alicia s'était endormie à force de pleurer. Elle avait oublié les serpents, mais ce n'était hélas ! qu'un problème mineur parmi tant d'autres. La fatigue avait finalement eu raison d'elle aux environs de 2 heures du matin. D'ordinaire, il aurait pu s'endormir sur commande, aptitude dont son expérience dans l'armée lui avait appris l'importance.

Dans ce cas, pourquoi ne parvenait-il pas à dormir ?

Il était tendu comme un arc, voilà pourquoi. Alicia était plus qu'une jolie fille qui avait besoin d'aide pour changer un pneu. Dans le cas présent, il représentait son unique chance de retrouver sa fille. Sans compter que la libération de Brian en dépendait.

Si son intuition était juste, il était aussi la seule chance d'Alicia de *rester en vie*. La logique voulait que ses ennemis la voient comme un obstacle à éliminer. S'ils mettaient la main sur elle, elle pourrait fort commodément disparaître, victime d'un accident fatal voire d'un suicide, laissant derrière elle une note qui laverait les Weber de tout soupçon. Ce n'était pas le moment de l'affoler en lui faisant part de ses suppositions, mais il devrait s'y résoudre tôt ou tard.

Il leur fallait un plan d'action. Peut-être était-ce la raison qui avait tenu son cerveau en éveil. De quels atouts disposait-il ?

En armement. Uniquement du revolver que possédait son père.

Stratégiquement. L'un de leurs points forts était que personne n'avait connaissance de sa présence dans le coin. Il n'avait pas avisé la police de son retour. D'après Alicia, ses amis avaient supposé voir Brian circuler en ville. Autant le leur laisser croire. Son identité resterait inconnue. Et Mabel leur avait juré de garder le secret sans même qu'ils le lui demandent.

En matière de communication. Il pouvait appeler son équipe pour obtenir des renseignements. Personne ne mettrait son portable sur écoute, mais… Non, il n'avait pas le droit d'impliquer ses hommes. Pour eux, il était le lieutenant qui avait gravi les échelons à la dure. Pas seulement un officier, mais également un ami. Ils se sentiraient tous l'obligation de l'aider. Cette opération devait demeurer officieuse car elle risquait d'avoir de graves conséquences. S'il se faisait prendre, cela mettrait un terme à sa carrière et à celle de tous ceux qui l'auraient aidé.

Alicia remua, et il la laissa se lover contre lui, posant la tête dans le creux de son bras tandis qu'elle dormait repliée sur elle-même. Il faisait encore chaud dans l'écurie, mais il étendit néanmoins son sac de couchage sur ses jambes. Elle tourna la tête et se glissa sur le côté, les mains sous le menton.

Il se rappela une autre nuit qu'ils avaient passée à la belle étoile. Ils s'étaient endormis près du lac et, s'éveillant au lever du soleil, ils avaient tenté de regagner en douce leurs foyers respectifs. Seigneur ! Ils s'étaient fait copieusement incendier par sa mère qui les avait traités d'irresponsables.

« Et si jamais quelqu'un vous avait vus ? »

La voix de sa mère résonnait encore dans sa tête, aussi claire que si elle se tenait devant lui. « Tu dois prendre soin de ceux que tu aimes. » Combien de fois le lui avait-elle répété ?

Quand elle avait disparu, il s'était empressé de mettre de côté tous ces souvenirs. Il les avait écartés de ses pensées, afin d'éviter de souffrir.

Etait-ce ce que qu'Alicia s'efforçait de faire ? Elle se tracassait trop. Mais pourquoi affrontait-elle seule cette épreuve ? Où étaient son père et son frère ? Qu'était-il advenu de leur domaine ?

Autant de questions dont il se doutait qu'elles lui causeraient du chagrin s'il les lui posait. Pour l'instant, il ferait mieux de s'en abstenir.

Comme avait coutume de le dire sa mère, Alicia faisait partie de la famille, et ce depuis la première fois où elle était venue déguster ses cookies. Il replaça ses longs cheveux ondulés derrière son oreille et il regarda les taches de rousseur sur le nez qu'elle avait depuis toujours. *Cela vaut-il la peine de sacrifier ta carrière ?*

— Absolument.

Il avait à peine murmuré, mais Alicia remua de nouveau. Avec précaution, il posa la tête de celle-ci sur le sac de couchage et il s'écarta doucement. Tant qu'à rester éveillé, autant faire bon usage de son temps. Il prit son portable dans son sac et il s'avança dans le pré.

Depuis qu'ils avaient quitté le ranch, il s'était demandé s'il allait chercher de l'aide. Il connaissait ses limites. Il pouvait, sans aucun doute, protéger Alicia. Et il retrouverait sa fille. Mais dénicher la preuve qui disculperait son frère allait de pair avec trouver celle qui accuserait les véritables kidnappeurs.

Il avait une dette envers Brian après le sacrifice qu'il avait fait pour lui — même si son frère lui en avait tenu rancune depuis tout ce temps. Tout en s'éloignant de l'écurie, il composa un numéro tandis qu'il prenait la direction d'un arbre familier où Dwayne, son frère et lui avaient tenté de construire une cabane.

Devlin McClain répondit à la quatrième sonnerie.

— Ça a plutôt intérêt à être important, Sloane. Tu sais l'heure qu'il est ?

— J'ai un problème, Dev.

— Quel est le nom de la dame ? demanda son frère d'armes en riant.

— Arrête, Dev. Connais-tu un ancien commando marine ou un agent des forces spéciales au Texas ?

— Au Texas ?

Son ton parut soudain beaucoup plus alerte.

— Dans quel genre de pétrin te trouves-tu au juste ?

— Ou alors quelqu'un qui travaillerait dans la sécurité ? J'ai besoin qu'il se renseigne discrètement et qu'il effectue du travail de terrain.

— Je pense que je peux trouver quelqu'un, oui. Sérieusement, vas-tu me dire ce qui se passe ? Et je t'en prie, ne me réponds pas qu'il vaut mieux pour moi que je ne sache rien.

— La petite fille d'une amie a été kidnappée.

— Enlevée par son père ? Tu veux que je fasse une recherche…

— Non, le mobile est l'argent. Je pense que l'enfant est toujours dans les parages. Alicia est victime d'une machination visant à lui faire endosser toute l'affaire.

A l'autre bout de la ligne, un chapelet de jurons qui reflétait parfaitement son opinion lui répondit.

— Je déteste que l'on utilise des enfants.

— Je ne peux pas prendre le moindre risque, Dev. N'implique pas l'unité, mais j'ai besoin de quelqu'un pour obtenir des informations sur les suspects potentiels. D'une personne prête à contourner un peu la loi…

Dev eut un petit rire amusé.

— Et si tu ne t'en sors pas, tu sais qui appeler ! En ton absence, l'unité est en permission.

— Je ne peux pas te demander ça.

— Combien de fois m'as-tu sauvé la mise, John ? Je serai toujours prêt à t'aider.

— Merci.

— Quelqu'un te contactera dans les plus brefs délais. Ce numéro est-il sûr ?

— En principe, oui. Je te rappelle si j'en change.

— Je devrais pouvoir te donner des nouvelles dans quelques heures. As-tu quelqu'un pour assurer tes arrières ?

— Cette affaire peut partir en vrille de bien des manières. Reste en dehors de ça. Tu m'entends ?

Il fallait espérer que son ami prendrait sa mise en garde au sérieux. Une escouade de commandos marine détachée dans le secteur ne serait pas facile à dissimuler.

— Comment va ton père ? As-tu… revu ton frère ?

Dev était la seule personne à qui il avait confié son appréhension à la perspective de rentrer chez lui.

— Mon père s'en remettra. L'attaque l'a laissé en partie paralysé et il est incapable de parler.

— C'est dur.

— Oui, et c'est aussi un sujet sur lequel je ne peux m'étendre. J'ai besoin de ma batterie.

— Exact. Accorde-moi deux heures, et je te recontacte avec un lieu et une heure de rendez-vous dans les environs.

— Il y a un lac près d'ici. Dis-moi simplement à quelle heure. Et… Dev, merci.

Il éteignit le portable et le rangea. Il lui serait impossible d'essayer de dormir, à présent. Il leva les yeux vers l'arbre. Une vieille planche de la cabane d'autrefois était toujours accrochée d'un côté et hérissée de clous rouillés. Il tendit le bras et tira dessus, l'arrachant.

Assis sur les branches du bas, il avait une vue sur tout le pré. Le terrain avait toujours le même aspect que lorsqu'il y venait jouer, à une exception près — et elle était de taille. Il ne s'y trouvait plus de chevaux. Autrefois, ce pré en était rempli.

— John ? appela Alicia de la porte de l'écurie.

— Je suis ici.

Il sauta à terre et la rejoignit.

— Que faisais-tu dans cet arbre ?

— J'en décrochais ceci.

Il rangea la planche en lieu sûr et se tourna vers elle.

— Où sont les chevaux ? La situation s'est-elle dégradée au point qu'ils aient dû fermer le ranch et vendre les bêtes ?

— C'est Shauna qui a décidé de vendre.

— Le grand-père de Dwayne doit s'en retourner dans sa tombe.

Il faillit lui relever le menton pour qu'elle le regarde, mais il craignait de la toucher. Elle était vulnérable et attirante, et il savait exactement ce qu'il avait envie de faire. Et ce n'était pas ce dont elle avait besoin.

— Pourquoi ne dors-tu pas ?

— Je te renvoie la question. Pourquoi ne dors-tu pas ?

— Les commandos marine dorment rarement huit heures d'affilée.

— Les mères également !

La lueur mutine avait disparu de son regard. De nouveau, les larmes envahirent ses yeux. Elle pensait à Lauren.

— Ces paroles te paraîtront probablement creuses, Alicia, mais tu dois être forte, ne pas laisser les émotions avoir raison de toi. Dans le cas contraire… ils auront gagné.

— Bien.

Elle serra les lèvres et s'appuya à la barrière près de lui.

— Que faisons-nous à présent ?

— C'est une très bonne question.

8

— Es-tu sûr que ce soit le meilleur des plans ? J'aimerais autant partir chercher Lauren.

Alicia n'avait cessé de lui répéter cet argument, et jusqu'à présent John avait fait mine de l'ignorer.

— Peut-être gagnerions-nous à faire autre chose qu'entrer illégalement dans une maison dans laquelle je n'ai vécu qu'une brève période.

Et même s'ils suivaient son plan, elle aurait de loin préféré l'attendre au soleil. C'était beaucoup plus tentant que de le suivre à l'intérieur.

— Chaque visite dans cette maison me rappelle comment Shauna a manipulé Roy pour le persuader de l'épouser. Leur rendre visite après cela a été une véritable épreuve chaque fois. Le premier Noël que Dwayne et moi avons passé ici a été extrêmement pénible. Imagine un peu : nous avons été contraints d'écouter Roy comparer chaque décision que prenait Shauna à celle qu'aurait prise la mère de Dwayne. A un moment donné, je me suis vraiment surprise à le plaindre, tellement il était naïf. Mais je ne suis toujours pas certaine que ce soit la meilleure façon d'employer notre temps.

— Un ancien expert des marines mène pour moi une enquête sur les Weber. Nous le retrouverons à 15 heures. Il localisera chacune de leurs propriétés. Puis il épluchera leurs relevés téléphoniques et bancaires ainsi que leurs e-mails. Nous allons retrouver Lauren. Fais-moi confiance.

— Dans ce cas, que faisons-nous ici ?

— Il s'agit d'une reconnaissance. J'ai besoin de me familiariser de nouveau avec la configuration des lieux, et de savoir si la maison est sûre. Peut-être est-ce un endroit où tu pourras trouver refuge.

Il regarda de nouveau dans ses jumelles.

— Je t'ai dit que la ferme des Adams était à vendre. Shauna vit à présent à San Francisco. Les chevaux seront vendus aux enchères demain. Elle a vidé la maison de tout ce qui avait de la valeur et elle s'est empressée de contacter un agent immobilier local. Elle est toujours référencée mais ne peut être vendue, au grand dam de cette sorcière. La maison appartient peut-être à Shauna, mais le terrain alentour fait partie de l'héritage de Lauren.

— Dans ce cas, comment se fait-il qu'il y ait là trois voitures ?

— Il s'agit probablement de la société de nettoyage.

Alicia savait que l'une d'entre elles était celle de son beau-père. Il lui avait légué sa voiture de collection, mais elle était bloquée par le tribunal des successions et tutelles. Cette voiture aurait mérité un meilleur traitement, mais Alicia ne pouvait se permettre de la faire garder dans un garage. L'action en justice de Shauna l'empêchait même d'y toucher.

Elle avait rejoint John à la lisière de la cour. Après tout, personne ne vivait plus dans la maison, et les écuries n'étaient plus utilisées, c'était peut-être vraiment l'endroit le plus sûr où se cacher.

Ils avaient assez de nourriture pour plusieurs jours et ils n'étaient pas en pleine nature. John avait emporté une canne à pêche. Le fait de se cacher n'était pas le problème. Il l'avait convaincue de l'accompagner en arguant qu'ils chercheraient Lauren. Mais il n'avait pas l'air de s'y mettre, pour le moment.

— Qu'espères-tu découvrir ?

— Bon sang, Alicia. Fais-moi simplement confiance. C'est mon métier.

— Je dois te croire sur parole quand tu affirmes être doué dans ce que tu fais, John. C'est d'accord. Mais tu n'as pas carte blanche pour diriger ma vie. J'apprécie tout ce que tu fais pour moi, vraiment. Mais rappelle-toi seulement que c'est ma fille qui a disparu. J'ai le droit d'être nerveuse, non ? Surtout étant donné que la police me pense plus ou moins responsable.

Elle n'avait pas eu l'intention de s'énerver lorsqu'elle avait croisé les bras. Mais c'était plus fort qu'elle. Elle avait voulu exprimer une légère indignation, c'était tout, et à présent elle avait plutôt l'impression de s'être comportée en enfant gâtée.

— Excuse-moi. Je n'ai pas l'habitude que l'on remette mes ordres en question.

— Nous sommes à deux sur ce coup, lui rappela-t-elle.

— Bien.

Il regarda de nouveau dans ses jumelles. « Bien. » Ce simple mot résumait tout.

Ils étaient loin d'être à égalité « sur ce coup », pour reprendre ses termes. Le sarcasme ne lui échappa pas.

— Je ne vois aller et venir qu'une personne. Une jeune femme. As-tu une idée de qui elle est ?

Elle prit les jumelles et en ajusta le réglage. Une petite blonde vêtue d'un jean et d'un T-shirt venait de sortir, en effet.

— C'est probablement une employée des Anges d'Andra. Je reconnais le logo sur son T-shirt. C'est une société de nettoyage.

— On dirait qu'elle range son matériel. Nous attendrons près du ravin.

Chacun des rayons de soleil qui transperçaient la fraîcheur de l'ombre cuisait sa peau et la faisait bouillir intérieurement. Elle voulait faire quelque chose. Prendre l'initiative. Pas rester assise là à attendre dans le lit à sec d'un ruisseau !

— Pendant que nous attendons, tu peux m'en dire plus

sur ton plan et m'expliquer pourquoi il est si important que nous nous cachions ?

— Très bien. Voilà les faits. On vous fait endosser à Brian et toi l'enlèvement de ta fille. Une fois que tu auras été appréhendée, ils insisteront probablement pour que tu sois déférée à la prison du comté de Denton, et là soit tu te trouveras mêlée comme par hasard à une bagarre mortelle soit, rongée par le remords, tu te suicideras.

Totalement déprimée, elle se laissa tomber près de lui, sur le sol dur. Il paraissait tellement pragmatique en énonçant son hypothèse. A l'évidence, il avait réfléchi aux différentes options et il en était arrivé à cette conclusion peu réjouissante.

— Et, une fois que j'aurai disparu, ils obtiendront le contrôle de l'héritage de Lauren. Pour récupérer ma fille, j'y renoncerais dans la seconde, à cet héritage, et je disparaîtrais pour toujours. Ne savent-ils pas cela ?

— Ils l'ignorent. Ils sont convaincus que tout le monde est aussi vénal qu'eux. Rappelle-toi seulement que, même si nous présumons que Shauna et Patrick sont les kidnappeurs, pour l'instant, tout le monde est suspect.

— Comment envisages-tu de retrouver ma fille ?

— Il y a beaucoup de variables qu'ils doivent contrôler. Etant donné que la police les surveillait, d'autres personnes doivent être impliquées et se charger de la sale besogne. Ils doivent avoir des hommes de main quelque part. Nous allons retrouver leur trace, mais nous devons, dans le même temps, te garder en vie.

Il posa les jumelles et il lui tapota le genou.

— Ne t'inquiète pas, je suis particulièrement doué pour cela.

Il lui paraissait inquiet malgré tout, et il ne tenta pas de sourire pour la rassurer. A bien y songer, il n'avait plus souri depuis ce premier jour dans l'allée, quand il avait posé les yeux sur elle. Mais elle-même, depuis quand n'avait-elle pas souri ? Comment l'aurait-elle pu, en l'absence de Lauren ?

— Que t'est-il arrivé, Johnny ?

— Cela fait douze ans, Alicia.

— Tu as changé. Tu es devenu tellement grave et réaliste. Tu ne mâches pas tes mots.

— Préférerais-tu que j'enjolive la situation ?

— Non. Je... je me voile déjà assez la face sur la réalité de mon quotidien. Je veux que Lauren me soit rendue et je ferai tout...

— Chut !

Un doigt impérieux se posa sur ses lèvres, et il fouilla du regard le paysage derrière elle.

— Quelqu'un vient.

— Que faisons-nous ? demanda-t-elle dans un murmure, paniquée.

Le bras puissant de Johnny lui entoura les épaules et, en un instant, elle se retrouva étendue sur le dos. Il accueillit la tête d'Alicia dans le creux de son bras, collant son corps contre le sien. L'espace d'un instant, elle crut qu'il la protégeait seulement, mais alors il sourit. Un sourire facétieux, vestige de leur jeunesse, illumina son regard tandis qu'il s'emparait de sa bouche.

— Cesse de paraître choquée et fais semblant de m'embrasser, chuchota-t-il contre ses lèvres.

Il glissa un genou entre ses jambes, prenant appui afin qu'elle puisse respirer, mais ne laissant aucun espace les séparer.

Le choc qu'elle éprouvait ne résultait pas du baiser, mais plutôt de la prise de conscience que son désir pour lui puisse renaître avec une telle ardeur, après douze longues années.

Même après avoir aimé Dwayne. C'était toutefois différent. Elle avait envie d'être enlacée, d'être désirée, de ressentir des émotions de nouveau. C'était comme capturer un instant volé à sa jeunesse.

Elle écarta les lèvres, avide de ce contact. Leurs langues se rencontrèrent. Elle glissa les mains autour de son dos, impatiente de relever sa chemise pour sentir les contours des muscles qu'elle avait admirés la veille au soir. La sensation familière d'un corps puissant la protégeant du monde lui donna le vertige.

Des pas firent craquer les herbes sèches au sol. Le corps de John se tendit, devenant plus rigide, plus alerte.

— Oh ! je vous demande pardon ! s'exclama une voix vaguement familière.

— Monsieur Searcy ?

John releva le torse.

— Brian, mon garçon. Je ne t'avais pas reconnu avec cette coupe. Elle te va bien. Est-ce vous, mademoiselle Alicia ?

Joe Searcy avait travaillé toute sa vie pour les Adams. Plus d'une fois, elle l'avait vu séparer les frères Sloane lors de bagarres et les ramener à leurs parents en les tenant par les oreilles.

S'appuyant contre les pectoraux de John, Alicia se redressa et elle ajusta son débardeur.

— Il était temps que vous vous décidiez à être ensemble, déclara Joe, ses cordes vocales usées par la cigarette. Je me rappelle vous avoir surpris une ou deux fois sur la propriété.

— C'était John, monsieur Searcy.

John entrelaça ses doigts à ceux d'Alicia et il afficha un sourire emprunté tout en faisant semblant d'être Brian. Sans succès. Brian n'était *jamais* emprunté.

— Tu veux vraiment lui rappeler ça ? lui chuchota-t-elle — elle savait que le vieux Joe était dur d'oreille.

Le fait que les gens puissent confondre Brian et John la dépassait totalement.

Cette espièglerie, c'était à cent pour cent John.

— Qu'est-ce que c'est que ça ? se plaignit le vieil homme. Et pourquoi autant de cérémonie, Brian ? Tu m'appelles Joe depuis que tu es venu ici pour aider Mlle Alicia.

— Désolé, Joe, reprit aussitôt Alicia. Ça fait plaisir de vous voir vous promener dehors. Mais où est votre canne ?

Elle se dégagea de l'étreinte de John, se releva et elle épousseta son jean.

— John…

Elle s'interrompit, se rappelant à la dernière seconde qu'il se faisait passer pour son frère.

— John était toujours tellement gêné quand vous nous surpreniez, vous vous rappelez ?

Elle alla embrasser Joe. John se leva et il se mit en quête d'un bâton, prompt à rétablir la situation et à entrer dans son rôle.

— Mademoiselle Alicia, je n'ai pas besoin d'une canne.

— Voyons, Joe, nous étions convenus, après votre chute de l'automne dernier, que vous prendriez une canne pour marcher en terrain accidenté. Vous me l'aviez promis.

— Il faut toujours que vous vous occupiez de tout le monde. Depuis combien de temps vous fréquentez-vous, dites-moi ?

Elle fit un signe de tête à John, l'enjoignant de ne pas répondre. Il tendit à Joe un bâton d'apparence solide, assez lisse cependant pour que sa main calleuse mais faible puisse l'agripper.

— Merci, Brian. Je me rappellerai de l'utiliser. A présent, vous devriez trouver un endroit plus frais pour vos ébats. Ici, vous pourriez attraper un coup de soleil, à vous agiter ainsi.

Joe agita ses sourcils broussailleux d'un air entendu.

Seigneur, ayez pitié de moi…

Certaine que son visage était passé par plusieurs nuances de rouge sous l'effet de l'embarras, elle regarda John sourire et acquiescer d'un signe de tête. Elle tenta de lui faire signe qu'il était temps de fausser compagnie à Joe, mais il ne sembla pas intéressé, ou alors il l'ignora carrément. Il semblait beaucoup s'amuser à ses dépens.

— Comment va ton père, Brian ?

— Mieux, Joe. Merci de vous en inquiéter. Alicia prend grand soin de lui. En fait, c'est lui qui nous a suggéré de faire une pause aujourd'hui.

— Bien, bien. Est-il suffisamment remis pour recevoir des visites ?

Joe se décida enfin à s'éloigner.

— Je pense. Cela lui fera probablement du bien de vous voir.

John aida le vieil homme à gravir la légère pente.

— J'y compte bien. Pour l'instant, je vais déjeuner.

— Oh ! Joe. Cela vous ennuierait-il de garder le secret ?

Alicia les désigna, John et elle.

— Nous aimerions rester discrets pour le moment.

— Motus et bouche cousue, mademoiselle Alicia. Vous devriez essayer cette vieille grange sur les terres Kruegerville si vous voulez un peu d'intimité. Vous devrez peut-être vous y rendre à cheval, mais plus personne n'y passe depuis que M. Adams… est mort.

Il s'appuya sur le bâton et il avança de quelques pas.

— Motus et bouche cousue.

John se tenait debout près d'elle, tel un fantôme de leur jeunesse resurgi du passé de la même manière qu'il avait disparu.

— Cela me rappelle des souvenirs, lui fit-il observer en se grattant la tête. Je ne comprends pas. Il n'a rien demandé concernant Lauren, mais il était au courant pour papa.

— C'est moi qui l'ai informé de l'attaque de J.W. Joe refuse d'être opéré de la cataracte, et sa vue est brouillée. Par conséquent, il ne lit plus le journal, ni ne regarde plus la télévision.

— Parlait-il de la grange que nous avions transformée, une année, en maison hantée ? Tient-elle encore debout ?

— J'imagine. J'ignorais totalement que mon beau-père s'y rendait. Il ne m'en a jamais parlé.

— Nous devrions peut-être l'ajouter à notre liste de choses à vérifier.

John se détourna d'elle et il retourna à petites foulées récupérer les jumelles qu'il avait posées par terre. Elle n'aurait su dire s'il envisageait d'aller à cette fameuse grange pour y découvrir des informations potentielles ou pour en faire l'usage que Joe leur avait suggéré.

En ce qui la concernait, sa première impulsion pencha lourdement en faveur de cette seconde option. Et elle se sentit à la fois effrayée et excitée à l'idée que les pensées de John aient également emprunté cette voie.

9

Cette brève rencontre avec M. Searcy n'avait pas éveillé trop de souvenirs de ces fois où ils s'étaient fait surprendre, dans leur jeunesse… John n'arrivait pas à se sortir de la tête leur baiser de ce jour-là dans le ravin, en revanche. Il lui avait fallu une autodiscipline et une concentration de premier ordre pour garder la présence d'esprit nécessaire lui permettant de continuer à guetter la menace qui approchait. Comment avait-elle appris à embrasser aussi bien ? Bon sang, s'ils n'étaient pas restés à discuter avec le vieil homme au cours des quinze dernières minutes, il l'aurait volontiers plaquée de nouveau au sol… l'embrassant jusqu'à lui faire tout oublier.

— Joe mentionnera sans doute le fait qu'il m'ait vue aujourd'hui, ce midi au snack-bar. Il y mange tous les lundis et vendredis, et il entendra forcément parler de Lauren. Prions qu'il ne fasse pas mention de toi.

— Oui, prions.

Il n'espéra pas vraiment que le sort se range de leur côté.

— Je perdrai mon anonymat aussitôt que Joe ira prendre son déjeuner si Mabel ne sort pas Brian de prison.

— Retournons-nous à la maison des Adams quand même ? lui demanda Alicia.

— Affirmatif.

Ils traversèrent un pré aussi sec que du petit bois sous le soleil brûlant de la mi-journée.

— Dis « affirmatif » devant d'autres personnes, et elles

sauront immédiatement que tu n'es pas Brian. J'ignore toujours comment l'on peut vous confondre.

— Ce qui est difficile à croire, c'est que toi tu ne le fasses pas. Comment parviens-tu à nous différencier ? En dehors, bien sûr, de la coupe de cheveux.

Elle haussa les épaules. Il les fit s'arrêter à l'arrière de la maison afin de vérifier que l'employée était repartie. Il ne restait qu'une voiture. La troisième appartenait à Joe, sans doute. Il sauta par-dessus la clôture de bois et il attendit qu'Alicia l'escalade.

— Frimeur. Que devrons-nous chercher, une fois à l'intérieur ?

— Je l'ignore. Trouvons d'abord le moyen d'entrer et nous y réfléchirons ensuite.

Il testa plusieurs fenêtres. Toutes étaient fermées. Il était sur le point de donner un bon coup de coude pour casser la vitre de la porte de derrière lorsque Alicia l'arrêta.

— Pourquoi n'utilisons-nous pas tout simplement ceci ?

Elle agita une clé au bout de son bras hâlé.

— Tu aurais pu le dire !

— Ça n'aurait pas été drôle. Je t'avais averti que l'endroit avait beaucoup changé.

Elle ouvrit le verrou puis la serrure.

— En effet, c'est désert. Qu'est-il arrivé à tout le mobilier ?

Il referma la porte et il dut allumer la lumière.

Il ne restait plus que quelques meubles. Il n'y avait ni souvenirs, ni bibelots, ni portraits de famille… plus rien. Des objets qui s'étaient trouvés là durant tout ce temps, jusqu'à ce qu'ils parviennent à l'âge adulte… Dwayne avait perdu sa mère très jeune. Ses grands-parents avaient réemménagé dans la maison et ils n'avaient pas eu de raisons de procéder à des changements. Le père de Dwayne leur avait dit plus d'une fois qu'il aimait garder les effets personnels de son épouse présents dans leur vie quotidienne.

Alicia lui lança un regard qui en disait long. Roy avait épousé Shauna, et elle avait transformé l'espace de la cuisine autrefois ouverte sur l'extérieur en une vraie grotte. De lourdes tentures bloquaient la lumière du soleil.

— Elle n'appréciait pas d'avoir vue sur la grange et se plaignait constamment de ce que le soleil lui faisait mal aux yeux.

— Plutôt étrange, non ? Abusait-elle de l'alcool ou de la drogue, par hasard ?

— Cela aurait été une explication. Honnêtement, je n'en ai aucune idée.

La voix d'Alicia lui parut plus âgée, plus triste. La pièce n'était pas seule à être sombre, décidément. La tendresse dont Alicia avait fait preuve envers Joe Searcy s'était évaporée. Elle parcourut la maison, les bras croisés et les poings serrés.

— De nombreuses choses ont été expédiées je ne sais où aussitôt qu'elle a emménagé. Elle avait donné la consigne aux déménageurs d'en faire don, mais Roy les a fait stocker en un autre lieu afin que Dwayne puisse un jour les retrouver, s'il le souhaitait. Moins d'un an plus tard, il était décédé. Roy nous a quittés, lui aussi, peu de temps après.

Elle ferma les yeux, et il posa la main sur son épaule, mais les pensées qui lui traversèrent l'esprit lui firent l'effet d'une alarme. Un élan de désir inapproprié lui parcourut le corps et lui fit aussitôt retirer sa main.

— Le tribunal l'a autorisée à vendre tout ce qu'ils avaient acheté une fois mariés.

— Il ne reste pas grand-chose. Je sais que c'est pénible, mais je dois te poser la question. Pourquoi Roy a-t-il épousé une femme assez jeune pour être sa fille ? Souffrait-il à ce point de la solitude ?

— Ils se sont rencontrés juste après que Dwayne et moi nous nous sommes mariés. Un jour, j'ai discuté avec elle à l'épicerie. Elle voulait à tout prix se faire inviter ici. Elle n'a cessé d'insister. Nous ne voulions pas être grossiers, et j'ai vraiment cru qu'elle se sentait un peu perdue. Une fois présentée à Roy, elle a dû venir un soir alors qu'il était seul… et je pense qu'après elle l'a dupé en lui faisant croire qu'elle était enceinte. Comment savoir ? Il n'a jamais rien confié à personne. Surtout pas à Dwayne.

— Y a-t-il un coffre mural ?

— Non, je ne le pense pas. Et même s'il y en avait un, il ne conservait jamais rien ici. Tous ses papiers se trouvaient dans son bureau aux écuries d'exposition. Je t'avais dit que tu ne trouverais rien.

Sa voix s'étrangla, et les larmes envahirent ses yeux.

— Désolé de t'imposer cela. Je n'avais pas l'intention de te bouleverser davantage.

Ne la touche pas.

Il n'écouta pas sa propre mise en garde. La prendre dans ses bras et la laisser pleurer tout contre lui fut probablement la pire idée qu'il ait jamais eue. A égalité avec cette manœuvre ratée en Afghanistan.

Une mauvaise idée parce qu'il ne pouvait pas se faire confiance. Il avait envie d'un second baiser voire davantage. Ils étaient tous deux adultes. Ils pouvaient désormais assumer une véritable relation. Il posa son menton sur sa tête et il l'encouragea à appuyer sa joue contre son torse. Une mèche de cheveux bouclés caressa sa peau nue. Il était difficile de croire que moins d'une semaine plus tôt il était en manœuvres à l'autre bout du monde.

Bon sang, que fabriquait-il ?

La maison était plus exposée qu'il ne l'aurait cru de prime abord. Attendre ici la mettait en danger. L'avoir emmenée avec lui à l'intérieur la mettait en danger. Ils auraient dû entrer et sortir. Rapidement. Et il retardait le moment de partir afin de pouvoir continuer à serrer dans ses bras son ancienne petite amie.

L'émotion n'avait pas sa place en reconnaissance pas plus que dans les opérations de sauvetage. Point. Il n'y avait de place pour les liens affectifs ni dans son style de vie ni dans sa carrière. Il avait vu trop de ses camarades perdre leurs familles. Les gardes partagées et le fait de ne pas voir leurs enfants durant plusieurs mois d'affilée les dévastaient et à terme leur faisait perdre tous leurs moyens.

Mais Alicia a une petite fille. L'enfant de Dwayne. Il ne pouvait pas leur faire cela.

— Si tu te sens mieux, nous devrions repartir.

Il la tint par les épaules et continua de regarder par-dessus sa tête afin d'éviter de voir la tristesse dans ses yeux. Le chagrin qu'elle éprouvait pour un autre homme qu'elle aimait… même s'il était mort.

— Je vais bien.

Des paroles creuses, s'il devait en croire les larmes qu'elle essuya. Et pourtant, elle se redressa et ne se plaignit pas.

Etait-ce une force ? C'était complètement différent de ce dont il avait eu l'expérience avec son escouade. Une attitude à laquelle il n'avait pas été confronté depuis longtemps. Pas depuis que sa mère était morte, et que la communauté s'était ralliée autour de sa famille.

Alicia devrait afficher des signaux d'alerte. Les liens affectifs étaient un terrain dangereux pour un commando marine qui parcourait le monde sans jamais savoir s'il reviendrait. Il devait ériger autour de lui une forteresse imprenable. Il ne s'était jamais rendu. Et il ne se rendrait jamais.

En entendant claquer une portière, il s'arrêta net. Alicia se figea. Il n'eut pas besoin de lui dire de rester calme. Elle l'interrogea du regard. Il lui désigna l'étage. Elle se retourna, enleva ses chaussures comme ils l'avaient fait, étant jeunes, chaque fois qu'ils gravissaient cet escalier et elle s'exécuta en silence.

Sur le point de lui emboîter le pas, il éteignit la lumière et, du coin de l'œil, il aperçut la clé qu'Alicia avait laissée sur le comptoir. *Bon sang !* Son entraînement allait leur être vital. En un éclair, il revint en arrière, glissa la clé dans sa poche et tira le verrou. Par chance, les tentures étaient épaisses, et l'on ne pouvait distinguer les ombres de l'extérieur.

Il jeta un coup d'œil par le minuscule espace libre à la fenêtre. Deux policiers. Tous deux regardaient dans les pots de fleurs.

— Je vais trouver la clé, déclara le plus âgé. Va monter la garde devant la maison pour voir si quelqu'un en sort.

— Il fait très chaud à l'extérieur. Elle est depuis longtemps partie, je te dis. Tout le monde sait qu'elle s'est envolée pour San Antonio en laissant Sloane porter le chapeau. Laissons les Texas Rangers la localiser. Cela n'a pas de sens de venir ici.

— Randall, je jure que si tu répètes encore une fois aujourd'hui, tu te chercheras un nouvel emploi. Elle a laissé ses clés dans la voiture. Les clés de la maison ont disparu. Sers-toi de ta tête, bon sang.

Ce flic était plus intelligent que John l'aurait cru — grossière erreur de sa part. Et Alicia n'avait pas suivi ses instructions. Son collègue, un jeune homme que John ne reconnut pas, retourna en traînant les pieds surveiller la façade. Il leur serait impossible de sortir de la maison sans être vus.

Affronter le jeune agent n'était pas une option. Même s'il ne le connaissait pas, ce dernier savait à quoi ressemblait Brian et il savait qu'il était en prison. En conclure qu'il avait eu affaire à John ne lui serait pas difficile. Cela l'ennuyait de devoir se cacher, mais il ne pouvait prendre le risque que la police annonce qu'il était de retour en ville.

Il monta à l'étage et tendit l'oreille. En bas, la porte de la cuisine s'ouvrit en grinçant. Où était Alicia ? La chambre de Dwayne était vide. Il sentit une vague de chaleur. La fenêtre ? Elle était entrouverte. Ils ne pourraient descendre jusqu'à terre sans être vus. Mais ils pouvaient toujours tenter de se cacher dans l'arbre près de la maison... Décidément, Alicia était capable de réagir vite et bien. C'était bon à savoir.

Il lui fallut peu d'efforts pour escalader le chêne géant. Il avait refermé la fenêtre derrière lui et il aperçut Alicia juchée aussi haut sur l'arbre que son poids le lui permettait. Elle était assise sur une fourche et elle laçait ses chaussures.

Il s'éloigna à la fois de la fenêtre et de la femme qu'il tentait de protéger. Si jamais les policiers le repéraient, ils ne verraient peut-être pas Alicia. Tout ce qu'il leur fallait était un peu de chance et aussi, le concernant, qu'il se remette les idées au clair et vite.

Il ne fallut pas longtemps au policier pour fouiller la maison. Ils n'avaient rien dérangé… il n'y avait rien qui puisse paraître suspect. Leur présence resta indécelable. Les deux hommes regagnèrent en grommelant leur voiture et ils s'éloignèrent.

John patienta cinq bonnes minutes, consultant sa montre toutes les trente secondes, avant de redescendre au sol. Alicia suivit.

Sans mot dire, ils progressèrent à découvert dans le pré, choisissant le chemin le plus court. Puis, lorsqu'ils atteignirent la rangée d'arbres doublée d'une clôture de fer barbelé, ils la longèrent tout aussi rapidement jusqu'au ravin.

Lorsqu'ils s'arrêtèrent enfin, Alicia était pliée en deux, le souffle court. Habitué à courir sous le soleil, John pouvait encore aller jusqu'à la grange où ils avaient laissé leurs affaires.

— Attends-moi ici et reprends ton souffle. Je vais chercher les jumelles. Ensuite, nous devrons partir de l'écurie avant qu'ils ne fouillent de nouveau l'ensemble de la propriété.

— Entendu.

Elle s'assit.

Il ne se passa pas longtemps avant qu'il ne la voie s'allonger sur le sol.

— Pourquoi crois-tu qu'ils fouillaient la maison ? lui demanda-t-elle à son retour. Penses-tu que Joe ait vendu la mèche au déjeuner ?

— La clé.

— Flûte ! Je suis vraiment désolée… je ne pensais

pas qu'ils s'en étaient aperçus. Dorénavant, je t'écouterai. C'est promis.

— Bon. Il est temps de partir.

Il l'avait laissée reprendre son souffle, et aucun des deux policiers n'était revenu sur ses pas. Il avait suffisamment négligé leur sécurité ce jour-là.

A partir de cet instant, il la traiterait comme n'importe quelle autre civile qu'il aurait pour ordre d'escorter en lieu sûr. Plus de distraction. Plus d'émotion. Plus d'étreinte. Et surtout plus de baiser.

10

Commando marine contre commando marine. Il n'y avait rien eu d'autre qu'une surenchère de testostérone depuis que John avait rejoint son contact. Contrairement à ce qu'il lui avait expliqué plus tôt, l'homme n'avait pas l'air d'être le fameux étranger qu'il avait prévu de rencontrer au lac. A l'évidence, ils se connaissaient — et John était furieux.

— Moi aussi, je suis ravi de te voir, déclara l'homme tandis que John agrippait le devant de sa chemise.

Il le lâcha mais aucun des deux ne recula.

— Que fais-tu ici ? Je t'avais dit de ne pas venir.

Si l'un d'eux bombait de nouveau le torse, elle les pousserait tous deux dans l'eau pour les calmer. Elle les observa, assise au bout de la promenade où elle avait été tentée d'enlever ses chaussures pour tremper ses pieds dans le lac. Enfin, jusqu'à ce que John lui rappelle qu'ils devraient peut-être escalader un autre arbre… en référence au fait qu'ils aient échappé de justesse au chef de la police.

— Tu as besoin de mon aide ! s'écria l'inconnu, toujours nez à nez avec John.

C'était une bonne chose qu'ils se soient donné rendez-vous sur un embarcadère désert du lac Ray Roberts… Si elle n'avait pas craint qu'ils ne soient découverts, leur pose de lutteurs antiques aurait même pu lui paraître comique.

— Je t'ai demandé un service, Dev. Tu n'étais pas supposé embarquer avec un pilote pour m'apporter le matériel personnellement, lui répondit John d'un ton sec.

Ainsi, il s'appelait Dev et il faisait partie de l'unité de

John, comme elle l'avait présumé. Leur taille et leur coupe de cheveux étaient similaires, mais la ressemblance s'arrêtait là, excepté peut-être pour les muscles de leurs bras, typiques des commandos marine.

L'eau lui parut très tentante, une fois encore. Un jean n'était pas la meilleure chose à porter par cette chaleur, et la proximité immédiate du lac lui donnait la sensation d'avoir la peau moite. Mais ce n'était rien en comparaison des images qui ne cessaient de s'agiter dans sa tête tandis qu'elle se demandait où pouvait être sa fille. Elle voulait que Lauren lui soit rendue.

Ces deux-là feraient mieux d'agir plus et de se disputer moins. Voire pas du tout.

— L'équipement reste avec moi. C'est mon matériel personnel. Je suis là, et c'est non négociable.

— Excusez-moi.

Elle s'approcha avec hésitation, tentant de les interrompre. Les deux hommes l'ignorèrent.

— John ? Dev ?

Deux mâchoires de commandos marine, visiblement crispées, affichèrent la même détermination. Aucun d'eux ne semblait prêt à fléchir. John serrait les poings. Bien campé sur ses jambes, Dev s'apprêtait à encaisser les coups. Elle devait arrêter cela avant qu'ils n'en viennent aux mains et que quelqu'un ne les signale à la police.

— Je vous croyais amis, intervint-elle en posant la main sur le bras de John.

Il se tourna vers elle à une telle vitesse qu'elle recula d'un bond. Elle s'emmêla les pieds — et elle tomba en arrière. Les yeux de John s'agrandirent et sa bouche s'ouvrit. Il dit quelque chose tandis qu'elle tombait. Elle grimaça, anticipant la punition que ses fesses endureraient lorsqu'elle heurterait le bois dur, et ne comprit donc pas ce qu'il lui disait.

Elle continua de tomber. Pas l'embarcadère de bois. Oh non ! Elle allait tomber à l'eau. Elle inspira profondément mais trop tard. L'eau du lac l'engloutit alors qu'elle avait la bouche ouverte et elle l'aspira. Elle se débattit, cherchant l'air, et elle parvint à refaire surface.

Toussant, crachant, pataugeant.

— Alicia, tu vas bien ? s'enquit John.

Des mains puissantes agrippèrent son T-shirt et elles la hissèrent sur l'embarcadère, puis lui tapèrent dans le dos. Ses cheveux étaient plaqués sur son visage, l'empêchant de voir. Ses chaussures mouillées semblaient peser comme du plomb.

— Ça va aller, mon ange ?

Des mains réconfortantes la prirent par le coude, tentant de l'aider à se relever.

Elle s'essora les cheveux et elle ébaucha un sourire en entendant ce petit mot doux. *Attendez.* Cette voix, à l'accent texan marqué, était celle de « l'autre » commando marine.

— Bas les pattes, Dev.

John semblait toujours aussi furieux.

— Je ne faisais que me renseigner.

Les mains de Dev continuèrent de la soutenir.

— Oh ! taisez-vous…

Alicia toussa.

— Taisez-vous tous les deux.

Elle s'éclaircit la voix.

— Ou je vous jette à l'eau…

Elle toussa de nouveau.

— … pour vous calmer.

Elle réussit à élever un peu la voix et elle frappa du poing sur les planches de chaque côté d'elle pour accentuer son propos. Puis elle toussa plusieurs fois de suite et elle évacua encore de l'eau de ses poumons, perdant toute la superbe dont elle venait de faire preuve.

Il lui fallut un moment pour se reprendre, et ils lui donnèrent de vigoureuses tapes dans le dos supplémentaires — avec un tel traitement, elle allait finir couverte de bleus.

— C'est ridicule. Stop !

Les deux hommes se redressèrent, s'écartèrent de quelques pas dans des directions opposées, et ils se turent.

Enfin, le silence.

Elle prit son temps pour arranger ses cheveux. Elle s'essuya le visage et les bras. Puis elle enleva ses chaussures, ignorant le regard réprobateur de John. Elles mettraient un temps infini à sécher, en particulier si elle les avait aux pieds. Il lui était déjà assez pénible de porter ce jean et ces sous-vêtements mouillés.

Le bon côté était qu'elle se sentit rafraîchie.

— Alors, messieurs, reprit-elle d'un ton qui se voulait suave, comme si elle s'adressait à des enfants de six ans.

Elle se fit une natte avant que ses cheveux ne se transforment en une indomptable tignasse frisée. Tous deux se tournèrent vers elle, adoptant la même posture.

— Comme c'est charmant. Vous êtes tous deux au garde-à-vous.

John se détendit aussitôt. Dev garda plus ou moins la même attitude, et se contenta de marmonner à propos de l'appel téléphonique du matin ou quelque chose de ce genre.

Elle s'avança vers l'ami de John — lui aussi était venu pour sauver sa fille — et elle lui tendit la main.

— Je suis Alicia Adams et je ne saurais vous dire à quel point nous vous sommes reconnaissants d'être venu nous aider. Je ne vous en remercierai jamais assez.

— Je vous en prie, madame. Lieutenant Devlin McClain. Sloane et moi faisons partie de la même escouade.

— Et vous êtes manifestement amis. Merci.

Elle se tourna ensuite vers John, lui décochant un regard impérieux et sans équivoque : à son tour de remercier celui qui avait tout risqué pour venir leur prêter main-forte.

— Merci, lâcha-t-il en regardant l'eau au dernier moment.

Du moins avait-il saisi le message. Elle frappa dans ses mains.

— Bien. Voilà qui est mieux.

— En fait, je pense que je devrais commencer par t'expliquer où nous en sommes, enchaîna John.

— J'ai loué un chalet et j'ai le matériel. Peut-être devrais-je te dire ce que j'ai découvert.

Dev continua à soutenir le regard de son frère d'armes.

— Plus de querelle, les prévint-elle. Lauren a disparu il y a quatre jours. Le temps nous est compté. Elle est effrayée et Dieu sait ce qui a pu lui arriver d'autre.

Toutes les solides défenses qu'elle avait érigées pour garder les tracas à distance menacèrent de s'écrouler. Les larmes lui montèrent aux yeux. Sa gorge se serra, cette fois sous le coup de l'émotion. Elle appuya les paumes de ses mains contre ses yeux pour éviter de s'effondrer.

En vain. John l'enveloppa de ses bras. Elle reconnut sa caresse réconfortante sur ses cheveux et elle se détesta de se sentir mieux au simple contact de son corps. Elle n'aurait aucun droit de se sentir mieux tant que Lauren n'aurait pas été retrouvée.

— Nous vous ramènerons votre fille, madame.

— Dev, ce que nous faisons est illégal, lui rappela John. Si on se fait prendre, c'est la cour martiale… le renvoi pour manquement à l'honneur, dans le meilleur des cas. La prison militaire, peut-être.

— Dans ce cas, évitons de nous faire prendre, lui répliqua Dev, pragmatique.

John poussa une sorte de grognement. Elle sentit vibrer sa poitrine sous ses doigts. Il se préoccupait toujours tellement de ses proches… Comment avait-il pu alors se détourner de son frère douze ans plus tôt et ne plus se soucier de sa famille ?

Elle renifla avant de s'écarter. Le T-shirt de John portait l'empreinte humide de son corps.

— Nous avons besoin de son aide. Je suis absolument incapable d'enfoncer une porte, de maîtriser ces hommes qui m'ont ligotée, ou je ne sais quoi encore. Je t'en prie Johnny. Il faut que je la retrouve.

Elle l'implorait presque. Et elle continuerait de le faire si nécessaire. Elle ressentait désespérément le besoin de serrer son enfant dans ses bras. Elles avaient déjà subi de telles pertes, et elles étaient si seules. Lauren n'avait plus qu'elle. Sa petite fille devait être complètement terrifiée.

— Nous n'aurions pas dû la laisser seule, gémit Tory en espérant que son ex ferait demi-tour et qu'il oublierait ses nouvelles exigences en matière de rançon.

— La gosse était ravie de son nouveau jouet. Si tu t'inquiètes autant, fais en sorte de te dépêcher et de ne pas échouer.

— J'espère qu'il ne lui arrivera rien. Elle pourrait s'étouffer avec ce sandwich sec que tu lui as donné, ou avoir un autre accident. Que ferions-nous alors ?

— Exactement ce que nous faisons en ce moment, nous encaisserions un million de dollars et nous leur rendrions la gamine.

Elle perçut dans son regard une lueur qu'elle n'y avait jamais vue auparavant. Il n'était pas seulement en colère, il serait vraiment capable de *tuer* Lauren. Seigneur, elle ne voulait pas se retrouver en prison pour le meurtre d'une enfant, ni de quiconque, d'ailleurs.

— Es-tu certain que ce soit une bonne idée de demander plus d'argent ?

— Ils vont payer.

Il frappa le volant de ses poings massifs.

— Ce type paiera pour tous les riches salauds qui se sont moqués de moi.

De quels hommes fortunés parlait-il au juste ? Il n'avait jamais rien possédé qui eût la moindre valeur, mais elle ne voulut pas l'énerver davantage. Dans quelques minutes à peine ils déposeraient la seconde demande de rançon, celle dont Patrick ne savait rien.

La situation était sur le point de dégénérer.

Cela avait été l'idée de son ex qu'ils deviennent de véritables kidnappeurs au lieu de rester de simples complices. Le projet d'escapade à Paris de Tory semblait devenir de plus en plus incertain… Elle reconnut la rue de San Francisco qu'il remontait.

— Tu veux que je longe à pied trois pâtés de maisons jusqu'à celle des Weber ?

— Vas-y. Tu as l'air stupide avec cette perruque. Personne ne te reconnaîtra, arrête donc de t'inquiéter.

Son idée folle de descendre la rue avec une poussette avait des chances de marcher. Elle portait une longue perruque brune et de grosses lunettes de soleil lui mangeaient la moitié du visage.

— N'oublie pas ceci.

Il lui tendit un immense chapeau de paille.

Elle ferma la portière, saisit la poussette qu'ils avaient trouvée sur le plateau d'un pick-up et elle y plaça un sac d'ordures sous une couverture en s'arrangeant pour qu'il ait la forme d'un bébé.

Tandis qu'elle s'engageait sans tarder sur le trottoir pour contourner le pâté de maisons, l'idée lui traversa l'esprit de s'enfuir. Elle pourrait frapper à une porte et demander de l'aide. Tory Preston pourrait être l'héroïne de cette affaire, révéler à la police où Lauren Adams était retenue, et regarder son ex violent se faire appréhender pour être placé derrière les barreaux. Il ne lui resterait plus qu'à expliquer à la police qu'elle était à l'origine de ce projet d'enlèvement… Non, il était hors de question qu'elle aille en prison. Elle ne ruinerait pas ce plan en faisant quelque chose de stupide.

Shauna Weber se croyait tellement supérieure avec son éducation raffinée et tous ses époux ! Tory allait lui montrer, à cette prétentieuse, qui détenait la supériorité ! Mais surtout, elle comptait bien lui faire voir *qui* Patrick aimait réellement.

La maison se trouvait sur la droite, elle était déserte. Cela avait été son idée de choisir le moment où Shauna lancerait un nouvel appel devant la presse. La télévision avait relayé l'information durant toute la matinée. Mais la déclaration se ferait au poste de police d'Aubrey. Il n'y aurait personne à San Francisco. Ni badauds. Ni presse. Et il ferait suffisamment chaud pour que les rues soient désertes.

Au moins Patrick avait-il conscience de la vénalité de la femme qu'il avait épousée. *J'ai vraiment de la chance d'avoir rencontré un homme tel que lui*, se répéta Tory. *Et encore plus qu'il soit tombé amoureux de moi.* Si seulement sa stupide épouse acceptait de lui accorder le divorce !

Les instructions de son ex étaient de déposer la demande de rançon dans la boîte aux lettres. S'il pensait que personne ne surveillerait la maison, il se faisait des illusions. Elle n'était pas idiote. Elle suivrait sa propre idée.

Tory s'approcha sans hésitation d'une porte au hasard et elle glissa le message derrière la moustiquaire. Elle s'éloigna ensuite d'un pas nonchalant, comme si la personne n'était pas chez elle, sans qu'on la remarque.

Si Tory avait été seule, elle n'aurait pas été pressée de regagner la voiture. Mais la fillette n'avait que quatre ans et elle pourrait faire de grosses bêtises, livrée à elle-même. Même enfermée à l'intérieur d'une petite chambre sans rien d'autre qu'un gobelet en plastique et des cubes. Cette situation la tracassait.

Pourquoi fallait-il que son ex se montre aussi avide ?

Les choses avaient été si simples jusque-là, et tout aurait été terminé le soir même. C'était sa seule chance de s'en sortir. Elle n'avait donc pas le choix. Elle devait suivre ce stupide nouveau plan et s'arranger pour garder le dernier acte inchangé. Ensuite, elle vivrait heureuse avec Patrick.

Mais, même dans cette éventualité, il se pourrait qu'elle ne se sente jamais en sécurité tant que son ex serait en vie.

11

— Je vous en prie, ne faites pas de mal à notre bébé. Lauren n'est qu'une enfant innocente.

La caméra revint vers la journaliste parlant en direct devant un poste de police désert.

— C'était Shauna Adams Weber qui suppliait les kidnappeurs de lui rendre sa petite-fille vivante. L'enfant a été enlevée il y a quatre jours sur le parking de l'épicerie d'Aubrey, ici au Texas. Si vous avez vu cette fillette, veuillez appeler le numéro qui s'affiche au bas de…

John coupa le son afin qu'ils n'entendent plus ces âneries concernant l'enlèvement. Des larmes silencieuses coulaient sur les joues d'Alicia. Elle s'assit assez près de l'écran pour toucher la photographie de Lauren, caressant presque le visage de la jolie petite fille qui lui ressemblait tellement. De longs cheveux foncés bouclés. Des taches de rousseur sur le nez. Une vraie petite Alicia.

— Comment cette femme ose-t-elle appeler mon enfant son *bébé* ? murmura Alicia d'une voix rauque.

— Ainsi, c'est elle la cible ? L'homme debout derrière elle n'est guère impressionnant. Pourquoi ne pas aller l'interroger poliment ? demanda Dev à voix basse en branchant un autre câble auxiliaire sur un appareil électronique.

— Négatif. Il y a trop d'inconnues.

— Compris. Hé ! Ce n'est pas toi, là ?

Son ami se mit à rire.

— Tu n'as jamais dit que ton frère et toi étiez jumeaux.

— Monte le son, John.

Il s'exécuta, conscient qu'ils devaient tous entendre les détails, mais n'appréciant pas une seule minute du reportage.

« En l'absence de toute preuve d'enlèvement et considérant la fuite d'Alicia Ann Adams, la police a été contrainte de relâcher Brian W. Sloane, tôt dans la matinée. Interrogé au sujet de l'enlèvement, l'avocat de Sloane a haussé les épaules et répondu que son client se refusait à tout commentaire. »

Il coupa de nouveau le son.

— Donne-moi ton portable.

— Tu pourrais demander poliment, protesta Dev en prenant le téléphone dans la poche de son pantalon de treillis.

— Tu es libre de refuser.

Dev le lui lança.

— Il n'est pas facile, lança-t-il à l'intention d'Alicia.

John sortit du chalet.

— Bonjour, Mabel.

— Il était temps que tu nous appelles, Johnny. Est-ce que ce numéro est… Oh ! comment disent-ils dans les séries ? *Sûr.* Pouvons-nous parler ?

— Oui, rien à craindre.

Il sourit sans cesser toutefois d'appréhender la conversation à venir avec son frère. Depuis son retour, ils n'étaient pas parvenus à faire mieux que se disputer.

— Vous pouvez utiliser ce numéro pour me joindre. Comment va papa ?

— Il va tout à fait bien, Johnny. Comment va notre protégée ?

— Lauren lui manque, et elle menace de me réduire en bouillie à la moindre occasion.

— Ça ne m'étonne pas un instant. Il y a quelqu'un ici qui veut te parler.

D'après le bruit à l'autre bout du fil, le téléphone changea de mains. Il y eut un long silence.

— Où es-tu ? lui demanda son frère.

— Tu n'as pas besoin de le savoir.

Il s'était attendu à entendre Brian mais, pour une

raison inconnue, le son de sa propre voix au téléphone le laissa interdit. D'aucuns pensaient qu'avoir un jumeau était comme se voir soi-même dans un miroir. Eh bien ce n'était pas le cas.

— Je vois que pour ce qui est de t'occuper de papa, tu as laissé tomber.

— J'ai essayé de trouver une solution.

C'était difficile à expliquer. A la fois agaçant et… agréable, d'une certaine façon. Il avait été heureux de rétablir le lien avec son frère, vraiment. Peut-être ce lien lui manquait-il depuis longtemps… Bien que les circonstances soient délicates, c'était bon d'entendre Brian. La conversation débuta avec calme. De toute façon, ils savaient qu'aucun d'eux ne pouvait mener l'autre à la baguette.

— Ils t'ont bien traité, en prison ?

— Quelques côtes contusionnées. Rien que je ne puisse gérer. Rien que je n'aie déjà eu l'occasion de gérer, pour être exact. Ils se sont abstenus de parler de l'enquête devant moi. Je suppose que c'est toi qui as compris qu'ils attendaient Alicia chez elle pour l'arrêter.

— Oui. Tu as fait preuve de présence d'esprit en l'appelant elle plutôt que ton avocat.

«Déjà eu l'occasion de gérer » ? Le chef de la police ou ses subordonnés avaient-ils battu son frère ?

— Je n'ai pas eu beaucoup de temps. Déjà qu'un flic m'a plaqué au sol… Qu'attends-tu de moi ?

Quel salaud. Qu'avait enduré son frère pendant qu'il était parti et pourquoi personne ne lui avait-il rien dit ? *Parce que je n'ai jamais rien demandé.*

— Une coupe de cheveux.

— C'est déjà fait. Mabel a défailli ou presque en constatant, lorsqu'elle a franchi la porte, que je m'étais servi de la tondeuse pour les chevaux. Mes cheveux n'avaient pas été aussi courts depuis notre enfance.

Une voix résonna, distante, à l'arrière-plan.

— Je n'ai pas défailli, espèce de charmeur.

— Montre-toi en ville, Brian. Il faut que les gens te voient.

— Je comprends. S'ils me voient, ils penseront qu'Alicia est vraiment partie. Ta présence ici restera un secret. Comment comptes-tu récupérer Lauren ?

— Pour être honnête, je ne l'ai pas encore complètement déterminé, mais je le ferai. Avec un peu de chance, Dev trouvera une propriété ou la trace d'un virement. Quelque chose. Rapidement.

— Tu ne peux pas faire cela seul, grommela Brian.

John reconnut le mélange de douleur, de frustration et d'entêtement dans la repartie de son frère. John s'exprimait de la même façon quand il voulait contester les ordres qu'on lui donnait en mission.

— J'ai un expert ici avec moi, je t'assure. Alicia est en sécurité, et nous allons retrouver Lauren.

— N'échoue pas, reprit son frère sur le même ton. Une part de gâteau du snack serait exactement ce qu'il nous faut comme dessert après tout ce poulet, Mabel, poursuivit-il, plus fort et d'une voix faussement insouciante.

Il baissa de nouveau la voix.

— John, Weber est on ne peut plus coupable.

— Comment le sais-tu ?

— Je l'ai vu en galante compagnie à Fort Worth un week-end. Trouve la fille, et je parie que tu retrouveras Lauren.

— Quelqu'un épluche leurs comptes pour moi. As-tu dit aux policiers que tu l'avais vu ?

— Je n'ai pas pris cette peine. Ils ne m'auraient pas cru. Prends soin de mes filles.

— J'enverrai un message si nous trouvons quelque chose.

Brian raccrocha. John rangea le téléphone dans sa poche et il tourna le cou de chaque côté, faisant craquer ses vertèbres. « Mes filles. Déjà eu l'occasion de gérer. » Les choses avaient beaucoup changé, décidément.

— Ont-ils parlé de Lauren à Brian ? lui demanda Alicia.

Il se retourna vivement. Il était tellement plongé dans

ses pensées qu'il ne l'avait pas entendue arriver. Il devrait être plus prudent, à l'avenir.

— Il m'a donné une piste concernant Weber.

— N'y a-t-il rien que je puisse faire ? Passer des appels, en prétextant vouloir vérifier des références ou je ne sais quoi ?

— As-tu réfléchi à la manière dont tu allais prouver que tu n'as rien à voir avec cette affaire ?

— Pourquoi ? Je suis innocente ! Pourquoi devrais-je prouver quoi que ce soit ? Tu sais que je n'ai pas organisé cela ? Tu me crois, n'est-ce pas ?

Elle se laissa tomber sur la balancelle de la galerie, l'air totalement déprimé.

— Ce que je sais ne représenterait pas grand-chose devant un tribunal, Alicia.

Il la rejoignit.

— Laisserais-tu Dev consulter tes comptes ?

— Que t'attends-tu à trouver ?

— Si Shauna veut vous piéger Brian et toi, il se pourrait qu'elle se soit arrangée pour fabriquer des preuves accablantes.

— Je, euh… je n'avais pas pensé à cela.

Elle fit mine de se lever, mais il la retint par le bras.

— Il y a autre chose.

Elle attendit. Elle se préparait mentalement à recevoir de mauvaises nouvelles. L'expression déjà dévastée de son visage s'assombrit encore. Ses traits étaient tendus. Il voulait rester détaché, ne montrer aucune émotion, d'une façon ou d'une autre. Du moins le croyait-il. Sauter d'un hélicoptère avec un équipement complet dans l'océan Indien lui serait plus facile que d'avoir cette conversation.

— Je pense que mon frère est amoureux de toi.

— Aurais-tu perdu l'esprit ? Brian et moi sommes seulement amis. Nous nous voyons presque chaque jour pour nous laisser des consignes ou pour sortir les restes du réfrigérateur. Fin de la discussion.

Elle se dégagea de son étreinte.

Si elle n'avait pas été aussi furieuse, elle se serait esclaffée. Mais elle *était* furieuse. Après toutes ces années, John se faisait toujours les mêmes idées !

— Il m'a pourtant dit de prendre soin de « ses » filles.

— Quand te décideras-tu à grandir, Sloane ? C'est seulement une expression.

Elle se leva d'un bond. Si elle n'avait pas été aussi épuisée et angoissée, elle aurait pu lui injecter une bonne dose de vérité. Oh ! et puis zut, après tout, elle pouvait bien continuer sur sa lancée et lui livrer le fond de sa pensée !

— Tu sais que c'est la même raison pour laquelle aucun de nous n'est allé au bal de promo. Et la même dispute que nous avons eue quand nous avons rompu.

— Ce n'est pas le souvenir que j'en ai.

— Brian et toi, vous vous querelliez. Comme d'habitude, aucun de vous n'a dit ce qu'il voulait vraiment dire. Vous avez tous deux interprété les pensées de l'autre et, en dépit de ma résolution de rester en dehors de toutes vos stupides disputes, vous m'y avez entraînée et au final je n'ai même pas porté ma robe de bal.

— Tu ignores ce qui se passait alors. Ce qu'il pensait de moi.

— J'ai vraiment cru que tu avais changé, Johnny. Ne comprends-tu pas ? Nous étions *amis.* Brian et toi vous vous confiiez tous deux à moi, à l'époque. Je connais les deux versions de l'histoire. Je pense donc en avoir une vision globale.

— Pourquoi n'es-tu pas furieuse contre lui, alors ?

Il se crispa.

— Un seul d'entre vous est parti sans un mot.

— Nous avions rompu.

Elle croisa les bras sur sa poitrine, s'efforçant de rester pour l'écouter. Mais en même temps il fallait qu'elle s'éloigne de lui et de toute l'émotion que son retour faisait remonter à la surface. Bonne ou mauvaise, cette émotion était simplement trop forte.

Alors elle se mit à courir, ce fut plus fort qu'elle. Les paroles s'assourdirent à mesure qu'elle s'éloignait, même si elle ne pouvait aller très loin. Les chalets se trouvaient au bord d'un lac qu'elle rejoignit bientôt. Lorsqu'elle ralentit, elle entendit craquer les broussailles. John était juste derrière elle.

— Ne t'éloigne pas seule, Alicia. C'est risqué.

— Il fait au moins quarante degrés, et nous sommes en semaine. Il n'y a pas tant de personnes que ça occupées à se faire bronzer en plein air. En fait, il n'y a personne ici pour remarquer ma présence. Est-ce la seule chose à laquelle tu penses ?

Il se rapprocha d'un pas tranquille. De son côté, elle s'écarta en prenant un air aussi désinvolte que le lui permit la tension qui lui vrillait le corps.

— Tu dois te montrer prudente. Ton visage est diffusé sur toutes les chaînes de télévision, et quelqu'un te reconnaîtra forcément.

Il parla à voix basse, sur un ton qu'Alicia ne put s'empêcher de trouver sexy… et dangereux.

— Le tien aussi.

— C'est celui de Brian, en fait, mais tu marques un point.

Il arrêta d'avancer et il étira les bras au-dessus de sa tête en bâillant avant de reprendre :

— J'ignore si tu as entendu ce que je disais, mais je ne vois pas ce que tu me reproches. Tu savais que je m'engageais dans la Marine. Nous nous sommes dit au revoir.

Qu'était-elle supposée lui répondre ?

— Nous avons rompu le soir de l'incendie. Je n'ai jamais vraiment pensé que tu partirais sans arranger les choses ni que tu ne reviendrais jamais chez toi.

Devait-elle simplement répondre à la question qu'il avait été incapable de mettre en mots ?

— Tu ne m'as jamais demandé de t'attendre.

Des herbes sèches crissèrent. Aussitôt, John la poussa derrière lui d'un geste expert pour la protéger de son corps.

— Hé vieux ! vous ne pouvez pas disparaître comme ça. Ils ont trouvé une autre demande de rançon.

Elle perçut l'inquiétude dans la voix de Dev et elle demanda :

— Pourquoi augmenteraient-ils une rançon qu'ils vont devoir eux-mêmes payer ? La rançon, c'était une mise en scène, non ?

— C'est totalement illogique.

John parut plus qu'inquiet.

— S'ils ont enlevé Lauren, ils voudront être les héros de l'histoire.

— Je ne pense pas que cette demande émane d'eux. Je n'ai pas pu enregistrer l'interview et je ne les connais pas aussi bien que vous, Alicia, mais ils semblaient sincèrement surpris. Ils ne cessaient de se regarder comme s'ils se demandaient ce qui avait bien pu se passer.

Ils revinrent tous en courant au chalet. La nouvelle demande de rançon était reprise par toutes les chaînes locales. Ils purent donc regarder la vidéo, encore et encore. Et, à chaque nouveau visionnage, Alicia sombra plus profondément dans un abîme de désespoir.

— Vous avez raison. Ils semblent surpris.

Les larmes lui brûlaient les yeux. Elle eut envie de se rouler en boule, de baisser les bras et de se mettre à pleurer. Mais cela ne ramènerait pas Lauren.

— Regardez quand elle se tourne vers lui. Il hausse les épaules, fit observer Dev en désignant Patrick à la troisième rediffusion de la vidéo illustrant les commentaires des présentateurs.

— Ou alors sa veste le gêne à cause de la chaleur.

John continua à arpenter le chalet. Il ne faisait pas vraiment les cent pas. Il réfléchissait en mouvement, nuance. C'était tout lui. Il semblait ne jamais vouloir cesser de bouger, de rester en alerte. Cet après-midi-là, il avait choisi d'arpenter le chalet, tout en se tapotant la paume de la main avec la télécommande.

— Remets le son.

— … un développement stupéfiant. Des témoins affirment avoir vu cette femme…

La photographie, peu flatteuse, du permis de conduire d'Alicia s'afficha à l'écran.

— … Alicia Ann Adams, la mère de la fillette disparue, que l'on croyait s'être envolée pour San Antonio. Ces témoins déclarent qu'elle promenait une enfant dans une poussette dans le quartier aux alentours de 14 heures cet après-midi. L'alerte enlèvement concernant Lauren Adams demeure active…

John coupa de nouveau le son.

— Eh bien, nous savons que c'est un mensonge, intervint Dev. Vous étiez ici. Donc, qui est cette femme ?

— C'est la question à un million de dollars. As-tu trouvé quelque chose en consultant les relevés téléphoniques et les comptes bancaires de Weber ? demanda John.

— Je vois pourquoi la police ne les a pas suspectés… Tous deux semblent irréprochables.

Dev leur désigna l'écran du portable.

— Mais…, ajouta-t-il.

— Il y a un « mais » ? Vous avez vraiment trouvé quelque chose ?

Une lueur d'espoir ? La vitesse à laquelle l'esprit d'Alicia pouvait se raccrocher au moindre signe que cette épreuve puisse bien se terminer était stupéfiante.

— Alicia, vos comptes ne sont pas vraiment irréprochables.

— Les miens ! Je ne comprends pas. Il me restait à peine vingt dollars pour acheter du poulet, l'autre soir.

— Sur votre compte courant, en effet, mais il n'en est pas de même pour votre compte épargne.

Dev attira leur attention sur un solde créditeur exorbitant.

Elle regarda les deux hommes.

— Je n'ai pas d'économies. J'ai vidé ce compte.

— En fait, vous êtes cosignataire. Ce compte est celui de Lauren.

L'aguichante lueur d'espoir qui semblait poindre un instant plus tôt fut aussitôt ravalée par l'obscurité. De nouveau, la vision de ces autres mères reconnues coupables l'assaillit… Y en avait-il une, parmi elles, qui était innocente comme elle ? Elle ne se rappelait pas avoir entendu dire qu'aucune d'elles ait été disculpée… Avant toute cette histoire, ce genre de preuves, présentées à la télévision, l'aurait sans doute amenée à penser que la mère en question était un vrai monstre et qu'elle ne méritait pas de récupérer son enfant.

— Quoi que tu penses, arrête.

John posa la main sur son épaule. Son regard lui intimait de ne pas abandonner.

— Ne vous inquiétez pas, je suis doué dans ce que je fais.

Dev tapa sur le clavier de son portable.

— Est-ce la devise des commandos marine ? demanda-t-elle, s'efforçant de se montrer courageuse.

Les deux hommes échangèrent un regard. Peut-être était-ce bien leur devise, en effet, ou alors étaient-ils simplement surpris d'avoir dit la même chose.

Des fenêtres et des codes se succédèrent à l'écran. Elle n'avait aucune idée de ce que Dev faisait, toutefois elle se devait de croire qu'il était compétent dans son domaine. John avait confiance en lui. Et elle faisait confiance à John. Il lui ramènerait sa fille.

— Dans l'intervalle, j'ai trouvé deux propriétés en location appartenant aux Weber, que vous pourriez tous deux aller contrôler.

Elle eut l'impression d'être plongée en plein brouillard tandis qu'elle regardait John ajouter les adresses dans l'application GPS du portable de Dev. Les deux hommes chuchotaient des paroles inaudibles, et elle regarda la télévision qui diffusait le programme du soir. Elle ne disposait d'aucun repère lui permettant de tenter de comprendre le raisonnement d'un individu aussi monstrueux, quelle que soit son identité. Aucune somme d'argent au monde ne justifiait que l'on inflige une telle épreuve à une enfant innocente.

12

— Je pensais que nous irions contrôler ces deux propriétés dont Dev t'a parlé. Ponder se trouve dans l'autre direction.

Alicia désigna l'ouest à John.

— Nous aurons tout le temps, ne t'inquiète pas.

John tourna vers l'est sur l'autoroute 380 et il se rendit compte qu'ils ne s'étaient pas adressé la parole depuis qu'ils avaient quitté le chalet.

— Trouver ces propriétés m'a semblé un peu trop facile, et la police doit être au courant. Par ailleurs, il fait presque nuit.

Dépitée, elle croisa les bras et les laissa retomber sur sa poitrine.

Avait-elle conscience que, ce faisant, elle mettait en avant ses seins ? S'il le lui faisait remarquer, elle serait gênée et elle se surveillerait — ce qui serait dommage, car il aimait cela, ainsi que le petit soupir qui échappa à Alicia par la même occasion.

— S'il te plaît, explique-moi ton plan.

— Bien sûr. Nous sommes tous d'accord sur le fait que les Weber ont paru surpris par la seconde demande de rançon. Et s'ils étaient effrayés ? Imagine qu'ils veuillent savoir de quoi il retourne et qu'ils projettent de rendre visite aux kidnappeurs ? Qui sait si la simulation de remise de rançon ne serait pas prévue pour ce soir ?

— Penses-tu vraiment qu'ils réagiront de cette façon ? Je veux dire, la police surveille certainement leur maison, leurs lignes téléphoniques *et cetera*.

— Il y a toujours un moyen. En particulier quand quelqu'un se croit plus intelligent que la police.

— Je ne vois simplement pas comment…

— Premièrement…

Il détestait devoir mêler son monde à celui d'Alicia, mais il avait l'habitude de côtoyer des individus qu'elle ne parviendrait jamais à comprendre.

— … tu dois me faire confiance. J'ai eu affaire à bon nombre de malfrats qui croyaient leur plan infaillible. Il existe toujours un moyen de confondre cette racaille.

— Et deuxièmement ? demanda-t-elle.

— N'essaie pas de les comprendre, Alicia, tu n'y arriveras pas. Le prix à payer lorsque l'on s'efforce d'adopter ce mode de pensée est bien trop élevé. Ça t'affecte au plus profond de toi-même, et tu ne mérites pas cela.

Il continua à conduire la voiture de location de Dev pendant quelques instants en la regardant de côté, s'attendant de sa part à une réaction à ses propos. Une objection ? Un acquiescement ? Des questions ? Rien. Elle ne broncha pas.

— Est-ce ce qui t'est arrivé, Johnny ?

— Pardon ?

— Es-tu parvenu à la comprendre, la racaille ?

— Oui. Malheureusement.

— Je suis désolée.

Elle le plaignait. Après tout ce qu'elle avait traversé, elle le plaignait. Après cet échange, il se retrancha dans le silence. Il craignait de dire quelque chose qui complique encore leur relation. Il ne voulait pas qu'elle éprouve des sentiments pour lui. Pour l'instant, son problème, ce n'était pas lui. Quand Lauren serait revenue, une fois son frère disculpé et son père de nouveau sur pied…

Les sentiments n'avaient pas droit de cité. Le lieutenant Sloane repartirait dans un pays du tiers-monde pour une durée de six mois. Il ne pourrait se permettre d'éprouver des sentiments à l'égard d'Alicia lorsqu'il côtoierait de nouveau la lie de l'humanité, éloigné d'elle et de sa bienveillance innée.

« Engagez-vous dans la marine et secourez des étrangers partout dans le monde. »

Rien de surprenant à ce qu'il n'ait aucun désir de poursuivre sa carrière militaire. Plus il passait de temps au ranch, moins il appréciait son style de vie des douze dernières années.

Il avait du mal à croire qu'il avait appris la nouvelle de l'attaque de son père moins de deux semaines plus tôt. Il avait tout d'abord été soulagé de savoir qu'il était en vie. Puis il s'était senti impatient. Avec la maladie de son père, la confrontation entre son frère et lui devenait inévitable — et c'était tant mieux. Il n'avait plus besoin d'une excuse pour revenir au ranch.

Sauf que les choses ne se sont pas déroulées comme prévu.

— Comment sommes-nous censés surveiller une maison qui est déjà sous la surveillance de la police ?

— Elle ne s'attendra pas que nous le fassions, justement. C'est un point pour nous. Les policiers épient Brian qui traîne au snack-bar. Ils ne me chercheront pas ici.

— Et ils croient aussi que Lauren est en sécurité auprès de moi, qu'elle n'a jamais été kidnappée. S'imaginent-ils que je prends du bon temps à San Antonio, sirotant des margaritas en attendant que l'on m'apporte l'argent de la rançon ?

— Je ne pense pas qu'ils aillent jusque-là, Alicia.

Il s'arrêta à un STOP.

— Tu vois cette voiture en deuxième position avant l'intersection ? C'est l'équipe de surveillance de la police, quoi que je ne voie qu'un homme dans le véhicule.

Il s'engagea dans la rue latérale et il se gara quelques pâtés de maisons plus loin.

— Que faisons-nous maintenant ? demanda-t-elle.

— Une promenade.

— Tu plaisantes, John. Ma photographie a été diffusée dans tous les bulletins d'information. Et si quelqu'un me voit ?

— J'ai besoin de jeter un œil à l'arrière de la maison.

De m'approcher. De jauger les expressions de Weber, ses gestes, son degré d'anxiété.

Il ne pouvait pas entrer dans les détails.

— La clôture mesure deux mètres de haut au moins.

— Il y a une allée entre les maisons. Avec une clôture de deux mètres, personne ne surveillera l'arrière. Personne ne nous remarquera.

— Veux-tu que je reste ici ?

— Non, tu m'accompagnes. Un couple passe plus inaperçu.

Il mit à sa ceinture le pistolet que Dev lui avait apporté et il ouvrit sa portière.

— Tout va bien. Personne ne nous verra.

— Laisse l'arme dans le coffre, s'il te plaît.

— Alicia. Je sais que tu n'as pas peur des armes.

— Nous sommes simplement un couple en promenade. Tu n'as pas besoin d'une arme. Si l'on nous repère, nous nous enfuirons. N'est-ce pas ? Tu ne tirerais pas sur des policiers ?

Ce n'était pas aux policiers qu'il pensait. Il hocha la tête. Il aurait aimé avoir un chewing-gum, quelque chose à mâcher pour évacuer la tension qui lui nouait le ventre. Il n'aimait guère s'aventurer dans des situations inconnues. Exposé. Sans défense. Il préférait disposer de plans soigneusement élaborés à mettre à exécution. Il détestait naviguer à vue. C'était le moyen le plus sûr pour que la situation échappe à tout contrôle et que quelqu'un se fasse tuer.

Il rangea le pistolet dans le coffre malgré tout et il envoya un message à Dev, également sur l'insistance d'Alicia. Sa réponse arriva en des termes que la décence lui interdit de répéter.

Se sentant nu sans arme, il entremêla ses doigts à ceux d'Alicia. Elle avança d'un pas, mais il lui fit faire volte-face, l'attirant dans ses bras pour lui parler à voix basse.

— Je te dis de fuir et tu fuis. Sans discuter. Nous nous retrouverons ici à la voiture. Voici la clé.

Il la regarda glisser la clé dans la poche arrière de son jean.

— Je ne plaisante pas, tu obtempères.

— Sans discuter, d'accord, acquiesça-t-elle sans toutefois le convaincre qu'elle suivrait ses ordres.

— Efface ce sourire de ton visage. Pense à Lauren. L'objectif est de la retrouver. Si nous nous faisons prendre, il nous sera beaucoup plus difficile d'atteindre notre but.

— Tu es inquiet ?

Elle agrippa ses biceps, quêtant en silence une réponse.

— Quatre jours, c'est long pour des kidnappeurs. Soit ils gagnent en assurance et ils deviennent présomptueux, soit ils commencent à s'affoler. Mon instinct me dit qu'ils vont bientôt agir. Probablement ce soir.

— J'imagine que j'aurais dû te demander plus tôt ce que tu faisais au sein de la Marine.

Pris au dépourvu, il laissa échapper un rire.

— Disons simplement que j'ai l'expérience de ce genre de choses et que tu peux te fier à moi.

Elle posa sa main sur sa joue.

— Merci.

Il se surprit à s'abandonner à cette caresse et il eut envie de s'emparer de ses lèvres.

— Allons-y.

Il n'y avait personne en vue. Aucune voiture garée dans la rue. Les habitants du quartier étaient reclus dans leurs maisons climatisées et les voitures enfermées dans leurs garages. Patrick Weber ne devait pas déroger à cette règle. Tous les bulletins d'information qu'ils avaient regardés présentaient le couple se tenant dans l'allée déserte de sa maison.

John avait mémorisé les environs dans l'après-midi. Grâce à internet et à la technologie, l'espionnage était devenu un jeu d'enfant. Les Weber vivaient du côté nord de la rue, à quatre maisons de l'intersection. A l'entrée de l'allée, John attira de nouveau Alicia dans ses bras.

— Pose ta tête contre ma poitrine, chérie. Il faut que je regarde derrière toi.

Elle suivit ses instructions, et il vérifia qu'ils étaient toujours seuls dans la rue. Il lui prit la main et il s'engouffra dans l'allée. Ils coururent, restant près de la clôture. Premier jardin. Dans le deuxième, un chien aboya une ou deux fois. Puis, le troisième fut derrière eux. Ils avaient atteint la cible. Pas de barrière. Ni lumières ni bruit.

Il fit signe à Alicia de rester baissée et de se taire. Ses yeux arrivaient presque au sommet de la clôture. Il se haussa sur la pointe des pieds pour voir l'ensemble du jardin. Aménagement paysager. Pas de piscine. Cela jouerait en sa faveur. Il était 21 heures, et pourtant aucune pièce n'était éclairée, exception faite de la lueur du téléviseur dans le salon en façade. Il se baissa vers Alicia.

— J'ai besoin que tu retournes rapidement à la voiture.

Il plaça le téléphone dans sa main.

— Présente-toi à l'autre bout de l'allée dans six minutes. Si je ne suis pas là, retourne au chalet et préviens Dev de ce qui s'est passé. En chemin, appelle Brian et dis-lui de quitter au plus vite Aubrey. Lorsqu'il sera sûr de ne pas être suivi, passe le prendre à un endroit où il pourra laisser son pick-up.

L'espace d'un instant, des interrogations angoissées passèrent dans les yeux expressifs d'Alicia. Puis, d'un mouvement presque imperceptible, elle hocha la tête. Il la prit alors par les épaules pour lui murmurer :

— Tout se passera bien. Il faut seulement que tu saches quoi faire en cas de problème. Par simple précaution.

Il l'embrassa sur le front et il lui fit signe de partir.

— Sois prudent, chuchota-t-elle d'une voix presque inaudible.

— Toujours.

Elle repartit de la même manière qu'ils étaient venus, se rappelant le chien et empruntant l'autre côté de l'allée. Il programma un compte à rebours de cinq minutes sur sa montre. De l'angle du jardin, il sauta par-dessus la clôture et il rejoignit l'arrière de la maison sans déclencher d'alarme.

Puis il se glissa sur le côté de la fenêtre de la cuisine d'où il vit parfaitement Shauna, affairée à entasser des liasses de billets dans un sac de sport. Près du sac était posé un trousseau de deux clés, qui à première vue cadraient assez avec celles d'un vieux pick-up, dans le genre de celui que son frère conduisait encore. Etant donné les goûts de luxe de Shauna, il était probable qu'aucun des Weber ne souhaiterait être vu au volant d'un tel tacot.

Il s'aplatit contre le mur de brique et il tendit l'oreille. Shauna quitta la pièce. Elle était pieds nus, ils ne partiraient donc pas sur-le-champ. Il consulta sa montre. Trois minutes. Un dernier coup d'œil et il fut ressorti du jardin de la même façon qu'il y était entré.

Il se cacha dans l'ombre derrière un poteau téléphonique jusqu'à ce qu'Alicia s'approche lentement en voiture. Elle ralentit sans s'arrêter tandis qu'il ouvrait la portière et sautait dans le véhicule.

— Mon intuition était juste.

13

Je traque le kidnappeur de ma fille. Mais comment en suis-je arrivée là ?

L'aspect surréaliste de la situation n'échappa pas à Alicia. Elle n'était pas qualifiée pour accomplir une telle mission. Elle pouvait seulement faire ce qu'on lui disait. Et, chaque fois qu'elle s'était écartée des instructions de John, un problème avait surgi. Ses chaussures étaient encore humides, après le bain dont elle avait bénéficié en tentant de mettre fin à une altercation entre deux hommes qui étaient pourtant de son côté.

Elle ne pouvait pas se vanter de s'en être brillamment sortie avant l'enlèvement de Lauren, mais elle avait survécu. Elle avait surmonté tous les obstacles de ces quatre dernières années et elle s'était débrouillée. Assez, du moins, pour que Lauren et elle soient heureuses.

Je ne sais toujours pas quoi faire à présent.

Après quelques minutes passées à rouler dans le lotissement, ils découvrirent le pick-up stationné sur un parking désert au bout d'un cul-de-sac. Ils se garèrent de manière à surveiller l'entrée du lotissement pour voir partir le pick-up.

John la convainquit de prendre le volant étant donné qu'il avait d'autres choses à préparer. Il alla chercher le pistolet, le mit à sa ceinture et il envoya un message à Dev. Il s'assit près d'elle, se renfonçant dans son siège, et il monta la garde tout en faisant défiler les écrans sur son Smartphone. Elle était si anxieuse de retrouver Lauren qu'elle pouvait à peine penser aux détails qu'il passait en revue.

— Tu joues au solitaire ou quoi ? Plus sérieusement, as-tu l'absolue certitude que cela va fonctionner ? lui demanda-t-elle au bout de trois quarts d'heure.

— Je n'ai jamais de certitude absolue. Et ne te moque pas, le solitaire m'évite de penser aux choses qui pourraient…

— … mal tourner.

La liste des choses qui pourraient « partir en vrille », comme il le disait constamment, était longue.

John posa une main sur l'épaule d'Alicia pour masser ses muscles tendus.

— Tu es crispée. Détends-toi. Le volant ne risque pas de te glisser entre les doigts.

Deux voitures passèrent, et aussitôt elle se pencha en avant, prête à enfoncer la pédale pour démarrer en trombe. La main de John la retint de tourner la clé. Son cœur battait tellement vite qu'elle regarda dans le rétroviseur pour voir si la veine sur sa gorge s'était mise à saillir. Elle frotta ses mains tremblantes sur ses cuisses tandis que l'adrénaline pulsait dans tout son corps.

Le doute envahit son esprit et bloqua sa capacité à réfléchir. Etait-elle aussi désemparée qu'elle en avait l'impression ?

— Ai-je raté quelque chose ? Aurais-je pu empêcher l'enlèvement, les virements bancaires ou quoi que ce soit d'autre ?

— Non, lui répondit John sans s'étendre.

Il se raidit cependant, elle le vit.

— Comment peux-tu en être aussi sûr ?

La remise en question de ses actes et de ses décisions expliquait en grande partie l'appréhension qui lui nouait la poitrine. S'il savait quelque chose… S'il connaissait une réponse… Peut-être cela apaiserait-il sa tension et lui permettrait-il d'être plus opérationnelle.

Il remua sur son siège, et sembla détourner le regard. Puis il parut triste, comme si un souvenir qu'il n'avait pas envie d'affronter refusait de le laisser en paix. Elle lui avait déjà vu ce regard perdu à plusieurs reprises. Il était en bonne forme physique et il était la copie conforme de Brian, donc, en quelque sorte, elle l'avait « observé » pendant douze ans. Mais un énorme changement s'était opéré en lui. Elle avait connu Johnny. Mais cet homme était le *lieutenant Sloane*. Elle ne savait rien de lui.

— Quelles que soient les personnes qui ont enlevé Lauren, elles ont planifié et organisé son kidnapping depuis longtemps. Vous piéger, Brian et toi, leur a pris des mois. Je pense qu'ils avaient prévu que tu meures dans la voiture. Ensuite, les Weber auraient secouru ta fille et ils auraient obtenu sa garde et le contrôle de son héritage sans le moindre problème.

Quelque chaude que soit encore la soirée, Alicia eut la chair de poule. Il avait parlé avec assurance, logique, et un réalisme glaçant.

« Je pense qu'ils avaient prévu que tu meures. » La voix de John résonna dans sa tête.

Le shérif, lui aussi, lui avait dit quelque chose du même genre. Et pourtant, elle l'avait ignoré, optimiste, incapable de penser au pire, se refusant catégoriquement à croire que Shauna puisse la haïr à ce point.

Elle soupira.

— Ta théorie est parfaitement logique. Mais je suis incapable de me résoudre à penser comme toi.

Elle se tourna vers lui :

— Je suis si heureuse que tu sois revenu. Sans toi, je serais en prison et irrémédiablement perdue pour Lauren.

— Ne songe pas à cette éventualité. Par ailleurs, comment une infirmière qui passe son temps à prendre soin des autres pourrait-elle penser comme moi ? Je suis ravi que tu ne puisses concevoir une telle situation. Vraiment ravi. J'aime la femme que tu es devenue, Alicia.

— Vont-ils lui faire du mal ? Sois honnête avec moi, Johnny.

— Je l'ignore. Si l'on se concentre sur l'inconnu, ça

rend fou. Rappelle-toi seulement que nous l'arracherons à ses ravisseurs.

Pas une larme. Pas même l'ébauche d'une larme. Elle avait déjà versé toutes les larmes de son corps. Elle craignait trop de commettre une autre erreur. John se tourna pour lui faire face et il lui prit le menton, l'obligeant à détacher les yeux de la rue pour le regarder.

— Quel que soit l'endroit où ils nous mèneront — si toutefois ils se rendent quelque part — tu sais qu'il n'y a aucune garantie que Lauren s'y trouve.

La ride entre ses sourcils se creusa.

— Si elle s'y trouve, la situation peut dégénérer. Peut-être devrais-je te déposer et…

— Non, je ferai tout ce qui sera nécessaire pour garder ma fille saine et sauve. Ne t'inquiète pas pour moi. Je me débrouille seule depuis un moment déjà.

C'était vrai. L'accident de Dwayne, et ensuite son beau-père…

— Parlons d'autre chose. Dev dit que l'argent accumulé sur le compte épargne de Lauren a été déposé par petites sommes en liquide au cours des quatre derniers mois. Dans des agences différentes. Aucun virement électronique… Alicia, ça va ? lui demanda-t-il après une minute de silence.

— Je vais bien.

— Je voulais te demander, que deviennent ton père et ton frère tandis que tu traverses toutes ces épreuves ? Je m'attendais qu'ils se manifestent.

— La maladie d'Alzheimer de papa a évolué lentement au début. Je me suis occupée de lui aussi longtemps que je l'ai pu. Mais il ne me reconnaît plus. Il m'a prise pour ma mère pendant un moment. Mais cela fait longtemps qu'il n'a plus guère de moments de lucidité. Je l'avais placé dans un établissement agréable à Denton. Cependant, quand Shauna m'a fait licencier, j'ai dû le faire transférer dans une institution publique à quatre heures de route d'ici.

— Je suis désolé. Je l'ignorais.

La main imposante de Johnny se posa sur la sienne pour la serrer.

— Mon père n'en a jamais fait mention. Je n'aurais pas dû évoquer le sujet.

— Ce n'est rien. Tu ne pouvais pas savoir. J.W. a été très ébranlé. Il a perdu ses deux meilleurs amis en peu de temps. Quant à mon frère, nous n'avons jamais été proches, et il est en poste en Allemagne. Il a proposé de venir, peu après que papa ait commencé à avoir besoin de soins constants. Et je ne lui ai rien dit pour Lauren. A quoi bon ? Que pourrait-il faire ?

— Alicia, j'imagine à peine ce que tu as dû traverser. Et pour ce qui est de Roy ? Papa m'a dit qu'il était mort d'avoir eu le cœur brisé. Je lui ai demandé ce qu'il entendait par là, mais il ne me l'a jamais expliqué.

— Il s'est suicidé avec une arme à feu trois mois après l'accident de Dwayne.

— Pas possible ? En est-on certain ? Qui l'a trouvé ?

— Shauna.

Cela lui répugna de prononcer le nom de cette femme. Il lui était déjà assez pénible de l'évoquer en pensée.

— Ce n'est pas exactement le sujet qui m'aidera à me détendre, ajouta-t-elle.

Elle émit un petit rire nerveux, forcé, et elle détendit de nouveau ses doigts.

— Tu as raison. C'était idiot de ma part.

— Que ferons-nous quand nous les suivrons là où ils retiennent Lauren ?

— Il n'y a pas de « nous ». J'entrerai et je ferai le nécessaire. Tu resteras dans la voiture et tu appelleras Dev s'il y a un problème.

— Je peux t'aider. Crois-moi.

— J'en suis certain, mais nous allons devoir leur arracher Lauren et filer nous cacher.

— Je ne comprends pas. Pourquoi ne pas rentrer simplement à la maison ? Ou du moins nous rendre au bureau du shérif ? Il nous croira. Nous devons dire à quelqu'un ce que nous savons et laisser la police les arrêter.

— Nous n'avons pas prouvé que tu n'avais pas tout orchestré depuis le départ. Ce sera leur parole contre la tienne.

— Mais Lauren pourra révéler la vérité.

— Non, ça ne marchera pas. A ce stade, tu ne gagneras pas.

La stupéfaction la plongea dans le silence. Où pourrait-elle emmener Lauren pour qu'elle y soit en lieu sûr ? Comment parviendraient-ils à survivre sans argent ? C'était sans importance. Elle s'en tiendrait à ce qu'elle avait déclaré. Elle était prête à tout pour récupérer Lauren. Même si cela incluait le fait de devenir une fugitive et de se cacher jusqu'à ce qu'elle puisse prouver son innocence.

— Tu dois te préparer à un autre scénario.

Le ton lugubre de John évoqua une éventualité à laquelle elle se refusait.

— Non, ne dis pas cela. N'y pense même pas. Je refuse de croire qu'ils puissent lui avoir fait du mal.

— Alicia. Nous devons être réalistes.

Elle écarquilla les yeux.

— Attends. Ce ne serait pas le pick-up ?

Aussitôt, elle mit le moteur en marche. Ils attendirent que le pick-up soit passé et qu'ils sachent quelle direction il prenait. Le véhicule ressemblait à s'y méprendre à celui que conduisait Brian. Il se distinguait aisément des modèles plus récents sur la route, ce qui leur facilita la tâche en permettant de laisser deux ou trois voitures entre eux sans le perdre de vue.

— On dirait que Patrick est seul. Pourquoi irait-il leur déposer l'argent sans Shauna ? s'interrogea Alicia.

— Probablement pour la même raison qui justifierait que je sois seul. Parce que c'est dangereux.

Ils suivirent la route principale, laissant derrière eux les grandes villes puis les plus petites, jusque sur les routes de campagne, là où il était plus difficile de ne pas perdre de vue le véhicule sans trahir leur présence. Roulant tous feux éteints, ils se fièrent uniquement à ses phares dans le lointain. Soudain, ils le virent freiner.

— Alicia, vois-tu la route dans le noir ?

— Je pense, oui.

Le gravier clair réfléchissait assez la lumière de la lune pour lui éviter de tomber dans le fossé.

— Il ralentit, confirma John. Arrête-toi ici. Ce doit être l'allée d'une maison.

Il pianota sur son portable et le porta à son oreille.

— Dev, j'ai besoin de renseignements sur une propriété. Envoie les coordonnées par SMS… Extraction. En solo… Négatif. Non, je ne peux pas attendre. Elle sera en sécurité dans la voiture.

Elle fut médusée par le pragmatisme avec lequel John appréhenda chacun des aspects du sauvetage de Lauren. Etait-ce ce qu'il faisait au quotidien en tant que commando marine ? *Et toi, où seras-tu en sécurité, Johnny ?*

— Cache la voiture, marmonna-t-il. Tu vois cet endroit derrière nous où la route est plus plate ? Nous devons aller derrière ces arbres.

— D'accord.

— Et tu restes dedans. Promets-moi de suivre mes ordres.

John prit un objet dans sa poche puis il bondit hors de la voiture.

Le temps qu'elle revienne en marche arrière sur le terrain plat, il avait sectionné les barbelés, et elle put se garer dans le champ, soustraite au regard des autres conducteurs. Il remit en place le fil de fer barbelé et il lui fit signe de le rejoindre. Le pick-up était toujours garé près de la boîte aux lettres.

— Reste près de la voiture et garde ceci.

Il lui donna le téléphone, qu'elle posa à côté d'elle.

— Il y a une carte du secteur et tu pourras indiquer à Dev où venir nous chercher. Tu peux lui faire confiance.

— Je t'accompagne.

Il se contenta de secouer la tête en souriant.

— Pas cette fois, mon ange. J'entre. Je récupère Lauren. Je ressors.

— Que…

John l'interrompit d'un bref baiser. Pas super sexy, mais l'effet de surprise fit mouche, et elle se tut.

— Je ne peux pas prendre le temps de t'expliquer. Je compte être à l'intérieur avant Patrick. Je serai bientôt de retour avec ta fille.

John partit en courant. Son T-shirt et son jean foncés se détachaient nettement contre le brun clair de la paille. Les grandes balles de foin rondes disséminées dans le champ lui offraient la couverture nécessaire pour ne pas être vu. Du moins l'espérait-elle.

Il fallait qu'elle fasse quelque chose. Elle ne pouvait pas rester assise là à attendre. Mais que faire ? Elle n'en avait aucune idée. Elle n'avait ni cadre de référence ni expérience. Seulement une motivation sans bornes : sauver sa fille.

Elle remercia le ciel pour le retour de John. Sans lui, elle n'aurait eu aucun moyen de prouver l'implication de Shauna. Ni personne pour secourir Lauren.

Trop fébrile pour rester en place, elle voulut jeter un œil à la carte envoyée par Dev. Elle traversa la route pour se mettre à couvert derrière les buissons, avançant jusqu'à ne plus voir les lumières de la maison.

Oh non ! D'autres phares apparurent, et une voiture quitta lentement la route principale comme pour rester invisible. A moins que le conducteur ne se soit égaré ? Elle piqua un sprint, les poumons en feu, et traversa le champ jusqu'à l'abri des arbres.

La voiture prit le virage, tous feux éteints. Il lui fallut quelques instants pour venir s'arrêter près de l'allée. Alicia distingua la forme d'une tête. Nul besoin d'avoir l'expérience de John pour comprendre que la personne dans la seconde voiture ne voulait pas être vue.

Assis au volant, quelqu'un attendait. Le bruit du moteur se substitua au silence. Patrick avait-il été suivi ? John et elle avaient-ils été suivis ? Ou alors l'inconnue était-elle Shauna, et sa présence sur les lieux faisait-elle partie de leur plan ?

La voiture lui évoquait un démon tapi, prêt à bondir.

Que manigances-tu ?

Peu importait, hélas ! John n'était nulle part en vue. Elle n'avait aucun moyen de le contacter, et il n'aurait pas connaissance de ce danger supplémentaire. Patrick approcha finalement son véhicule de la maison. Elle devait aider John. Elle plongea donc plus avant dans les broussailles et elle masqua l'éclat du téléphone. La carte apparut à l'écran.

L'objectif était d'empêcher ces individus de faire du mal à Lauren. Quoi qu'il arrive.

14

John traversa le champ sans le moindre problème. Il longea la clôture parallèle à l'allée en se mettant à couvert des arbres.

Il y avait en fait deux vieilles maisons — toutes deux probablement construites avant la modernisation des sanitaires… La première, plus proche de lui et située au sud, était une simple bicoque précédée de quelques marches. Elle ne présentait aucun signe d'activité. Un abri souterrain à l'est. Une grange au nord puis un appentis, un tracteur, quelques balles de foin.

Une allée circulaire, avec en plein milieu un chêne massif, le séparait de la maison principale. La disposition des lieux était exactement celle de la carte qu'il avait en tête.

L'autre habitation avait d'abord été de taille modeste, avant que des pièces ne lui soient ajoutées de façon anarchique. L'une de ces adjonctions était manifestement la salle de bains. Il vit des tuyaux et un trou dans le sol destiné à la plomberie. Deux autres pièces lui parurent être des chambres. Toutes deux avaient une petite fenêtre et un climatiseur semblable à celui de la pièce en façade.

Weber avait pris son temps pour remonter l'allée. Il se gara près de la petite maison et il resta encore dans le pick-up. Personne ne réagit à son arrivée. Sans doute en raison du climatiseur et du téléviseur qui hurlait.

Un sauvetage à l'aveugle. Ne pas savoir combien d'assaillants se trouvaient à l'intérieur ni où était retenue l'otage n'était pas pour arranger John. Que n'aurait-il donné pour une localisation infrarouge des cibles !

Lorsque Weber sortit finalement de son véhicule, John constata qu'il portait une sorte de combinaison intégrale, incluant les gants. *Ce n'est pas bon signe.* La température devait encore avoisiner les quarante degrés. A l'évidence, il ne voulait pas laisser de preuves derrière lui. La situation donnait tous les signes qu'elle risquait de partir en vrille.

Des photographies. Une vidéo. Ah ! mais pourquoi n'avait-il pas apporté le portable de Dev pour filmer l'échange ? Il s'était seulement préoccupé de sauver Lauren et il avait pensé qu'Alicia aurait besoin du portable pour sa sécurité. Il était trop loin pour repartir le chercher. Il avait pris des photographies de Weber dans le pick-up, mais une conversation enregistrée serait un élément accablant qui prouverait la culpabilité du couple, et innocenterait Alicia.

Tant pis. Après l'opération de sauvetage, la mère et la fille serait réunies. C'était son objectif prioritaire.

Tandis qu'il gravissait les marches de la terrasse bien éclairée, Weber lui parut nerveux et hésitant. Il passait le sac de sport d'une épaule à l'autre. Si Shauna et lui n'avaient rien à voir avec l'enlèvement, livrer la rançon sans impliquer la police n'était pas une bonne idée. Ils devaient être coupables, donc.

Dans ce cas, où était l'argent ? Dev était le meilleur et il n'était pas parvenu à le localiser jusqu'à présent.

L'éclairage extérieur s'alluma. Weber fut accueilli par une jeune femme surprise. Un homme se mit à vociférer. Dès son entrée dans la maison, une querelle s'engagea. Des paroles indistinctes, quoi que John devinait l'objet de la discorde. Il se précipita derrière la maison, marquant une pause près du remblai de l'abri souterrain. Personne pour monter la garde. Il parcourut en zigzag les vingt mètres de terrain à découvert le séparant de l'angle de la salle de bains.

Des mots tels que « responsable » et « prétentieux », accompagnés d'un tas de jurons, traversèrent les cloisons fines. A moins que la voix de Patrick Weber soit passée d'une tessiture de ténor à celle d'une basse grave, c'était l'autre homme que John entendait, et il n'était pas du tout content. Que Weber se présente — en particulier sans l'argent supplémentaire — n'était pas à son goût. Pas plus que ne l'était pour Weber la demande inopinée d'une plus forte somme. La manière dont les deux hommes discutaient des détails était une preuve supplémentaire que les grands-parents par alliance de Lauren étaient les instigateurs du kidnapping. Mais il n'y avait toujours pas de preuve qui puisse disculper Alicia et Brian.

John resta le dos appuyé contre le bois à la peinture écaillée, regardant par les fenêtres de chaque pièce. A l'arrière de la maison, du contreplaqué recouvrait l'une des fenêtres. *Bingo !* Lauren devait être dans cette chambre. Le bois était neuf et il avait été cloué à la va-vite, mais il ne pourrait l'arracher ni à l'aide de ses seules mains ni avec l'outil multifonction qu'il avait toujours sur lui. Il n'y avait rien autour de lui qu'il puisse utiliser. Et il ne pouvait risquer de perdre du temps à fouiller la grange.

Juste après la fenêtre se trouvait une autre terrasse. La cuisine. La porte de derrière. Il testa la poignée. Elle n'était pas fermée à clé. Il l'entrouvrit. Elle ne grinça pas.

Son arme au poing, John se faufila à l'intérieur, laissant la porte ouverte derrière lui. Puis, il s'adossa aux placards proches de la pièce principale. Un seul chemin menait au reste de la maison. Il n'y avait en fait aucun couloir. Toutes les pièces donnaient sur celle où se trouvaient les deux hommes et la jeune femme.

— Vous n'aurez pas l'enfant tant que je n'aurai pas le reste de l'argent ! beugla l'homme.

Les hurlements s'amplifièrent. Devinrent plus incohérents. S'étendant à plusieurs sujets : le fait d'être piégé dans ce trou à rats, le ras-le-bol de l'homme qui en avait assez de faire du baby-sitting… La femme, nommée Tory, répondit sur le même ton, semblant se défendre, jusqu'à ce qu'à ce que le colosse la gifle. Weber garda le silence, l'air nerveux.

L'anxiété croissante qu'éprouvait John n'était pas bon signe. L'homme semblait défoncé. Difficile de dire sous l'influence de quelle drogue il se trouvait ou ce qu'il serait capable de faire. La dénommée Tory ne cessa de tenter de l'apaiser, de le calmer.

Ce fut sans effet. Et, après une deuxième gifle violente, elle s'appuya contre le mur, hors de sa portée. Il était impératif qu'il sorte Lauren de cette maison au plus vite.

— Prenez l'argent, l'encouragea Weber. Il y a 25 000 dollars dans ce sac.

— Nous avons décidé qu'il nous fallait plus, et vous allez devoir payer pour que nous gardions le silence.

Weber haussa les épaules.

John inspecta le salon par le biais d'un miroir mural qu'il pouvait voir de là où il se tenait. La fille était blonde, petite, et elle avait un énorme coquard. Ses bras étaient couverts d'ecchymoses.

— Voyons, chéri. C'est ce que nous attendions.

Elle tira l'homme par le bras.

— Avec 25 000 dollars, nous pouvons nous envoler pour une plage des Bahamas.

— Cesse de t'accrocher à moi, traînée.

Il la repoussa violemment, et elle heurta le meuble TV. Le vieux téléviseur s'écrasa au sol, et Weber ne tressaillit ni ne réagit.

— Je vous ai dit que vous ne récupéreriez pas l'enfant pour moins d'un demi-million.

— Vous êtes sûr de cela ?

Weber déposa le sac par terre.

John entendit la fermeture Eclair. Weber pensait-il vraiment convaincre cet homme de prendre l'argent en le lui montrant ? *Bon sang !* Il devait y avoir une arme dans le sac.

Devait-il attendre que Weber dégaine et espérer que le colosse soit capable de se défendre ? Ensuite, il se rendrait là où il pensait que Lauren pouvait être détenue. Ou alors devait-il arrêter Weber avant qu'il ne tue les deux seules personnes qui pourraient prouver l'innocence d'Alicia ?

— Arrêtez.

John contourna l'angle du mur et il pointa son 9 mm sur Weber.

— Qui diable êtes-vous ?

La brute fit un pas dans sa direction.

— Gardez vos distances.

John pointa son arme entre les deux hommes. Le second mesurait facilement dix centimètres de plus que lui et il pesait également une trentaine de kilos supplémentaires au bas mot. L'homme était un véritable géant.

— Que faites-vous ici, Sloane ? lui demanda Weber.

— Vous connaissez ce type ? lança l'autre homme à Weber.

Il s'avança vers John.

— Restez là où vous êtes et vous, Weber, montrez-moi vos mains.

Il leur fit signe avec son arme de s'aligner contre le mur.

— Relevez-vous lentement et éloignez-vous du sac.

— Je vais vous réduire tous les deux en bouillie.

— Retourne dans ton coin, King Kong.

Il garda les deux hommes dans son champ de vision, mais il perdit Tory de vue. Il serait bien avancé s'il se faisait assommer en raison de sa négligence, et cela n'aiderait pas Lauren.

— Vous devriez partir. Je suis venu récupérer l'enfant, et vous allez tout faire rater.

Weber se leva — mais il glissa subrepticement la main dans sa poche, ce qui éveilla les soupçons de John.

— Je connais la raison de votre présence ici, mais ça ne marchera pas.

— Je pense le contraire.

Weber plongea en direction du sac, effectua un roulé-boulé et fit feu.

John ne pouvait utiliser son arme, pour la même raison qu'il avait tenté d'empêcher Weber de tirer : il ne pouvait prendre le risque de blesser Lauren ou les ravisseurs. Mais cela n'empêcherait pas ses adversaires de lui trouer la peau.

Weber se rua vers la porte d'entrée. Aussitôt, King Kong se jeta sur John. La femme, qui s'était tapie dans le coin de la pièce, détala dans la direction opposée. John perdit Weber de vue quand une épaule massive s'enfonça dans ses reins, la force de l'impact le laissant étourdi. Il garda l'arme serrée dans sa main et frappa le colosse à la tempe.

King Kong ne broncha pas, et en un éclair il enserra la taille de John de ses bras. Il se mit à serrer. Non seulement c'était une montagne de muscles, mais en plus il absorbait tous les coups que John pouvait lui assener. L'étau qui se resserrait autour de ses côtes lui coupa le souffle. Ses pieds qui s'agitaient au-dessus du sol ne lui fournissaient plus aucun moyen de traction. Le colosse le cogna contre le mur.

Le pistolet vola tandis que de vieux cadres tombaient par terre. John vit son arme atterrir près de la porte. Ce serait désormais un combat au corps à corps.

Utilisant ses jambes, il repoussa le mur. Les deux hommes valsèrent dans la pièce. King Kong perdit l'équilibre. Il ne desserra toutefois pas son étreinte, et ils s'écroulèrent entre le fauteuil et le canapé. Tout ce que John vit fut le plafond jauni par la nicotine cependant que la voix d'une enfant s'élevait très distinctement derrière l'une des portes.

— Au secours !

Alicia courut jusqu'à la ferme, imitant les mouvements de John et suivant autant que possible le chemin qu'il avait emprunté. L'autre voiture était toujours stationnée… dans l'attente de quelque chose. Elle devait à tout prix signaler sa présence à John. Tout comme elle l'avait vu faire, elle s'approcha de la clôture et elle tenta de se fondre dans les arbres. Une fois dans la cour, à découvert, elle contourna les maisons pour rejoindre la terrasse à l'arrière.

La porte était ouverte. Elle entendit des bruits de lutte à l'intérieur et le claquement d'une portière au loin. Se pouvait-il que John ait déjà emmené Lauren ?

John enfonça son coude dans les côtes de King Kong. Encore. Et encore. Le délicieux soulagement de sentir son torse libéré fut immédiatement suivi par des coups portés simultanément à ses oreilles. Il vit deux femmes — ou peut-être n'y en avait-il qu'une et voyait-il double — ouvrir le verrou de l'une des portes.

Ils allaient transférer Lauren. Il devait se libérer.

Une vive secousse de la tête, censée lui éclaircir les idées, ne fit qu'aggraver sa double vision. Les oreilles lui brûlaient autant que sa colère de s'être fait surprendre par l'homme de main de Weber. Et par Weber lui-même.

Il se retourna en un éclair et il assena deux coups de poing sur le torse massif. La femme partit en courant, traînant Lauren derrière elle. Elle s'enfuyait.

Il était temps de mettre un terme à tout cela.

Craignant que quelqu'un ne parte en emmenant Lauren, Alicia fit le tour de la maison pour les intercepter. La terrasse était suffisamment éclairée pour qu'elle voie Patrick courant vers l'allée. Il transportait un sac, mais Lauren n'était pas avec lui. Elle resta dans l'obscurité au bord de la terrasse. Devait-elle entrer dans la maison ? Où était John ?

De nouveaux bruits de chocs. L'ombre de deux corps derrière les rideaux. Deux hommes se battaient. John devait être l'un d'eux. Elle sonda l'obscurité, tentant d'y adapter ses yeux, de retrouver Patrick, mais il avait disparu. Une voiture — sans doute celle qui s'était arrêtée sur la route — s'avança vers la maison.

Un petit gémissement effrayé. L'attention d'Alicia fut attirée vers la porte d'entrée.

— Patrick, attends ! cria une femme en repoussant la porte moustiquaire contre le mur dans sa fuite.

— Lauren !

Bien qu'un peu négligée, sa fille semblait indemne.

— Maman ! Maman !

Lauren se débattit pour arracher son poignet à l'étreinte d'une jeune femme qui parut vaguement familière à Alicia. Les efforts de la petite pour se libérer contraignirent la femme à marquer une pause pour la maîtriser. Ne parvenant pas à se dégager, Lauren se laissa tomber sur la terrasse, obligeant sa ravisseuse à s'agenouiller et à tourner la tête vers Alicia.

— Tory ?

King Kong n'était pas décidé à lâcher prise. John projeta la tête en arrière, fracassant le nez de son adversaire. Il entendit le craquement familier du cartilage qui se brisait et il tira profit du fait que le colosse soit momentanément sonné pour se remettre debout.

Douze années d'armée lui avaient enseigné quelques ficelles du combat rapproché. Il était temps de faire appel à tout l'arsenal de ces techniques. Et il n'y avait pas de honte à recourir à quelques coups bas pour mettre ce salaud au tapis.

Un nouveau direct l'atteignit au menton, mais il riposta par trois coups à la volée. Il frappa à deux reprises le nez en sang de son adversaire qui poussa un grognement de douleur. Puis, il s'élança et lui donna un solide coup de pied.

King Kong parut enfin hors de combat. Encore un coup de pied à la tête. L'homme s'effondra sur le seuil de la cuisine et il ne se releva pas.

Où était passée son arme ?

*
* *

Alicia regarda Tory agiter l'arme de poing comme une adolescente inexpérimentée, effrayée par ce qu'elle tenait. D'un geste brusque, elle tira Lauren contre elle, tenant le pistolet tellement près de celle-ci qu'elle aurait pu la blesser par accident.

Calée contre la hanche de Tory, Lauren se tortilla.

— Tiens-toi tranquille ! lui ordonna la jeune femme effrayée. Reculez. Restez éloignée.

— Tout va bien, princesse.

Alicia s'efforça de paraître calme afin de persuader Lauren de rester hors de la ligne de feu.

— Reste là et sois sage, mon ange. Fais ce que te dit Tory.

— Je ne veux plus rester avec elle, maman.

— Tais-toi ! s'écria Tory d'une voix hystérique en agitant l'arme près de sa tête. Je n'arrive pas à réfléchir à ce que je dois faire.

— Ma princesse, je t'en prie, reste calme et laisse-moi voir si Tory veut bien te laisser rentrer à la maison.

— Ça ne risque pas d'arriver ! Pas avant… Patrick ?

Tory fouilla l'obscurité du regard, l'arme de nouveau braquée sur Lauren.

— Mon Dieu, Patrick, ne m'abandonne pas.

Nervosité, angoisse, indécision… Alicia refoula ces émotions avant qu'elles n'obscurcissent son jugement. Quoi qu'elle ressente, l'état émotionnel de Tory était bien pire. Celle-ci avait manifestement été battue et elle était terrifiée. Elle scrutait la cour, pointant son arme un peu partout à l'aveuglette — y compris sur Lauren.

Alicia ne parvenait à concevoir que ce soit *Tory* qui détienne sa fille. Shauna était forcément à l'origine de l'enlèvement. Tory travaillait à la garderie de Mary pour un salaire minimum ! Elle n'avait ni assez d'argent ni assez d'influence pour effectuer les versements destinés à la piéger.

— Nous allons monter dans cette voiture et partir d'ici.

Tory serra Lauren contre elle, utilisant la fille d'Alicia comme un bouclier humain.

— Vous m'entendez, Alicia ? Que personne ne s'approche ou je tire. Je n'y tiens pas mais je le ferais.

Lauren se mit à pleurer, scandant :

— Maman, maman, maman !

Cela brisa le cœur d'Alicia de ne pouvoir se précipiter sur Tory pour serrer très fort sa fille dans ses bras.

— Tu n'as pas à faire cela, Tory. Nous pouvons nous arranger. Personne n'en saura rien.

Les gyrophares des voitures de police illuminèrent le ciel près de l'endroit où ils avaient laissé leur véhicule de location. Les phares de la voiture qui attendait depuis si longtemps au bout de l'allée s'allumèrent et celle-ci s'avança vers la maison.

— C'est trop tard. Je n'irai pas en prison. Je suis désolée, mais Lauren est ma seule chance.

— Sois raisonnable, Tory. Shauna et Patrick sont forcément derrière tout cela. Tu n'auras qu'à dire ce qui s'est passé à la police. Tu pourras conclure un accord.

Tory dévala les marches et elle courut vers la voiture en stationnement.

— Je n'irai *pas* en prison. Restez là. Je jure que je vais tirer.

Sa voix était totalement paniquée tandis qu'elle agitait l'arme dans tous les sens, le doigt sur la détente, tenant toujours Lauren dans ses bras.

— Nous partons.

— Maman, s'il te plaît, sanglota Lauren.

Des larmes d'effroi roulaient sur ses petites joues tandis qu'elle tendait les bras vers Alicia.

Horrifiée, cette dernière vit Tory trébucher et tomber derrière la voiture. Elle entendit sa petite pousser un cri strident. Pistolet ou pas, elle courut à la rescousse de son enfant.

De l'autre côté de la voiture, deux personnes étaient aux prises, silhouettes indistinctes jusqu'à ce que le faisceau des phares de la voiture se rapproche. Tory était assise sur la poitrine de John, l'air dément, s'employant frénétiquement à le griffer, tel un chat sauvage.

— Va chercher ta fille. Je me charge d'elle, lui lança John en refermant ses longs doigts autour des poignets de Tory.

Elle ne vit Lauren nulle part. Elle ne pouvait aider John, il *fallait* qu'elle retrouve sa fille.

— Lauren ! Où es-tu, princesse ? appela-t-elle en vain. Es-tu blessée ? Lauren, bébé, où es-tu ?

Un mouvement à la lisière de l'obscurité, près des arbres. *Lauren.* Des phares aveuglèrent momentanément Alicia avant que la voiture ne la sépare de son bébé.

— Maman, aide-moi !

— Bon sang, attrape-la ! vociféra Shauna, du siège conducteur.

Alicia se mit à courir, se guidant aux pleurs de sa fille. Près de la voiture qui venait de s'arrêter, elle vit Patrick retirer Lauren de sous le pick-up où elle s'était cachée puis la soulever dans ses bras, plaquant une main sur sa bouche pour la faire taire. Elle se mit à courir vers eux, mais elle fut fauchée par la portière de la voiture qui en s'ouvrant la projeta au sol, lui coupant le souffle.

— Non, je ne veux pas venir avec toi. Je veux ma maman !

Un coup de feu résonna entre la maison et les arbres.

Oh mon Dieu ! La dernière fois qu'elle avait vu Tory, elle tenait l'arme et se battait avec John. Mais elle devait récupérer Lauren avant que Shauna ne s'enfuie avec elle.

— Bébé ?

Alicia roula à l'écart de la portière et elle s'agenouilla. Au moment où elle allait se relever, elle fut projetée au sol.

— John !

Elle éprouva un profond soulagement.

— Laisse-moi partir.

Etendu au sol avec elle, il lui mit une main sur la bouche puis il l'entraîna vers la maison.

— Ne lutte pas. Nous ne pouvons pas la récupérer. Fais-moi confiance.

Les sirènes des voitures de police retentirent dans la cour. Les véhicules s'arrêtèrent, bloquant l'accès à l'allée. John acheva d'emmener Alicia dans l'ombre de la maison. Il la recouvrit de son corps et attendit. Que faisait-il ? Elle devait aller chercher Lauren.

— Dieu merci vous voilà. C'étaient eux ! hurla Shauna aux policiers qui s'approchèrent. Ils sont ici. Elle se tenait juste là avec son petit ami, ce drogué. Arrêtez-les avant qu'ils ne s'échappent.

Alicia n'avait aucun moyen de s'échapper, allongée sous lui. Il resta immobile, ne prenant même pas la peine de la délester un peu du poids de son corps musclé, qui la privait d'oxygène.

Elle gardait intacte la vision de la tragédie qui s'était jouée sous ses yeux. Un suspense intense, dépourvu de tout contrepoint comique et de toute perspective d'un dénouement heureux.

15

— Est-elle morte ? demanda Shauna au premier policier arrivé, à présent agenouillé près de Tory.

De là où il était, près de la maison, John avait une vue correcte de ce qui se déroulait dans l'allée. C'était exactement la situation qu'il avait vécue, quelques années en arrière, lorsque l'un de ses camarades s'était retrouvé blessé et piégé entre deux tirs hostiles. Il serra plus fort sa main contre la bouche d'Alicia et il se figea.

Aucun mouvement. Aucun bruit. Il était crucial de ne pas attirer l'attention sur eux. Dans le cas contraire, ils pourraient aussi bien se rendre. Or, il n'était pas homme à se rendre.

— Reste immobile, sinon ils risquent de nous voir, murmura-t-il à son oreille.

— Demande quand les renforts vont arriver, commanda le policier à son collègue beaucoup plus jeune. Ensuite, fouille la maison sans détruire tous les indices.

Patrick Weber regardait fixement la jeune femme étendue inerte. Il ne prononça pas un mot et ne fit montre d'aucun remords.

— Ne devrions-nous pas chercher les deux autres qui se sont enfuis ?

Le jeune policier dégaina son arme et il se dirigea droit vers l'endroit où John tentait de maîtriser une Alicia qui se tortillait sous lui.

— Fais ce que je t'ai ordonné ! s'écria le policier plus âgé.

Son jeune collègue rebroussa chemin.

— Nous avons secouru la fillette et nous ne pouvons pas abandonner la scène du crime.

Shauna courut jusqu'à Weber et elle arracha la fille d'Alicia des bras de son époux.

— Oh ! Lauren, Dieu merci nous t'avons retrouvée.

Weber s'avança vers son pick-up et il baissa le hayon. John ne voyait plus son visage, mais il aperçut une volute de fumée. L'odeur caractéristique du tabac parvint jusqu'à eux.

Lauren était une surprenante version en miniature d'Alicia. Son visage était crasseux et sillonné de larmes, ses vêtements dégoûtants, ses cheveux bouclés n'étaient plus qu'une tignasse emmêlée. Mais l'enfant affichait la volonté marquée de lutter, comme sa mère. Elle se tortilla, tira les cheveux de Shauna et la frappa. Quand cette dernière lui donna une fessée, la fillette pleura en silence, aspirant de grandes goulées d'air entre les doigts qu'elle s'était mis dans la bouche.

Pourvu qu'Alicia ne voie pas ce qui se passe. S'il l'avait pu, il lui aurait également couvert les oreilles afin de l'empêcher d'entendre. Et si jamais Lauren se mettait à l'appeler de nouveau ?

— Laisse-moi me relever, marmonna Alicia, se secouant comme elle pouvait sous lui jusqu'à ce qu'elle puisse murmurer distinctement. C'est terminé. Lauren est sauve. Nous les avons surpris avec ces kidnappeurs. Ils pourront être appréhendés. Tout ce que nous avons à faire, c'est nous rendre.

— Rien n'est terminé, chuchota John. Nous rendre n'est pas une option.

— Je ne comprends pas. Tu ne peux pas les laisser… je dois récupérer Lauren.

Il lui parla à l'oreille avec fermeté :

— Nous n'avons toujours pas la preuve que tu es innocente.

— C'est idiot. Tu ne peux pas me garder ici, John. Elle a besoin de moi.

— Ta fille a besoin de toi pendant plus de temps qu'il n'en faut pour te mettre les menottes.

Il remit sa main en place sur sa bouche.

— Je ne te laisserai pas partir. Point. Le jeune policier est si nerveux qu'il pourrait tirer sur nous à vue.

Le corps d'Alicia se ramollit sous le coup de la défaite, devenant inerte, à l'exception de pleurs silencieux. Bien. Il fallait qu'ils trouvent le moyen de retourner à la voiture sans se faire prendre. Ils se trouvaient trop près du corps de Tory pour s'élancer vers la clôture. Les policiers les verraient, ou les entendraient avant qu'ils ne puissent se mettre à couvert. Si l'un d'eux parcourait le périmètre de l'allée circulaire, ils seraient découverts et n'auraient même pas le temps de lever les mains en l'air.

Le seul chemin possible pour s'échapper était de repartir par l'arrière de la maison, puis la grange, avant de traverser le champ au loin. Cela prendrait plus longtemps, mais c'était le seul moyen.

Shauna tourna le dos à la femme morte pour rejoindre le jeune policier à sa voiture.

— Je suis d'accord avec vous. Alicia et Brian doivent être retrouvés et appréhendés. N'allez-vous vraiment pas les prendre en chasse ? Ils ne peuvent pas être loin. Ils étaient ici à votre arrivée. Si vous ne vous dépêchez pas, ils s'enfuiront.

La fille d'Alicia se débattait tout aussi frénétiquement contre Shauna que sa mère luttait pour retrouver sa liberté, coincée sous le corps de John. Aussi difficile que ce devait l'être pour elle de trouver sa respiration avec ses quatre-vingt-dix kilos pesant sur son dos, elle mobilisa assez de force pour tenter de se libérer de lui à plusieurs reprises. Il tressaillit un peu lorsqu'elle voulut lui mordiller les doigts. Il l'ignora et il la garda bien plaquée au sol, ne pouvant se permettre de prendre le risque qu'elle se dégage pour se précipiter vers Lauren.

— Ce sont les ordres, madame.

Le jeune policier rengaina son arme et, se penchant à l'intérieur de la voiture, il se saisit de la radio.

— Je veux ma maman !

Le corps d'Alicia se souleva sous John. Elle se rebiffa violemment, tentant de se libérer.

— Mais ils s'échappent, geignit Shauna.

Elle reporta son attention sur le policier plus âgé toujours posté auprès du corps de Tory.

— Vous devez vous lancer à leur poursuite. Cette petite fille n'est pas en sécurité. Aucun de nous n'est en sécurité.

— Restez à l'écart, madame Weber. Je vous ai dit que vous deviez attendre ici.

Le policier éleva la voix pour couvrir les cris de Lauren.

— Vous allez les laisser s'enfuir ? rabâcha Shauna.

— Ne vous inquiétez pas de cela. Nous allons établir des barrages et nous les appréhenderons avant qu'ils ne quittent le pays, lui répondit l'officier responsable. Vous les avez donc vus distinctement ?

— C'étaient eux, Brian et Alicia. Oh mon Dieu ! il a froidement abattu cette femme ! Je ne peux pas le croire. Elle… elle… je pense qu'elle travaillait à la garderie de Lauren et elle a dû les aider, mais elle ne méritait pas de mourir. Brian a simplement tourné l'arme et il l'a tuée à bout portant quand elle a essayé de s'enfuir.

— Nous les retrouverons, madame Weber, je vous l'assure. Ne vous a-t-on pas recommandé, lorsque vous nous avez appelés, d'attendre notre arrivée avant de vous approcher des ravisseurs ?

Shauna aurait pu faire carrière à Hollywood. Elle ne sourcilla même pas.

— S'il ne vous avait pas fallu aussi longtemps pour arriver, nous ne serions pas, à présent, en danger.

Lauren tira les cheveux de Shauna.

— Aïe ! Arrête… tiens-toi bien.

Tout en parlant, elle écarta autant que possible la petite et continua à regarder le policier.

L'officier responsable se leva et il posa la main sur le dos de Lauren, le tapotant, puis il lui tendit les bras. La fillette s'y réfugia sans qu'il ait besoin de l'y inciter. Il marcha en décrivant des cercles, tentant d'apaiser ses sanglots.

— Dès qu'ils nous tournent le dos, nous fonçons, murmura John.

Avec tout ce remue-ménage devant la maison, ils pourraient ramper jusqu'à l'arrière de la grange sans être vus.

— Non.

Il sentit la bouche d'Alicia former le mot contre la paume de sa main et la défaite ébranler la poitrine de celle-ci. Elle lutta pour se débarrasser de lui.

John ne pouvait desserrer son étreinte autour de sa taille. Il ne pouvait absolument pas la lâcher. King Kong n'était pas reparti par la porte d'entrée et il était probablement dans les bois. Weber n'avait pas révélé aux policiers qu'il avait vu le colosse dans la maison, la police ne le chercherait donc pas. Toutefois le ravisseur, pour sa part, les chercherait sans aucun doute.

Avec le décès de la jeune femme qui avait enlevé Lauren, il y avait fort à parier que les Weber n'avaient aucune intention de laisser en vie quiconque se dresserait entre la fortune et eux. Donc, jusqu'à ce que l'argent soit légalement sous leur contrôle, Lauren serait en sécurité. Mais après…

Personne n'était tourné dans leur direction.

John se redressa, tirant Alicia plus avant dans l'obscurité, et elle se déchaîna contre lui durant toute la manœuvre. Il dut la jeter sur son épaule avant de courir se cacher derrière une balle de foin près de la grange. Arrivé là, il la laissa glisser contre son torse jusqu'au sol.

Elle fit aussitôt un pas en direction de l'allée circulaire. John referma son bras autour de sa taille fine et il attira sa tête dans le creux de son épaule. Il avait vu la manière empruntée dont Shauna avait tenu Lauren. Cela lui brisait le cœur, mais pas autant que cela briserait celui d'Alicia s'il le lui laissait voir. Il n'y avait rien qu'il puisse faire.

— Ce n'est pas le bon moment. Ce serait du suicide que de retourner là-bas.

Cela lui aurait été plus aisé si elle avait été inconsciente. Il lui était arrivé d'avoir dû recourir à cet expédient lors d'un sauvetage. Cela s'était avéré absolument nécessaire, et six vies avaient pu être sauvées. Cependant, John ne s'était jamais pardonné d'avoir frappé l'otage hystérique pour l'assommer. Il était hors de question qu'il frappe Alicia.

Le numéro d'actrice de Shauna se poursuivit. Elle incendia le jeune policier, l'enjoignant de ne pas écouter son supérieur. L'officier donneur d'ordres tenait toujours dans ses bras une Lauren en larmes. C'était une diversion suffisante. Shauna courut ensuite vers Weber, exigeant qu'il fasse quelque chose ou qu'il les pourchasse lui-même. Lorsqu'il se leva, les deux policiers les rejoignirent.

John et Alicia seraient tranquilles durant plusieurs minutes avec la discussion qui s'engageait. Ils auraient le temps de se cacher derrière la grange et peut-être même de s'engager dans le champ. Il attira l'attention d'Alicia et il lui désigna la balle de foin suivante. De la main, il lui donna ensuite le signal qu'ils s'élanceraient à 3, 2…

— Je ne peux pas la laisser, le supplia-t-elle. John, je t'en prie, tu dois leur reprendre Lauren. Fais quelque chose.

— Ne discute pas mes ordres.

Il commanda à son cœur d'ignorer ses supplications. Il ignorait de combien de temps ils disposaient avant l'arrivée des renforts. Il leur reprendrait Lauren. Simplement, il ne le pouvait pas à ce moment précis. Il y avait trop de variables inconnues. Une seule arme, un chargeur, une unique chance d'atteindre leur véhicule. Et si les policiers découvraient la voiture de location en se rendant sur la scène du crime, ils se retrouveraient piégés dans les bois. Même s'ils parvenaient à gagner la route principale et à demander leur extraction à Dev, leur véhicule de location aurait été découvert, et la police aurait connaissance de la présence de John au Texas, via le nom de son meilleur ami sur le contrat.

En résumé… il avait besoin de cet avantage qu'offrait l'anonymat pour assurer la sécurité d'Alicia, que cela lui plaise ou non. Il l'entraîna avec lui jusqu'à ce qu'ils soient assez loin pour qu'elle capitule. Elle courut à côté de lui… silencieuse, rapide, physiquement indemne. Elle avait du mal à lui pardonner son échec, il le sentait.

— Nous devons quitter les lieux avant que des policiers supplémentaires ne se présentent, dit-il d'un ton morose.

Le disait-il à l'attention d'Alicia ou pour soulager sa conscience d'avoir dû abandonner Lauren derrière eux ? Il l'ignorait. Sans doute voulait-il la rassurer sur le fait qu'il libérerait bientôt sa fille.

La voiture se trouvait là où ils l'avaient laissée, la clé sur le contact, le téléphone sur le siège. Il entreprit d'écarter la clôture cisaillée, et elle s'accrocha à son bras.

— Vraiment, tu ne vas pas retourner la chercher ?

Il secoua la tête, incapable de prononcer le mot « non » qui resta coincé dans sa gorge.

Il le vit à son visage. Un sentiment de défaite s'abattit sur elle comme le jet d'un tuyau d'arrosage, douchant sa confiance en lui plus rapidement que son immersion inopinée dans le lac.

— Je te croyais un commando marine d'élite. Tu peux aider des étrangers partout dans le monde, mais pas ma fille ?

Elle le repoussa, couvrant son visage pour cacher ses larmes silencieuses. Ce reproche le prit au dépourvu, atteignant son point sensible. Partout dans le monde, mais jamais chez lui. La même opinion que Brian avait de lui.

Elle courut jusqu'aux barbelés et elle les tira en arrière tandis qu'il dégageait les branches de leur passage. Il mit le contact et il sortit avec précaution la voiture du champ. Une fois qu'il en eut contourné l'angle, il emprunta la route de terre, vérifiant constamment s'il ne venait pas un autre véhicule.

La chance continua de leur sourire et, en moins de trois minutes, ils eurent regagné la route principale.

— Elle hurlait à l'aide ! Comment as-tu pu l'abandonner ? Comment ? Que vais-je faire à présent ?

Tournée vers la vitre, Alicia appuya les paumes de ses mains contre ses yeux.

— Comment pourra-t-elle jamais me pardonner ?

John se posa la même question au sujet d'Alicia.

Il lui fallut faire appel à tout son *self-control* pour ne pas faire demi-tour, se ruer sur la scène du crime et enlever Lauren de force. Il mourait d'envie de lui jurer qu'il le ferait — dans l'instant — et qu'il lui ramènerait Lauren quoi qu'il lui en coûte. Mais il avait déjà fait ce serment et il avait été incapable de le respecter. Tôt ou tard, elle découvrirait qu'il n'était pas le héros dont elle avait besoin.

John roula pendant encore un kilomètre avant d'allumer les phares et d'appeler Brian.

Son frère répondit au portable de Mabel à la première sonnerie.

— As-tu retrouvé Lauren ?

— Mabel est avec toi ?

— Pourquoi ?

— Il te faut un alibi, déclara John.

Son frère marmonna au téléphone un mot de cinq lettres, et John n'en pensait pas moins.

— Est-il arrivé quelque chose à Lauren ou à Alicia ?

— Non. Nous avons compromis leurs projets. Nous avons aussi failli nous faire prendre. Il y a eu confrontation, et j'ai sous-estimé la partie adverse.

— Explique-toi.

Il fit à Brian le récit des événements, et dut lui préciser qu'il n'avait aucune idée de la raison pour laquelle Alicia avait pris le risque de le suivre jusqu'à la maison. Il avait le vague sentiment qu'elle ne tiendrait jamais sa promesse de suivre les ordres. Non que cela ait eu une incidence dans la manière dont la situation avait dégénéré. Mais elle ne bouderait peut-être pas en ce moment même si elle n'avait pas vu à quel point il s'était approché de Lauren sans pouvoir la sauver.

— Shauna nous a identifiés. Elle vous a dénoncés Alicia et toi comme étant les kidnappeurs. Je dois trouver un endroit sûr le temps d'innocenter Alicia. Il faut que tu effaces l'historique des appels de Mabel. La police finira par y avoir accès, mais cela exigera un mandat plutôt qu'un simple coup d'œil, ce qui les retardera pendant un bon bout de temps.

— Entendu. Je suppose que nous ne nous reparlerons pas avant un moment. J'ai réactivé le portable de papa cet après-midi, utilise dorénavant son numéro. Tu sais, si Tory travaillait à la garderie, je devrais pouvoir me renseigner sur elle. Peut-être pourrai-je découvrir qui est ce fameux colosse. Tu disais qu'il émanait de lui une odeur de chevaux ? Une vingtaine de ranchs seulement élèvent des chevaux dans le secteur.

— Alicia semble connaître cette Tory, mais reste à l'écart, Brian. J'ai quelqu'un qui peut se charger de faire des recherches.

Il jeta un regard à sa passagère silencieuse. Elle pleurait toujours. Elle n'avait pas prononcé un mot.

— Ce mastodonte battait la jeune femme. Régulièrement. Son visage portait la trace de coups récents.

— Alicia l'a-t-elle reconnu ?

— Je ne pense pas qu'elle l'ait vu.

— Quelqu'un vous a-t-il réellement repérés sur les lieux ? lui demanda Brian.

— Si quelqu'un nous a vus, c'est Weber, mais tu ne devrais pas…

— Je suis resté au snack-bar jusqu'à sa fermeture. De nombreux témoins peuvent en attester. Il m'aurait été impossible de me rendre à McKinney pour me battre avec l'homme de main de Weber. Mabel pourra confirmer l'heure à laquelle je suis rentré à la maison.

— J'étais tellement près du but, Brian…

— As-tu besoin d'aide ? L'endroit où je séjourne quand je suis à Fort Worth n'est pas connu de la police.

— Même avec l'alibi, les policiers te surveilleront de près.

Il observa Alicia du coin de l'œil. Il aurait aimé savoir que faire.

— Ça devrait aller pour nous. Je dois passer un appel et je reviendrai vers toi pour te communiquer des informations ou s'il se passe autre chose.

— Je dois te laisser. On dirait que voilà le chef de la police.

Alicia n'avait pas bougé. Il se pencha pour boucler sa ceinture de sécurité. Il devrait appeler Dev sous peu. C'était prévu ainsi. Il s'en voulait, personnellement, de cet échec. Et il avait terriblement déçu Alicia.

— Que va-t-il se passer, à présent ? demanda-t-elle.

Elle renifla et s'essuya le visage.

— Je n'en suis pas certain. Nous devons voir ce que va faire la police locale et nous concerter.

— Tu aurais *dû* me laisser la rejoindre.

— La police ne t'aurait pas ménagée, Alicia, crois-moi. Il n'y avait rien que nous puissions faire toi ou moi. Tu comprends cela, n'est-ce pas ?

— Je ne veux pas en parler, lui répondit-elle en reniflant de nouveau.

— C'est nécessaire, pourtant.

— As-tu tué Tory ?

— Penses-tu que je l'aie tuée ?

— Je… Je ne pensais pas non plus que tu partirais en abandonnant Lauren.

Elle secoua la tête, se cachant de nouveau le visage.

— Je ne sais que penser. Tu n'es plus l'homme que j'ai connu il y a douze ans.

— Je l'espère bien. Je n'étais encore qu'un gamin qui n'avait pas la tête sur les épaules et qui tirait profit de son frère.

Pas pour les raisons que tout le monde imagine, mais j'ai tout de même tiré profit de son aveu.

Il reprit :

— Bon sang, je n'avais aucune intention de laisser ta fille avec ces individus.

Il n'avait pas d'autre explication. *Pas d'autre* excuse, *veux-tu dire.* Le terme serait plus juste, plus approprié. Mauvaise organisation. Il avait été pris au dépourvu. Il en était resté bouche bée, quand la femme qui était assise sur lui s'était retrouvée étendue à côté de lui, tuée d'une balle dans la tête. Les émotions fortes associées à cet événement entravaient sa capacité à raisonner.

— Pour ton information, je n'ai tué personne. Mon arme n'a pas fait feu. Tu peux vérifier.

Il se pencha en avant, retira le pistolet de sa ceinture et il le lui tendit. Elle nettoyait des armes depuis qu'elle avait eu l'âge d'appuyer sur une détente et savait comment procéder sans qu'on le lui explique, mais elle ne le prit pas.

— On peut parier sans se tromper que Weber a utilisé l'un de ceux de Brian voire celui de Dwayne.

— Patrick l'a abattue ? Mais, quand j'ai entendu le coup de feu, il devait encore tenir Lauren dans ses bras. Tu veux dire qu'elle a entendu ou peut-être même… qu'elle a vu la scène ?

Elle tira sur son bras.

— Fais demi-tour. Sur-le-champ. Je te supplie de ne pas la laisser entre leurs mains. Oh mon Dieu ! Que vont-ils lui faire ?

— Elle est saine et sauve.

Pour l'instant, du moins.

Ils ne pouvaient pas rebrousser chemin. Elle fut bien obligée de se faire une raison. Elle poussa un gémissement de désespoir. Cela n'avait pas d'importance qu'il soit la personne qui avait pris la décision de laisser sa petite fille derrière eux. Ni qu'ils doivent quitter le secteur aussi rapidement que possible.

A partir de ce moment, il put éviter les axes principaux et par conséquent les soustraire aux recherches qui seraient lancées. Rien de tout cela n'avait autant d'importance que la douleur qu'il percevait en elle. Il s'engagea sur une route de terre, retira les clés du contact et il bondit hors de la voiture.

En cet instant précis, Alicia avait besoin de lui en tant qu'ami, elle avait besoin de quelqu'un qui la serre dans ses bras tandis qu'elle pleurait. Il n'avait jamais consolé une civile auparavant. Ce serait une expérience nouvelle pour lui, mais c'était nécessaire. La Marine ne vous entraînait pas spécialement à gérer les émotions. Il compenserait son manque de savoir-faire par une volonté farouche de répondre à tous ses arguments sans se montrer négatif. Sans doute allait-elle se ressaisir avant qu'il n'ait à dire quoi que ce soit, n'est-ce pas ?

Espérant que tout effort qu'il ferait aiderait Alicia, il ouvrit la portière, posa maladroitement un genou au plancher et il la prit dans ses bras. Dans un premier temps, elle résista, agrippant le volant d'une main et la ceinture de sécurité de l'autre. Lorsque la force de John l'emporta, elle s'écroula contre sa poitrine.

— Je ne veux pas que tu me touches, protesta-t-elle tout en nouant paradoxalement ses bras autour de son cou. Oh Seigneur ! Johnny ! Comment as-tu pu laisser arriver une telle chose ?

Les mots qu'elle marmonna se muèrent en énormes sanglots. Il se contenta de l'étreindre. Peu lui importait qu'elle lui reproche la façon dont il avait géré l'extraction. La tension physique se mêla au bouleversement émotionnel des derniers jours. Elle avait juste besoin de quelqu'un à qui se raccrocher. Et il était son seul choix possible.

Tandis que le corps d'Alicia était secoué par les sanglots, la tension noua les muscles de John. Il l'enlaça plus étroitement pour l'empêcher de s'effondrer. Lui-même était rongé par l'anxiété. S'il avait agi différemment, serait-ce Lauren, plutôt que lui, qu'Alicia tiendrait dans ses bras ?

Le tenait-elle pour responsable du sauvetage raté ? Elle ne voulait pas vraiment une réponse concernant la manière dont cela avait dérapé, n'est-ce pas ? Il aurait pu la lui fournir. Il avait rédigé des centaines de rapports répondant à la difficile question de savoir comment les opérations les mieux préparées avaient viré au cauchemar.

Il ne sut que lui dire… Peut-être valait-il mieux garder le silence. Il n'avait jamais pu s'accommoder des échecs. Il ne parvenait pas à les digérer. Mais les autres opérations avortées ne soutenaient pas la comparaison avec celle-ci. Les sanglots s'interrompirent tandis qu'elle lui martelait l'épaule. Elle se mit à scander :

— Pourquoi, pourquoi, pourquoi ?

Encore et encore.

Il pouvait toujours écarter ses doutes et finir par enfermer ce souvenir au plus profond de lui, là où il ne resurgirait plus.

Très peu de ces souvenirs occultés impliquaient des enfants. Rien de ce genre. Ni Alicia.

Une personne aussi attentionnée et généreuse qu'elle méritait d'être protégée, traitée avec amour. Elle méritait que tout aille bien dans sa vie. La liste des choses qu'il avait sous-estimées chez son adversaire ce soir-là était longue. Autant que celle de ses erreurs. Il y avait une unique promesse qu'il pouvait lui faire.

— Quoi que cela exige…

Quoi qu'il lui en coûte… sa famille, sa carrière. Il sacrifierait absolument tout.

— … je vous réunirai, ta fille et toi.

Elle inspira profondément, et posa sur lui un regard interrogateur et reconnaissant. Au lieu de vouloir s'écarter doucement d'elle, il eut envie de la garder blottie contre lui ou de l'embrasser jusqu'à tout oublier.

Seigneur, voilà qu'il tombait de nouveau fou amoureux d'elle.

16

« Reprends-toi et garde le cap », l'expression fétiche de son père, tirée d'une de ses chansons préférées.

Pourquoi ces mots lui venaient-ils à l'esprit, à cet instant précis, Alicia n'en avait aucune idée. Etait-elle prête à se reprendre et à cesser de se lamenter sur ce qui était arrivé ?

Mais John avait laissé son enfant aux mains de ces meurtriers. Pourrait-elle le lui pardonner assez longtemps pour accepter son aide ? Elle le devait. Elle n'avait pas le choix. Elle secourrait sa fille, quoi qu'il en coûte. Quoi qu'il en coûte. Voilà sa réponse.

Il était temps de quitter l'étreinte protectrice de ses bras puissants refermés sur elle et de déterminer ce qu'ils devaient faire ensuite.

— Tu vas mieux maintenant ? lui demanda-t-il.

Le téléphone se mit à vibrer sur la console.

— Non. Mais je ferai avec.

Elle lui tapota les épaules, espérant qu'il la lâcherait avant qu'elle ne s'effondre de nouveau.

— C'est probablement Devlin qui donne des nouvelles. Tu dois répondre.

Il la regarda.

— Un gros travail nous attend, tu sais.

Il se leva, se saisissant en même temps du téléphone.

— Oui ?

John s'avança jusque devant la voiture pour poursuivre la conversation. L'expression grave de son visage n'indiquait pas vraiment si les nouvelles étaient bonnes ou mauvaises.

Il arborait cette expression quasiment constamment. Elle ne se rappelait pas qu'il ait demandé à Devlin ou à Brian de faire quelque chose avant qu'ils ne se rendent à la maison des kidnappeurs. Elle était restée concentrée sur la filature de Patrick, sur l'espoir d'arracher Lauren aux monstres qui la lui avaient volée. Elle n'avait pas prêté l'oreille aux plans de John ni ne s'était inquiétée de savoir s'ils l'incluaient.

Depuis le début de cette débâcle, il avait été multitâche, anticipant, planifiant l'étape suivante. Totalement différent de la jeune recrue sortie tout droit du lycée qui avait rejoint le camp d'entraînement militaire sans intention de retour. Il avait changé, et elle devait l'admettre.

Car elle aussi, elle avait changé.

Elle était devenue adulte, et il était logique que John ait fait de même. Disparus, le sourire juvénile et l'attitude d'éternel adolescent. Remplacés par une concentration sans faille et un tempérament taciturne.

Elle s'en accommoderait. Peut-être. Elle n'était pas si totalement immunisée contre leur attirance réciproque que John semblait l'être, lui. Lorsqu'elle était étendue sous lui, un peu plus tôt, même dans une situation aussi dangereuse, elle avait trouvé difficile de ne pas penser aux muscles bien dessinés qu'il avait développés. Si de son côté il avait eu la moindre réaction, il l'avait bien caché.

Elle se sentait réconfortée quand il la serrait dans ses bras, mais jusqu'à présent elle ne s'était pas laissée aller aux sentiments. A une exception près — ou deux… Leurs baisers devant Joe. Les deux fois où elle l'avait embrassé, cela l'avait chavirée comme elle ne l'aurait jamais plus cru possible après la mort de Dwayne.

Mais elle n'était pas prête. Il y avait trop de chaos dans sa vie, trop de problèmes sans solution en perspective.

Quoiqu'il partage avec elle, John repartirait de toute façon. Il était là pour aider à sauver son frère et Lauren. Et lorsque J.W. irait mieux, il retournerait à ses mystérieuses missions de protection du monde. Il ne s'était jamais senti satisfait de vivre cloué en famille dans leur petit coin de campagne.

Non, décidément, elle était loin d'être prête à tomber amoureuse. En particulier de lui.

Ne va pas t'imaginer dans ces étreintes autre chose que l'intention de t'empêcher de t'effondrer complètement. Il voyait en elle un petit soldat. Quelqu'un dont il avait besoin pour atteindre son objectif. Rien de plus. Rien de moins.

John retourna à la voiture en silence, fit demi-tour et il prit la direction du nord-est… la direction opposée de celle du lac où se trouvait Devlin. Un changement de plan ne la gênait pas, mais elle aurait apprécié d'être de temps à autre associée à la discussion.

Qui prétendait-elle duper, franchement ? Elle n'avait aucune expérience et elle suivrait ses ordres et ses conseils. Elle concevait que son rôle soit limité. Elle se demandait presque inconsciemment s'il ne la déposerait pas en un lieu sûr pour se débarrasser d'elle. Elle devait faire preuve de maturité, prendre le contrôle de ses émotions et se montrer utile. S'avérer un fidèle acolyte plutôt qu'un boulet qui compromettrait ses plans.

— Où allons-nous ?

— Dev a surveillé les fréquences de la police. Nous évitons les barrages. Il semble que les policiers aient reçu un appel des Weber plus tôt dans la journée, les informant qu'ils avaient été contactés par les kidnappeurs et qu'ils avaient choisi de déposer eux-mêmes la rançon. Le temps que la police arrive à l'adresse de l'échange, Patrick était censé avoir récupéré Lauren, bien sûr.

— Ils ont donc mis en scène toute l'action pour se donner le rôle des héros. Mais, en l'interrompant, nous avons étayé leurs accusations contre moi. Je suis désolée d'avoir tout gâché.

— Qu'est-ce qui te fait penser ça ? lui demanda-t-il d'une voix grave et calme.

— Je ne pouvais rester assise à attendre dans la voiture.

Je me suis dit qu'il fallait que tu saches qu'il y avait une seconde voiture. J'ai cru que Patrick avait un complice qui allait s'en prendre à toi. Et donc, j'ai essayé de te prévenir.

— Je comprends cela.

— Patrick avait-il projeté de tuer Tory avant que nous n'arrivions ? Ou est-elle morte à cause de moi ? lui demanda-t-elle, pétrie de culpabilité à l'idée que sa présence ait pu causer la mort de la jeune femme.

John passa sa main libre sur sa bouche et sur sa mâchoire mal rasée, méditant quelque chose.

— Parle-moi de Patrick et Shauna.

— Que veux-tu savoir ?

Il avait éludé sa question, mais elle n'oublierait pas de la lui poser de nouveau. Elle voulait connaître la vérité et assumer ses responsabilités. Patrick avait-il engagé Tory et son petit ami pour se charger de l'enlèvement ? Si tel était le cas, pourquoi avait-il emporté une arme pour récupérer sa fille ? Cela n'avait aucun sens.

— Pour commencer, pensais-tu Weber capable de tuer quelqu'un ?

John posa son poignet sur le haut du volant. D'un geste désinvolte. Détendu. Toutefois, il subsistait une certaine tension dans la façon dont il était assis, surveillant les rétroviseurs en permanence.

— Non. J'ai encore du mal à y croire. Tu ne penses pas plutôt que c'était un accident ou qu'il te visait ? Je veux dire, il connaissait Tory puisqu'elle travaillait à la garderie de Lauren…

Ils étaient au beau milieu de nulle part. Eclairés seulement par la lumière du tableau de bord. Le visage de John n'était que traits anguleux et regard furieux. Il était soit plongé dans ses pensées, soit terriblement irrité. Difficile à dire. D'une manière comme d'une autre, elle eut l'étrange sentiment qu'elle n'aimerait pas ce qu'il était sur le point de lui dire.

— Alicia.

Il s'arrêta à un STOP et il se tourna vers elle.

— Weber n'a pas hésité à tuer cette femme et il l'a fait en tenant Lauren sur sa hanche.

— Où veux-tu en venir ?

— Je pense qu'il n'en est pas à son coup d'essai et qu'il était allé là-bas dans l'intention d'éliminer les deux témoins du véritable enlèvement. Il ne serait plus ensuite resté que Lauren qui aurait paru incohérente puisqu'elle connaissait Tory.

— Oh mon Dieu ! Qui crois-tu qu'il ait tué avant aujourd'hui ?

La peur lui noua la gorge mais elle se ressaisit. Elle pourrait se permettre d'avoir peur plus tard, quand elle serait seule. Pas pour l'instant. Pour l'instant, elle devait aider à faire revenir sa petite fille. *Qui d'autre Patrick avait-il pu tuer ?* Une révélation s'insinua dans son esprit.

— Tu penses qu'il a tué Roy Adams ?

— C'est une hypothèse logique. Dwayne était… décédé. Si Roy mourait, Shauna hériterait. Savait-elle que la majeure partie de sa fortune serait léguée en fidéicommis à Lauren ?

— Non. Enfin… je ne crois pas. Je l'ignorais aussi, sincèrement. Roy a probablement modifié son testament après le décès de Dwayne.

— Où son corps a-t-il été découvert, déjà ?

Il se frotta le menton, songeur. Ce geste adoucit la rigueur de ses traits ciselés.

— A la vieille grange dont Joe nous a parlé.

— Pourquoi se trouvait-il là-bas alors que les écuries ne sont même pas dans les environs ?

Elle secoua la tête.

— Je suis désolée, John, mais je l'ignore totalement. Je vivais dans une sorte de brouillard après l'accident de Dwayne. Lauren avait six mois. J'ai dû placer papa dans un établissement de soins pour personnes dépendantes. Et Roy m'a convaincue de revenir emménager dans sa maison. Shauna fulminait, bien entendu. J'ai déménagé à Denton quelques mois plus tard quand j'ai repris le travail à plein temps. Il était plus logique d'habiter près de l'hôpital.

— Tu n'as pas détecté de signes ?

— Tu veux dire, des signes de dépression ? Non, je ne l'ai plus vu aussi souvent après avoir emménagé. Roy semblait préoccupé. Mais Shauna a fait savoir en ville qu'elle avait caché sa dépression à tout le monde, en particulier à moi.

— Mais tu ne pensais pas qu'il se soit suicidé, je me trompe ?

— A l'époque ? Je ne voulais pas croire que cela puisse arriver à une personne aussi proche de moi, mais c'est ce qu'ont décrété les autorités. Je n'ai pas remis en question leurs conclusions.

En fait, elle s'était surtout sentie trahie par la dernière personne qui lui apportait encore un soutien affectif. C'était une réaction très égoïste. Ensuite, la culpabilité l'avait assaillie. Elle était une professionnelle de santé, et plusieurs personnes lui avaient demandé comment elle avait pu ignorer la dépression de son beau-père. Elles l'avaient presque accusée d'être responsable.

— Et à présent ? l'interrogea John.

— Après que Shauna et Patrick ont kidnappé Lauren et tué Tory ? Je pense que le « suicide » de Roy a été très commode pour eux.

A présent elle mourait d'envie d'être confrontée à eux pour exiger qu'ils lui disent la vérité.

— Ça m'amène aussi à me demander si Dwayne a vraiment été victime d'un accident… Roy n'a cessé de remettre cette interprétation en question.

John accéléra un peu trop et la voiture zigzagua lorsque les pneus s'engagèrent sur le bitume. Il frappa sur le tableau de bord et chercha le portable qu'il avait jeté sur la console.

— Il y a un problème ?

Elle plaça le téléphone dans sa main pour qu'il puisse garder les yeux sur la route.

— Je peux t'aider, si tu me laisses faire. Tu aurais dû m'en parler.

Il ralentit.

— Pour te dire quoi, John ? Je ne comprends pas.

— Bon sang, les personnes de ton entourage tombent comme des mouches. Tu ne l'as pas remarqué ?

— Remarqué ?

Elle réprima à grand-peine les larmes qui menaçaient de rouler sur ses joues. Des larmes de douleur — ou de frayeur ?

— J'ai fait plus que « remarquer » que ceux que j'aimais me quittaient. Je l'ai *vécu*. Tu ne peux tout de même pas croire que Patrick et Shauna les ont tués tous les deux ?

John la regarda fixement pendant si longtemps qu'elle songea qu'il avait peut-être oublié qu'il conduisait la voiture. Son visage affichait cette même expression. Troublée. Douloureuse. Hantée. Les mêmes sentiments qu'elle éprouvait au fond d'elle, en particulier lorsqu'elle était seule.

— Je pense qu'il y a, ou qu'il y avait, quelque chose dans cette grange. Une chose qui préoccupait ton beau-père au point qu'il ait cessé de vous voir sa petite-fille et toi. Il n'y a aucune autre raison pour que Roy se soit rendu constamment là-bas comme tu le disais.

— Découvrir cette chose nous aidera-t-il à récupérer Lauren ?

— Nous devons faire plus que récupérer ta fille, Alicia. Seule la vérité vous rendra vos vies à Brian et à toi. Tout est lié. Il nous suffit de déterminer comment et de le prouver.

— Je ne peux pas croire que j'aie omis tout cela ! Ça fait moins d'une semaine que tu es de retour et tu as découvert tellement de choses. Si je n'avais pas été obnubilée par mes propres problèmes, j'aurais…

— Cesse de t'autoflageller. Personne d'autre ne l'a remarqué. Personne n'avait de raison de soupçonner une machination. S'il est une chose que j'ai apprise en douze ans de déploiement de par le monde…

John marqua une pause, visiblement troublé.

— … c'est que le mal a l'habitude de se travestir pour parvenir à ses fins.

Le ton péremptoire et froid de sa voix envoya un frisson glacé dans le dos d'Alicia.

17

La nuit était claire, et la clarté de la lune était suffisante pour voir, de l'autre côté du champ, le chemin envahi par les mauvaises herbes menant à la grange de Roy. John éteignit les phares de la voiture lorsqu'il quitta la route. Chaque cahot et chaque embardée lui donna l'impression de traverser un fossé… et ils furent nombreux, en raison de l'état d'abandon de l'allée. Il n'en aurait eu que faire s'il n'avait pas passé les deux heures précédentes à décrire des cercles en attendant qu'Alicia ne sombre, épuisée, dans le sommeil.

Il ralentit et stationna la voiture de location dans le champ de luzerne où la nature avait repris ses droits, de l'autre côté de la grange délabrée. Délabrée sans aucun doute, toutefois il remarqua un climatiseur flambant neuf, fixé de travers au milieu du mur. Etrange, étant donné que ce type d'appareil s'installait en principe au niveau des fenêtres. L'activité à laquelle s'adonnait Roy en ce lieu avait été transférée ailleurs, ou alors personne ne lui avait accordé d'importance puisqu'il était évident que cette propriété n'était plus entretenue depuis son décès.

Le téléphone, posé sur ses genoux, se mit à vibrer. Il l'ignora tout comme il l'avait déjà fait à trois reprises. Il n'avait pas répondu aux appels, craignant que le simple son de sa voix ne réveille Alicia. Elle avait été poussée dans ses derniers retranchements. On lui avait tout pris et, si elle ne se reposait pas, il n'était pas sûr de la manière dont elle réagirait la prochaine fois qu'il se passerait quelque chose.

Et, étant donné la chance qui avait été la leur jusque-là, les prochains événements risquaient de ne pas être une partie de plaisir. Les opérations militaires menées à l'autre bout du monde s'avéraient beaucoup plus gérables que la logique imprévisible des civils.

Quitter l'armée changerait radicalement sa vie. Une idée qu'il commençait à mieux accepter.

Il descendit de voiture. Il avait dévissé l'ampoule du plafonnier pour plus de discrétion, aucune lumière n'éclairait donc Alicia, toujours endormie. Il la regarda un instant avec tendresse, puis il s'éloigna à petites foulées pour répondre au portable.

— Oui ?

— Bon sang, où étais-tu ?

Brian n'avait pas élevé la voix, mais son ton n'en était pas moins autoritaire. C'était une de ses spécialités…

John fronça les sourcils. La voix de Brian n'émanait pas uniquement du portable. Il fit volte-face et il se retrouva nez à nez avec son jumeau aux cheveux courts.

— Quand je t'ai envoyé un message expliquant où nous allions, je ne m'attendais pas que tu nous y rejoignes. Tu n'as pas été suivi ?

Un nouveau sentiment d'échec assaillit John tandis qu'il cherchait du regard la voiture qu'il n'avait pas dû voir arriver — et il détestait cela.

— Je suis venu à cheval.

Brian fit un geste du pouce en direction du sud de la grange, indiquant l'endroit où il avait laissé sa monture.

— Le policier affecté à ma surveillance est garé sur la route, sans doute profondément endormi à l'heure qu'il est. Ce n'est pas la première fois que je déjoue une filature, tu sais.

Brian plaqua des sacoches de selle contre le torse de John, employant juste ce qu'il fallait de force pour l'obliger à faire un pas en arrière. Son jumeau ne précisa pas d'où lui venait son aptitude à déjouer les filatures, et quoiqu'il eût envie de l'interroger sur les douze années qui venaient de s'écouler, John ne put se le permettre. Il avait d'autres priorités.

— Il était hors de question que je laisse Mabel s'impliquer davantage en vous apportant de la nourriture, poursuivit Brian, sans cesser de s'agiter.

Il ne semblait jamais détendu en présence de John.

— Elle a insisté en disant que vous deviez à présent en manquer.

— Merci. Elle avait raison, mais tu ne devrais pas être là.

Ses remerciements étaient forcés et cela s'entendait. Peut-être était-il lui-même aussi crispé en présence de son jumeau que ce dernier semblait l'être.

— Grandis un peu !

Brian leva les bras au ciel en signe d'exaspération et il fit demi-tour pour rejoindre son cheval à l'attache.

— T'attendais-tu vraiment que Mabel vienne ici ?

— Je n'ai pas demandé de nourriture et je ne t'ai pas demandé ton aide non plus.

— Mais je te l'ai apportée, malgré tout ce que tu peux dire, non ?

Il pivota.

— Tu es de retour depuis trois jours à peine et tu réussis à entraîner papa et Mabel dans une situation dangereuse. Nous sommes tous censés nous contenter de participer sans discuter, de suivre tes ordres et de corroborer tes mensonges afin que tu puisses jouer le coriace commando marine venu en sauveteur.

— Qu'est-ce que ça veut dire ?

Il n'avait pas demandé à être impliqué dans l'enlèvement. N'y avait-il aucun moyen de faire comprendre à son borné de frère que, pour l'innocenter, il n'avait eu d'autre choix que de s'impliquer ?

Brian fit un geste las.

— Laisse tomber. Nous sommes tous mouillés jusqu'au cou, à présent. Tu n'as pas le droit de nous garder dans l'ignorance.

— Nous ? Tu veux parler de toi. Attends un peu. Quel a été *ton* plan pour sauver Alicia ? Il me semble me rappeler que tu étais en garde à vue et qu'elle en prenait le chemin.

Le Brian dont il se rappelait ne croirait jamais que le facteur décisif pour John avait été sa volonté de l'innocenter. C'était pourtant bien la raison pour laquelle il avait laissé leur père et s'était jeté dans la mêlée. Mais bien sûr, John, son égoïste de frère, l'avait laissé tomber douze ans plus tôt, alors pourquoi ferait-il à présent une telle chose ? A cet instant précis, John lui-même ne connaissait pas vraiment la réponse à cette question.

— Je l'ignore. Mais je n'aurais pas pris le risque que papa et Mabel atterrissent en prison, eux aussi.

Brian gratta son crâne qu'il venait de tondre et il serra les lèvres comme s'il avait envie de dire quelque chose mais se retenait.

— D'accord, j'aurais probablement fait la même chose. Tu n'avais pas vraiment le choix.

— Je sais à quel point c'est dur de comprendre…

Impliquer son père et Mabel avait été une décision pénible qu'il avait dû prendre à chaud. C'était la seule option qu'il ait eue, ce qui ne signifiait pas que ce soit la bonne.

Brian faisait les cent pas comme un lion en cage. Quelque chose d'autre tracassait son frère — et le tracassait lui aussi. Ils devaient avoir une conversation. Sauf que ce n'était pas précisément le bon moment.

Le serait-ce jamais ? Pas vraiment.

— Je n'ai pas choisi ce combat, reconnut-il.

C'était le mieux qu'il puisse faire.

— Tu veux me faire croire que ce n'est pas toi qui nous as entraînés dans ce pétrin ? lui demanda Brian, la mâchoire crispée, serrant les poings.

— Je ne pouvais laisser Alicia aller en prison.

Et tu n'arrives surtout pas à t'avouer que ce n'est pas la seule raison qui t'a amené à t'impliquer.

— Mais m'y laisser aller ne te posait pas de problème,

lui rétorqua Brian d'un ton coupant. Bien sûr, je devrais en avoir l'habitude désormais. N'est-ce pas ?

— Nous voilà revenus à l'incendie ? A l'époque cela a été ton choix d'aller en prison pendant que la police menait l'enquête. Je n'avais pas besoin de me défendre, je n'avais rien fait.

— Laisse tomber. Le sujet est clos.

Brian regarda autour de John, derrière lui, mais il évita soigneusement de poser les yeux sur son frère. John ne croisa pas son regard, mais il ne battit pas en retraite non plus.

— Clos ? Pas vraiment. Il resurgit à chaque occasion.

— Il ne reste plus rien à évoquer.

— Pourquoi pas la vérité ?

Peut-être était-ce, tout compte fait, le bon moment pour en parler.

— Je me suis querellé avec Alicia. Elle s'est fait raccompagner avant que j'aie pu la rattraper. La soirée s'est terminée. J'ai cherché notre pick-up, mais il avait disparu. J'ai éteint le feu et je suis reparti à pied à l'ancien *club-house.*

— Tu as dû faire le travail à moitié puisque la grange a été réduite en cendres. Je savais que tu étais ivre et je n'aurais pas dû laisser Dwayne me dissuader de te ramener à la maison.

L'amertume et le ressentiment dans la voix de Brian étaient palpables.

Avait-il éprouvé cela durant ces douze années, ou alors sa haine avait-elle gagné du terrain avec chaque année de séparation ? Etait-ce la colère qui avait empêché John de revenir affronter Brian ? Pas récemment. Mais, bien des années plus tôt, il avait été furieux, oui.

— C'est là le problème, Brian. Je n'étais pas ivre. Je t'ai vu avec Alicia. C'est *toi* qui as complètement gâché cette soirée. Nous nous sommes disputés parce que tu avais fait des avances à ma petite amie, et j'ai refusé de croire Alicia quand elle m'a dit qu'il ne s'était rien passé.

— Tu es cinglé. Je n'aurais jamais fait cela. Par ailleurs, Dwayne m'a ramené à la maison.

Brian cessa de faire les cent pas, et serra le poing. Prêt à se battre. Peut-être même invitant inconsciemment John à se battre.

Ce dernier crispa le poing en retour jusqu'à ce qu'il force ses doigts à se détendre. Il se contenta de secouer la tête.

— Cette histoire est pleine de lacunes. Je te dis que le pick-up avait disparu. J'ai marché et je n'étais pas ivre.

— Si tu n'as pas laissé le feu se consumer, alors qui est revenu ? Un témoin a vu notre pick-up sur place. Pourquoi mentir sur ce qui est arrivé, Johnny ? Essaies-tu de convaincre Alicia que tu es digne d'elle ? Mieux vaut attendre qu'elle soit dans les parages, alors, tu ne crois pas ?

Son frère croyait-il vraiment les idioties qu'il débitait ? Même à la lueur du clair de lune, il le voyait à son expression : Brian était sûr de lui. Il pensait chaque mot qu'il venait de dire. Deux minutes plus tôt, John était fatigué, lessivé et désireux d'éviter une autre confrontation. L'envie de se battre et de régler une fois pour toutes cette affaire le démangea. Il avait beau être épuisé, l'adrénaline l'avait complètement revigoré.

Durant toute leur enfance puis leur adolescence, ils avaient réglé leurs différends en se battant. Roulant au sol, s'assenant des coups de poing, déchirant T-shirts et jeans dans la bagarre. Pourquoi les choses seraient-elles si différentes à présent ? Il aurait seulement fallu douze ans pour que la situation se décante.

Sans trop réfléchir, il projeta son épaule endolorie dans l'abdomen de Brian, et ils se retrouvèrent au sol. Brian lui décocha un violent coup de poing dans les côtes. Déjà contusionné par les coups de King Kong, John hurla de douleur.

— Reconnais que tu as laissé ce feu se consumer ! s'écria Brian en lui envoyant un autre coup qui fit s'entrechoquer les dents de John.

— Reconnais que tu t'es senti coupable d'avoir fait des

avances à Alicia et que tu ne m'as jamais laissé l'occasion de te dire la vérité.

John envoya un direct dans la mâchoire de Brian puis il serra les dents pour réprimer le grognement de douleur qui menaçait de lui échapper. Les jointures de ses doigts ainsi que de nombreuses autres parties de son corps étaient déjà à vif après sa précédente bagarre.

Ils roulèrent de nouveau au sol, accrochés l'un à l'autre, tous deux épuisés. Brian pesta après avoir été projeté sur le dos lorsque John lui planta un genou à proximité de l'aine. Ils se renversèrent ensuite et se séparèrent tandis que John évitait de justesse un coup de genou furieux visant sa poitrine. Il esquissa une prise autour du cou de Brian, mais ne pouvait mener à terme ce mouvement défensif sans briser la nuque de son frère. Il avait besoin d'un moment pour reprendre son souffle et décider de la suite. Par le passé, le vainqueur remportait la dispute. Problème résolu. Mais cette fois la victoire ne réglerait pas le différend qui les opposait.

Seule la vérité le pourrait.

— Eh bien, il était temps ! s'exclama en riant une voix très féminine.

Etendu sur le dos, John leva les yeux sur le sourire éblouissant d'Alicia qui se penchait sur eux. Elle ne semblait pas le moins du monde furieuse.

Tous deux desserrèrent leur étreinte comme lorsqu'ils étaient surpris par leur mère toutes ces années en arrière. Ils se séparèrent et ils s'empressèrent de se relever. Il s'attendit qu'Alicia leur reproche leur stupidité. Au lieu de cela, elle ouvrit grands les bras, courut vers eux et les serra contre elle.

— Tu as tout entendu ? lui demanda John par-dessus son épaule.

— Espérais-tu vraiment que je continue à dormir alors que vous vous disputiez comme des chiffonniers ?

Les yeux de John rencontrèrent ceux de son jumeau,

reflétant le choc qu'il éprouvait. Alicia avait le visage enfoui entre eux, mais il crut l'entendre marmonner qu'elle attendait depuis longtemps que cette bagarre mette les choses à plat.

— Attends un instant, intervint Brian en se soustrayant à cette embarrassante accolade de groupe. Je ne dirais pas que les choses soient réglées.

Il essuya le sang sur sa lèvre du revers de la main.

— Je suis d'accord.

John éloigna légèrement Alicia, s'attendant en partie qu'elle trépigne pour exprimer sa frustration.

Puis il se passa discrètement la langue sur la lèvre, refusant d'admettre que Brian l'avait fait saigner.

— Enfin vous vous décidez à régler vos comptes. Si vous l'aviez fait ce soir-là, nous aurions pu éviter ces relations tendues et toutes ces années perdues.

Brian recula encore davantage.

— Rien n'aurait changé, Alicia. Il n'était qu'un sale gamin qui se dérobait toujours aux reproches qu'il méritait.

— Est-ce donc ce que tu penses ? Tu m'as vraiment cru coupable durant toutes ces années ? Tu penses que j'étais ivre et que je me suis montré irresponsable ? Que j'ai mis le feu et que je n'ai pas pu affronter la réalité en face ?

— Je pense que je vais attendre dans la grange.

Brian s'élança pour contourner le bâtiment.

— Oh non ! n'y compte pas, Brian Sloane !

Cette fois, Alicia éleva la voix tout en tapant du pied. Brian retourna s'appuyer contre le mur.

— Vous deux allez en finir avec cette affaire même s'il faut pour cela que l'un de vous se retrouve avec le nez cassé.

Elle pointa un doigt sur John puis sur Brian.

— Ou les deux. A présent, reprenez là où vous en étiez.

— Il n'y a pas de discussion possible, argua Brian, les mâchoires serrées. Il n'avouera pas qu'il se trouvait là.

En observant son jumeau, John se rendit compte comme leurs gestes étaient révélateurs. Il était épuisé, d'un point de vue physique et émotionnel, et Brian ne semblait pas en meilleur état. Il se tenait les côtes, là où John l'avait frappé à plusieurs reprises.

Alicia le regarda, attendant de lui qu'il entame la réconciliation. Il fit non de la tête et haussa les épaules.

— Que veux-tu que je dise ?

— Je n'y étais pas, moi.

Brian poussa un soupir exaspéré.

— Bien, commençons par préciser qui a reconduit le pick-up à la maison ce soir-là. Ce n'est pas moi. Je suis rentrée avec Trina Kaufman. Ou plutôt, je l'ai raccompagnée chez elle en écoutant ses ronflements.

Alicia posa les mains sur ses hanches, forçant Brian à rester. Elle fit un geste du doigt, et il obtempéra comme un enfant, s'avançant en traînant les pieds pour s'arrêter à un mètre d'elle.

John tiqua. Est-ce qu'il ressemblait à ça ?

Pour le coup, il sentit son dos se redresser. Eprouverait-il un regain de courage ? Bon sang, ce petit bout de femme, en dépit de tous les problèmes qu'elle avait affrontés, serait la force motrice qui le conduirait à venir à bout de cette querelle avec son frère. Elle faisait preuve d'un courage et d'une endurance dignes d'un commando marine. Il devrait avoir honte que les choses en soient arrivées là mais, d'une certaine manière, il se sentait soulagé.

Pour le meilleur ou pour le pire, le moment était venu de mettre les choses à plat.

— Il semblerait qu'aucun de nous n'ait reconduit le pick-up de grand-père à la maison, reprit-il, trouvant le courage de mener à bien cette conversation sans décocher de nouveau coup de poing. J'étais dans la cabane dans les arbres.

— Je suis resté chez Dwayne, après, marmonna Brian.

John prit conscience de ce qui s'était passé à peu près au même moment que Brian. Aucun d'eux n'était responsable de l'incendie. Ils auraient pu s'épargner douze années de colère.

— Donc, aucun de vous n'a reconduit le pick-up jusque

chez vous ? Mais pourtant des témoins l'ont vu quitter la maison de Mme Cook après le début de l'incendie…

— Nom de Dieu !

Brian se détourna d'Alicia en proférant un chapelet de jurons. Il abattit son poing sur le mur décrépit de la grange.

— N'importe qui a pu prendre le pick-up. Nous laissions toujours les clés à l'intérieur puisque nous le partagions. Tout le monde le savait, nous n'avons jamais pensé que quelqu'un pourrait le voler.

— Quelqu'un nous a tellement bien piégés que, même nous, nous avons cru cette histoire.

John aurait voulu pulvériser le mur de la grange. Il se résigna à cogner dans la paume de sa main avec son poing.

— Et comme vous ne vous êtes jamais interrogés mutuellement, poursuivit Alicia, vous avez tous deux supposé que l'autre était responsable.

— Oui. Nous nous sommes montrés idiots et nous avons payé le prix de notre stupidité, reconnut Brian, retrouvant son rôle de porte-parole.

— Douze années.

Le corps d'Alicia se détendit. Elle leva les bras au-dessus de sa tête, lissa ses cheveux bouclés, et les remonta en queue-de-cheval avant de les attacher en chignon.

— Douze années frustrantes de silence alors qu'une conversation de deux minutes aurait tout réglé.

Ce geste apaisant atteignit John quelque part entre le cœur et des régions plus basses. Sexy, naturel, plaisant. Il représentait toutes les choses qu'il désirait mais qui semblaient hors de sa portée.

Il entendit le portable vibrer sur le sol là où il l'avait laissé tomber durant son échauffourée avec Brian. Son frère s'assit par terre et le ramassa. Avant que John ait pu émettre une objection, il prit l'appel, mettant le haut-parleur.

— Sloane, le scanner de la police indique qu'ils se dirigent vers moi. Quelqu'un a dû rapporter vous avoir vus ici. J'emporte le matériel de base et je plie bagage puisque vous avez ma voiture de location. Ton véhicule semble compromis.

La voix tendue de Devlin résonna dans le silence embarrassé.

— Désolé, vieux.

— Cela me prendra une demi-heure pour transférer ce matériel dans une autre voiture. Où nous retrouvons-nous ?

— A l'endroit sur lequel je t'ai demandé des informations. Nous y sommes actuellement.

— Bien reçu. Je dois me sauver. Dans tous les sens du terme.

La connexion fut interrompue, et Brian tendit le téléphone à John, qui le saisit et le glissa dans sa poche arrière. Il porta la main à sa ceinture… *Pas d'arme.* Elle n'était nulle part au sol… Bon sang, il l'avait laissée dans la voiture ! Qu'est-ce qui ne tournait pas rond chez lui ?

Son frère s'étira et il se mit à bâiller. Détendu. Vraiment détendu et à l'aise. Il se toucha le front puis il se passa la main dans ses cheveux coupés en brosse.

— Bon sang, je déteste les cheveux courts. Le sommet de mon crâne sera à coup sûr brûlé par le soleil dès la première fois où j'irai nourrir les chevaux.

— Ne m'en parle pas.

John se gratta la nuque. Ils avaient à présent très exactement la même coupe.

— J'ai perdu ma casquette une ou deux fois pendant l'entraînement. Le coup de soleil sur la tête est le pire de tous.

— Enfin, pas le pire, non ? Je me rappelle votre mère évoquant un certain été, pendant lequel vous aviez eu la bonne idée de vous baigner tout nus, laissa tomber Alicia d'un ton désinvolte en ramassant les sacoches de selle. Ne vous étiez-vous pas endormis ensuite sans aucun vêtement ?

Tous éclatèrent de rire. Ils avaient vécu une semaine effroyable, alternant les bains de siège à l'alcool et au lait d'avoine.

— Du moins étions-nous à l'ombre quand nous nous

sommes endormis, nous ne tentions pas de parfaire notre bronzage.

— Oh mon Dieu ! Le coup de soleil que j'ai attrapé cet été-là était horrible.

Alicia se couvrit les seins d'un geste protecteur.

Il se rappela les quelques journées terribles où elle s'était promenée sans soutien-gorge — tout aussi terribles pour John et son imagination que pour elle et sa chair brûlée.

— Nous avons tous salement souffert, confirma Brian, toujours assis par terre, un bras posé sur son genou fléchi.

— Et maintenant ?

John aurait aimé pouvoir répondre à cette question. Il fut surpris que ce soit son frère plutôt qu'Alicia qui l'ait posée. Toutefois, il lui suffit d'un coup d'œil pour voir qu'elle en avait eu l'intention. Il le lut dans son regard qui reflétait également l'inquiétude et la peur de l'inconnu. Elles étaient toujours là. Elle avait beau rire et sourire, elles étaient toujours là.

— Déjà, j'espère qu'il y a de la nourriture dans ces sacoches.

Brian hocha la tête.

— Mabel nous a préparé un quelque chose. Pour ma part, j'ai ajouté des vêtements de rechange. Mes vieilles bottes sont encore sur ma selle. Juste pour le cas où tu aurais besoin de te rendre en ville en te faisant passer pour moi. Peu de gens daignent m'adresser la parole. Tu n'auras donc pas besoin de m'interroger sur ma vie pour savoir quoi répondre, ajouta-t-il avec un sourire amer que John ne lui connaissait pas.

— Je garderai ça à l'esprit.

— Et ne souris jamais. Brian ne sourit absolument jamais quand il est en ville, le taquina Alicia.

— Exact.

Quelle était cette tension qu'il détectait entre ces deux-là ? Se faisait-il des idées ? Ou était-ce seulement la suite logique de ce qui s'était passé le soir de l'incendie ? Elle lui avait dit que ce qu'il avait vu n'était qu'une plaisanterie. Un simple défi lancé à Brian par ses amis. Il n'avait pas trouvé cela tellement drôle, et ils s'étaient querellés. Après cela, ils avaient rompu parce qu'il n'avait plus confiance en elle.

Du moins pensait-il avoir été clair avec elle à l'époque… Non, c'était forcé. Génial. Il avait l'impression d'avoir de nouveau dix-huit ans. Lui, le commando marine, se retrouvait aux prises avec des émotions confuses et un désir croissant pour Alicia, Alicia qui ne renoncerait pas, quels que soient les personnes ou les dangers susceptibles de les menacer.

Il eut envie de la prendre dans ses bras, de la serrer très fort, ses seins tout contre son torse. Cette vision du corps d'Alicia contre le sien s'imposa si clairement à son esprit qu'il secoua la tête pour s'en débarrasser.

Quand il rouvrit les yeux, elle se tenait debout juste en face de lui, une ride de perplexité lui creusant le front. Mais Brian… John vit à son expression qu'il comprenait. Un rire échappa aussitôt après à son frère pour se terminer par un léger sifflement approbateur qui semblait signifier : « Je te l'avais bien dit. »

— Où étais-tu parti à l'instant ? lui demanda Alicia, scrutant son visage de ses yeux bleu foncé interrogateurs.

— Eh oui, cher frère, où étais-tu parti, tu peux nous dire ?

Comme s'il ne s'en doutait pas ! Brian avait tout compris. Aucun doute là-dessus. Derrière le dos d'Alicia, son frère articula en silence : « Il était temps ! ». Le sentiment fugace de panique qui remonta le long de la colonne vertébrale de John était simplement dû à la confusion générée par le sourire perspicace de Brian — bien sûr. Son jumeau lui parut presque heureux à la perspective qu'il ait encore des sentiments pour Alicia. Mais… son frère ne la voulait-il pas pour lui-même ?

Brian secoua la tête et il marmonna :

— Tu es toujours un sacré idiot.

— Vous êtes *tous deux* des idiots, et nous perdons du

temps, décréta Alicia, se détournant de John pour faire face à Brian, un morceau de pomme entre les lèvres.

Elle ajouta d'une voix douce :

— Tu n'es pas mieux que lui, tu sais. Je voulais te dire... je suis désolée que tu sois allé en prison. Le pari, la dispute... C'est un peu à cause de moi, tout ça.

— Il n'y a pas de quoi en faire un plat.

— Si, au contraire.

Elle promena un doigt sur la mâchoire de Brian.

— Ta bagarre avec John n'a rien à voir là-dedans. J'aimerais pouvoir revenir en arrière. Je suis vraiment désolée.

Le regard de Brian se riva à celui de John qui s'écarta de quelques pas d'Alicia. Si son frère était capable de le percer à jour, il percevait à coup sûr la jalousie qui venait de s'emparer subitement de lui.

Elle est à moi.

La compassion d'Alicia devrait être dirigée vers lui, John. C'était lui qui s'était vu infliger une raclée en tentant sans succès de secourir son enfant.

Dépasse cela. Elle ne t'appartient pas. Elle est avec toi parce qu'elle n'a pas d'autre choix. Reprends-toi et retrouve sa fille. Ensuite tu pourras t'éloigner d'elle et lâcher prise.

Exactement. Il la laisserait derrière lui. Il laisserait derrière lui ce sentiment de désirer quelqu'un qui était beaucoup trop bien pour lui. Il ne méritait pas une personne aussi spéciale qu'Alicia Adams.

18

— Qu'allons-nous faire à présent ?

Shauna se mit à hurler aussitôt que la gouvernante eut emmené Lauren à l'étage.

Je vais te briser la nuque afin de mettre un terme à tes hurlements incessants. Patrick était le seul à avoir le cœur brisé par la situation, mais il s'était résigné à endurer encore plusieurs semaines de crises d'hystérie avant que cela ne cesse. Toutefois, il pouvait toujours rêver…

La gamine avait pleuré et réclamé sa mère à chaque instant depuis qu'ils avaient quitté le poste de police. Elle s'était tue aussitôt qu'il lui eut rappelé ce qui était arrivé à sa « baby-sitter ». En fait, elle n'avait plus prononcé une parole depuis qu'il le lui avait murmuré à l'oreille. *Quel dommage que je ne puisse user du même argument avec Shauna.*

Patrick regarda la folle qui lui servait d'épouse tortiller frénétiquement une mèche des cheveux roux frisés qu'elle mettait une heure à lisser chaque matin. Il détestait ses cheveux. Presque autant qu'il la détestait elle. Leur teinte artificielle virait au pourpre sous une lumière au néon, pas grand-chose à voir avec le roux présenté sur la boîte. Il ne le savait que parce qu'elle lui avait rabâché, jour après jour, qu'ils devraient intenter un procès au fabricant de la teinture…

A sa manière fataliste et timorée, il avait acquiescé jusqu'à ce qu'elle passe à la menace de procès suivante et à une autre diatribe.

Tory avait de beaux cheveux, elle.

Il s'assit à l'extrémité du canapé et il releva le repose-pieds encastré.

— Tu as la fillette, chérie. N'est-ce pas ce que tu voulais ?

Il se mit à bâiller. Aussitôt qu'il poserait la tête sur l'oreiller, il dormirait comme un ours en hibernation. Il ouvrit la bouche pour suggérer qu'ils montent se coucher. Cependant, il se ravisa. Il savait que son épouse et complice avait besoin d'exprimer à voix haute ses préoccupations et il voulait éviter que la gouvernante ne l'entende.

Je me demande si je pourrais glisser un somnifère dans son verre. Voire deux ou trois.

Elle s'endormirait sur le canapé, et il aurait le lit pour lui tout seul, loin de l'odeur nauséabonde de ses crèmes de nuit et autres lotions hydratantes.

Non, s'il faisait cela, elle dormirait tard le lendemain matin et elle se lamenterait encore plus. Or, ils allaient devoir se lever tôt. Elle passerait comme d'habitude un temps interminable dans la salle de bains à se préparer pour l'attention des caméras dont elle était si friande.

— La police a des soupçons. Je le sais.

Shauna se versa deux doigts de son meilleur whisky et elle l'avala comme si c'était de l'eau.

— Montre-toi plus discrète, alors. Tant que tu n'en parles pas, ils continueront d'ignorer que tu es à l'origine de tout.

Tout comme tu ignores que je tire les ficelles depuis des années. Il se redressa, de nouveau tendu. Il fallait qu'il soit vigilant pour l'amener à garder son calme.

— Tu les as entendus au poste de police. Ils ont lancé un mandat contre Alicia.

Elle reposa son verre sur le bar avec un claquement sec.

— Mais pas contre Brian. Il était là. Tu l'as vu, aux prises avec la fille. Cette garce de Mabel ment pour le couvrir.

— En quoi cela t'importe-t-il tellement ? C'est Alicia que tu veux détruire, non ?

Elle tortilla de nouveau ses cheveux rêches. Puis elle

tira sur l'ourlet de son chemisier. Elle était devenue folle de rage quand elle s'était rendu compte que la fillette avait sali son haut blanc à fanfreluches. Shauna avait voulu être photographiée dans ce chemisier quasiment transparent après qu'ils eurent « secouru » Lauren…

Seuls comptaient les apparences et l'argent. *Et il n'y a pas de problème avec l'argent tant que l'on en a beaucoup.* Même Tory revenait sans cesse à l'argent. Toujours plus d'argent. Chacune de ses questions évoquait l'argent et l'usage qu'ils en feraient pour aller à Paris.

Eh bien, il était déjà allé à Paris et il n'avait aucun désir d'y retourner. L'argent durerait plus longtemps sur une plage du Mexique, et c'était là qu'il se rendrait, aussitôt cette sale affaire liquidée. Ils obtiendraient officiellement la garde de l'enfant et ils l'enverraient dans un pensionnat à l'étranger. Seigneur, combien de temps cela prendrait-il encore ?

Shauna l'accompagnerait, bien entendu. Il savait déjà imiter sa signature illisible à la perfection. Ainsi n'aurait-il pas à s'encombrer d'elle trop longtemps tandis qu'il transférerait tout l'argent sur son compte.

Une fois que… Dieu merci, elle sera morte.

— Tu m'écoutes ?

— Bien sûr, mon ange.

Pas vraiment. Mes rêves sont de bien meilleure compagnie.

Mon ange ! Par chance, il ne s'étrangla pas en prononçant ce terme affectueux. Il transférerait l'argent aussi vite qu'il le pourrait et il savourerait le plaisir de lui tordre le cou. Il en avait déjà rêvé à plusieurs reprises, et tout était planifié dans les moindres détails. Il avait insisté pour qu'ils louent un bateau, de taille assez modeste pour qu'il puisse le piloter lui-même. A cet instant même, il imaginait la peau bronzée de Shauna dans l'un de ces Bikinis-strings d'un blanc éclatant qu'elle aimait porter. Il lui apporterait un verre… quelque chose de fruité afin qu'elle le boive à petites gorgées. Elle se redresserait sur sa serviette, il lui proposerait de lui remettre de la lotion sur le dos pour l'empêcher de brûler.

Ensuite, il glisserait doucement ses doigts autour de son larynx et il resserrerait son étreinte. Elle s'affamait constamment, elle serait donc incapable de se défendre. Elle n'avait pas de force. Contrairement à lui.

Une minute. Ça ne ferait pas l'affaire. S'il se tenait derrière elle, il ne verrait pas ses yeux exorbités puis sans vie. Mieux valait oublier le verre. Il dénouerait son Bikini et il lui ferait croire qu'il avait envie de faire l'amour sur le pont. Peut-être la posséderait-il une dernière fois avant de lui arracher son dernier souffle et de lui briser la nuque.

Il avait toujours eu envie de briser la nuque de quelqu'un. Il était curieux de savoir si l'on entendait vraiment le craquement des os comme dans les films au cinéma ou à la télévision. Serait-ce facile ? Cela nécessiterait-il de l'entraînement ? Ça ne lui ferait pas de mal de s'entraîner. Peut-être en aurait-il une ou deux fois l'occasion avant l'excursion en bateau.

— Qu'est-ce qui te fait sourire ?

La remarque de Shauna le ramena brusquement à la réalité.

— Toi, ma chérie.

Il lui adressa un sourire délibérément plus accentué. Si cela l'agaçait, autant forcer le trait.

— Il n'y a rien qui prête à sourire, s'entêta-t-elle. Il est évident qu'elle a engagé quelqu'un pour l'aider. Je me demande où elle a pu trouver l'argent. Il lui vient probablement de son petit ami revendeur de drogue.

Voilà qu'ils discutaient de nouveau de Brian Sloane, qui ne pouvait *pas* se trouver étendu par terre sous Tory puisqu'il était assis au comptoir du snack-bar d'Aubrey ! *Etrange.* Patrick avait vraiment appuyé sur la détente à contrecœur, pour mettre fin à cette scène. Elle griffait Brian comme une furie, et il ne l'avait pas frappée une seule fois. Cet homme disposait d'une force étonnante. Fatale. Celle d'un meurtrier en puissance.

Il n'avait jamais remarqué cela chez Brian auparavant. Et cette nouvelle coupe de cheveux… Pourquoi s'était-il rasé la tête ?

— Tu sais qu'il y a une autre possibilité expliquant que Brian puisse se trouver à deux endroits en même temps ?

Alors pourquoi n'y as-tu pas pensé plus tôt ?

— Qu'est-ce que tu racontes ?

Elle croisa les bras sous ses seins minuscules.

Tory avait un buste superbe. « Avait ». A l'imparfait.

— John. Il est de retour. Il est probablement revenu le jour où ton détective privé a pris la photographie. Réfléchis. Nous avons attendu des semaines qu'il se passe quelque chose entre Alicia et Brian. Mais rappelle-toi, mon amour, c'est de John dont elle était la petite amie, autrefois.

Patrick se figea.

— Oh mon Dieu ! Ça explique tout. Nous devons appeler la police.

Elle se rua droit sur le téléphone.

— Il n'y a pas d'urgence, chérie. Tu peux avoir une soudaine « révélation » durant ton interview de demain.

Ils avaient déjà été contactés par les chaînes d'information locales. Shauna avait donné à toutes son numéro de portable. Elle avait même été jusqu'à répondre à leurs questions durant leur première entrevue avec le shérif du comté, ce qui avait prodigieusement agacé ce dernier. C'était des plus risible.

Jouer l'incompétent de service était rapidement devenu fatigant. Mais il était resté assis, laissant Shauna s'exprimer devant les caméras. Ce ne serait plus long. Plus que quelques jours, et il pourrait arrêter de jouer la comédie. Ils vendraient le reste de la propriété des Adams, prendraient le contrôle du fonds en fidéicommis de la fillette, et tout lien avec son passé d'ouvrier agricole travaillant les pieds dans le crottin serait effacé.

— Et s'ils venaient nous reprendre Lauren ? Ou s'ils décidaient de nous tuer dans notre sommeil ?

— Tu dramatises peut-être un peu. Si Sloane — l'un ou l'autre des Sloane — voulait nous tuer, j'imagine qu'il aurait pu aisément le faire tout à l'heure. Je présume que tous deux sont d'assez bons tireurs pour ne pas nous manquer. Et celui qui était sur place a eu l'opportunité de nous tuer. Or, l'homme s'est abstenu de frapper Tory quand ils se débattaient au sol, tu t'en souviens.

Il se rappela le sentiment de puissance qu'il avait éprouvé en appuyant sur la détente et en voyant le sang maculer les cheveux de Tory avant de se répandre en une mare sur le sol.

Posséder le contrôle sur la vie de Tory l'avait excité. Son seul regret avait été de ne pouvoir s'approcher davantage. Avait-elle su qu'elle mourait ? Ou alors décéder d'une balle dans la tête était-il aussi instantané qu'on l'affirmait ?

En tout cas, l'expression de surprise sur le visage de Sloane avait été impayable. Patrick s'attarda un instant sur ce point. S'il s'agissait de John, pourquoi serait-il aussi affecté par le décès d'une malheureuse employée de garderie ? N'avait-il pas été confronté à la mort des centaines de fois durant sa carrière militaire ?

Shauna se tordit de nouveau les mains, s'avançant vers le téléphone.

— Ils pourraient retrouver le petit ami de cette fille et l'obliger à reconnaître que nous l'avons engagé. Il est toujours porté disparu.

Il referma ses mains sur les doigts osseux de Shauna.

— Je n'ai pas pu m'occuper de lui ce soir. John ou Brian — quel que soit celui qui aidait Alicia — se battait avec lui quand je suis sorti avec l'argent.

Il lui embrassa le bout des doigts même s'il avait plutôt envie de les serrer pour lui demander de se taire.

— Je suis certain qu'actuellement le petit ami de Tory fait tout pour s'enfuir le plus loin possible de la ville d'Aubrey. Et, dans le cas contraire, je pourrais toujours le convaincre de travailler encore un peu pour nous.

— Pourquoi ne les élimines-tu pas tous ? Tu avais promis

que tu le ferais. C'était le plan. Tu avais dit que ce ne serait pas un problème pour toi de les tuer en faisant croire qu'il s'agissait de légitime défense.

Seigneur, ce qu'elle peut être fatigante...

— Shauna, aucun de nous n'aurait pu prévoir qu'Alicia retrouverait l'enfant. J'ignore encore comment ils s'y sont pris.

— Ils t'ont probablement suivi, idiot.

Elle se dégagea et elle se mit à arpenter la pièce où, moins de quatre heures plus tôt, ils avaient révisé leur plan tandis qu'elle buvait un verre de vin pour calmer ses nerfs.

— Pourquoi ne prendrais-tu pas un autre verre avant que nous allions nous coucher, mon ange ?

Il se versa un autre whisky. Cela l'ennuya de le partager avec Shauna, mais il savait qu'elle s'endormirait plus vite ainsi.

— Il faudra que tu sois à ton avantage pour l'émission de demain. Rappelle-toi, ma chérie, tu es une héroïne.

Avant de lui donner son verre, il simula un baiser passionné, faisant comme si c'était Tory qu'il serrait contre lui. Elle sirota son verre, et il laissa ses mains caresser sa peau, faisant glisser ses pouces sur les clavicules saillantes de Shauna.

Il lui serait si facile de se débarrasser de son ennuyeux problème.

Il lui suffirait de serrer.

19

— J'espère vraiment qu'à l'intérieur la climatisation fonctionne. En particulier, si nous sommes coincés ici toute la journée. La température va encore être caniculaire.

Alicia essuya la transpiration sur sa gorge, laissant les deux hommes se regarder bouche bée.

Plaisanter à propos du bon vieux temps pourrait peut-être arrondir les angles entre John et Brian, mais cela remontait à tant d'années…

Quel genre de souvenir sa fille aurait-elle de tout cela ? Comment Alicia pourrait-elle jamais de nouveau quitter Lauren des yeux ? Des enfants attrapant des coups de soleil sur les rives d'un ruisseau, c'était une chose. Mais il n'y avait pas de comparaison avec le fait de voir la jeune femme qui s'occupait de vous à la garderie se faire tuer sous vos yeux par une personne que vous considèrez comme un grand-père.

Garde ça pour toi. Ne te laisse pas aller ou sinon John te fera admettre en observation dans un service de psychiatrie.

Alicia parvenait seulement à fixer ses mains tremblantes. En fait, son corps entier était secoué d'un tremblement qui refusait de s'arrêter. Elle ne put contrôler la frayeur qui faisait son chemin parallèlement à la peur de ne jamais revoir sa fille. Elle s'éloigna à petites foulées, prenant la direction de l'endroit où s'était garé John.

Dieu tout-puissant, je vous en prie, faites que mes jambes me portent et que je ne m'écroule pas.

Elle avait besoin d'être seule pendant quelques minutes

avant d'affronter ce qui avait si souvent retenu son beau-père dans cette grange. Il y avait tant de choses à assimiler que son esprit s'y refusait. Elle pouvait seulement penser à mettre un pied devant l'autre. A poser sa tennis, sans se tordre la cheville, sans trébucher ni tomber par terre. Un pas. Puis un autre pas.

Lorsqu'elle eut rejoint leur véhicule, elle se colla la tête contre le métal froid du toit de la voiture, bloqua ses genoux et elle ravala ses larmes.

— Ne panique pas. Tout ira bien.

Combien de fois s'était-elle répété ces mots, à la manière d'un mantra, au cours des quatre dernières années ?

Mais elle était loin d'aller bien. Tory était morte, et sa fille avait assisté au meurtre de cette femme. Pourrait-elle se contraindre à garder le contrôle ? Elle l'avait fait auparavant… elle devrait le faire de nouveau. Elle n'avait pas le choix.

Alicia se retourna, s'appuyant sur la voiture et rajustant ses cheveux dans un chignon serré. Il fallait tellement de concentration, rien que pour faire semblant. Chasser en permanence la vision des événements de la soirée exigea d'elle de faire appel à une force qu'elle n'avait pas mobilisée depuis les funérailles de Dwayne.

Elle se frotta les yeux et elle retint sa respiration pendant un moment. Ses doigts étaient brûlants. Elle se sentait vidée. Après la mort de son époux, elle s'était accrochée à sa fille. Et Roy s'était accroché à elles deux.

Que pourrait-elle faire ? *Pense à autre chose.*

La bagarre entre Brian et John l'avait ramenée à l'époque où elle arbitrait leurs conflits d'adolescents. Même avec toute cette tension, ces jours heureux firent naître un sourire sur ses lèvres. Les frères avaient tous deux la lèvre fendue. Elle avait observé chez John une retenue dont il n'aurait jamais fait preuve à l'époque du lycée. Autrefois, il faisait toujours de son mieux pour l'emporter sur Brian.

Peut-être était-il aussi épuisé qu'elle. Son petit somme

n'avait fait que la fatiguer davantage. Mais c'était toujours plus de sommeil que John n'en avait pris. Et elle n'avait pas combattu un vrai colosse ni vécu une confrontation avec son jumeau.

Non, elle avait seulement abandonné sa fille aux mains d'un couple de meurtriers. C'était tout ce qu'elle avait accompli ce jour-là.

— Mon Dieu.

Ses yeux se mirent à la picoter, les larmes menaçant de couler.

Concentre-toi sur autre chose. Tu ne peux pas pleurer chaque fois que tu penses à Lauren.

— Tu te sens bien ?

De prime abord, elle pensa que John l'avait suivie. La voix était la même. Mais c'était Brian qui l'avait rejointe et lui tapotait l'épaule. Brian, son ami de toujours.

— John inspecte les environs. Monte. Je vais garer la voiture dans la grange.

Il contourna le capot.

Elle inspira profondément, s'essuya les yeux, se redressa puis elle lui demanda :

— T'a-t-il expliqué ce qui s'était passé ce soir ?

— Il m'a dit l'essentiel.

Il s'appuya sur le toit, face à elle.

— Je suis désolé.

— J'aimerais tellement que les choses soient différentes, tu sais…

Elle frappa un grand coup sur la voiture — et se fit mal à la main.

— Aïe ! bon sang !

Tous deux se mirent à rire… d'un rire gêné. *Donc, il se sent aussi embarrassé que moi.*

— J'ai tenté de te séduire, la nuit de l'incendie.

Elle le scruta.

— Oui.

— J'ai voulu me faire passer pour mon frère.

— En effet. Tes amis t'avaient mis au défi de découvrir si Johnny et toi embrassiez de la même façon puisque vous étiez physiquement semblables.

— Nous portions les mêmes jeans, bottes et veste ce soir-là. C'est la raison pour laquelle personne n'a su à quelle heure chacun de nous était reparti. Mais tu n'as pas eu besoin d'un baiser pour savoir que je n'étais pas lui. Comment as-tu toujours fait pour nous différencier ?

— Ce serait dur à dire… Mais j'ai été capable de vous distinguer l'un de l'autre dès ce premier jour dans le bus. Vous vous comportez totalement différemment en toute chose.

— Je le sais. Mais il n'y a pas que cela. Nous pouvons faire exprès d'agir de la même façon quand ça nous chante.

Il haussa les sourcils et baissa le menton sur sa poitrine. Cette mimique, depuis toujours commune aux deux frères, attira l'attention d'Alicia : quelque chose lui échappait.

Elle le dévisagea.

— Que crois-tu que ce soit, alors ? Dis-le-moi, je t'en prie.

Bien sûr, elle était curieuse, elle aussi. Elle n'avait jamais réussi à mettre le doigt sur la raison.

Il tapota sur le capot, marquant une pause tandis qu'il mettait de l'ordre dans ses idées.

— Je suppose qu'il est temps que quelqu'un vous ouvre à tous deux les yeux. Alors voilà. John te regarde différemment. Il l'a toujours fait.

— Comment cela ?

— Alicia, mon frère est amoureux de toi depuis qu'il a posé le regard sur tes jambes maigrichonnes en sixième.

Il monta dans la voiture.

— Alors si tu te sens l'envie de frapper quelqu'un, je te conseille de choisir John.

Elle s'approcha pour se pencher par la vitre ouverte côté conducteur.

— Je ne vais pas te frapper. Et ton explication, je n'en crois pas un seul mot.

Elle se mit à rire. Délibérément. Pour masquer sa nervosité à l'idée que Brian puisse avoir raison.

— Je lui ai dit que j'avais besoin d'un moment pour réfléchir. C'est la raison pour laquelle je suis venue ici.

— Une fois, j'ai entendu maman en parler à papa. Nous étions alors au collège, et elle lui a dit que tu ferais un jour une parfaite belle-fille.

— Il est absolument impossible que John soit depuis toujours amoureux de moi. Nous sommes juste amis, maintenant. Comme toi et moi.

Elle lui donna une bourrade amicale sur l'épaule, avant de conclure :

— Cesse de dire des bêtises. Est-il utile de te rappeler qu'il est parti ? Il s'est engagé dans la Marine et il n'a jamais regardé en arrière.

Un voile de tristesse transforma son allégresse en découragement.

— Alicia ?

Lui saisissant la main, il l'empêcha de s'éloigner.

Elle chercha dans le ciel étoilé la force de lui faire face. Elle savait qu'il n'était pas John. Il avait raison. Même le contact de leur peau était différent. Mais sa voix, combinée à la même coupe de cheveux, le lui faisait oublier plus facilement. Et quelque chose dans la manière dont il prononça son prénom, dont il lui tint la main, émut Alicia.

— Oui ?

Elle ne se pencha pas. Elle ne pourrait supporter qu'il la plaigne. Elle recommencerait certainement à pleurer et s'effondrerait de nouveau.

— Donne-lui une chance, tu veux ?

Brian la lâcha, mit le moteur en marche et il s'éloigna.

« Donne-lui une chance » ?

— De faire quoi ? lança-t-elle à la voiture qui bifurquait.

Elle regarda Brian se garer dans la grange et John refermer les portes. Ses jambes se dérobèrent sous elle, et elle s'affala sur le sol dur et sec. « Donne-lui une chance » ?

Une chance de la garder en liberté ? Une chance de sauver Lauren ? Une chance de lui sauver la vie ? Une chance de lui briser de nouveau le cœur ?

L'occasion de lui laisser une chance était depuis longtemps passée. Douze ans plus tôt, cette chance s'était présentée et elle avait disparu. Disparu à jamais.

20

Alicia avait un seul objectif, récupérer sa fille, la serrer dans ses bras et la garder en sécurité. Rien d'autre ne comptait.

Elle se pencha en arrière et prit appui sur ses coudes puis elle s'allongea sur l'herbe desséchée, croisant les bras sous sa tête. Rien d'autre ne comptait. Elle pouvait bien se le répéter autant de fois qu'elle voulait, et s'efforcer de se convaincre qu'elle disait la vérité.

Ce n'était néanmoins pas le cas.

John comptait pour elle. Le choc et la douleur qu'elle l'avait vu ressentir. La façon dont il l'avait tenue dans ses bras, dont ils s'étaient embrassés. Seigneur, était-ce seulement hier qu'ils s'étaient introduits dans la maison de Roy et qu'ils avaient échappé au chef de la police en grimpant dans l'arbre ?

Bonheur. Chagrin. Il s'était passé tant de choses depuis le retour de John. Il était impossible qu'il soit amoureux d'elle. Totalement impossible. N'est-ce pas ?

— Impossible, lança-t-elle en direction des étoiles.

Brian devait se tromper. De toute façon, cela n'avait plus d'importance. Tous n'avaient qu'un seul objectif : retrouver et ramener Lauren.

Une douce brise remua la cime des arbres à la lisière du champ, mais ce fut le bruit des pas sur l'herbe sèche qui la fit se redresser en position assise.

— Brian t'a-t-il contrariée ? Tu vas bien ? Je t'ai entendue pleurer et…

John était à bout de souffle, il devait être venu en courant de la grange.

— Oui, je vais bien. J'étais seulement… seulement…

Elle ne pouvait lui avouer qu'elle avait évalué ce qui comptait pour elle et qu'il était arrivé dans les deux premières places. Elle n'était pas prête pour cela.

— Est-ce que tu m'observais ?

Le haussement de ses sourcils exprima un « oui » très clair sans qu'une seule parole soit prononcée. Mimique classique des jumeaux Sloane. La voir esquissée deux fois en dix minutes la priva momentanément de ses moyens. Il se plia en deux puis s'appuya sur ses genoux, visiblement fatigué. Il cherchait encore à reprendre sa respiration.

— Depuis combien de temps exactement n'as-tu pas dormi ? lui fit-elle.

— Je n'ai pas besoin de sommeil.

— Ridicule. Je suis sûr que Brian peut se débrouiller jusqu'à l'arrivée de Dev. Ce qui monopolisait l'attention de Roy pourra bien attendre quelques heures, non ?

Avant qu'elle n'ait pu se redresser, il entoura sa taille de ses mains et il la souleva dans les airs.

Elle remua le bout des pieds, qui ne touchaient plus terre. Au lieu de se contenter de la reposer, il l'attira contre son torse et il la laissa glisser. Elle se retrouva finalement les mains posées sur ses épaules tandis que celles de John se glissaient derrière son dos.

— Je suis souvent privé de sommeil dans mon métier.

— Je, euh… John, est-ce que… ?

— Oui ?

Ses lèvres étaient si proches…

Trop proches. Trop d'eau avait coulé sous les ponts pour qu'ils puissent reprendre là où ils en étaient restés avant leur querelle, à la cérémonie de remise des diplômes. Au diable Brian et ses stupides élucubrations ! L'un d'eux se rappelait-il seulement cette horrible dispute qu'ils avaient eue en public ? Ou le fait qu'elle ait aimé et épousé un autre homme ?

Pour lui, il semblerait que non, si l'on en croyait la manière dont il l'étreignait.

— Voulais-tu me poser une question ? lui demanda-t-il avec un sourire taquin.

— Tu peux me lâcher à présent.

Elle agrippa ses avant-bras pour les écarter d'elle. Ils étaient musclés, et couverts de duvet juste ce qu'il fallait. Durant tout le temps où elle avait côtoyé Brian dans la maison, elle ne l'avait jamais remarqué.

A la base, leurs corps étaient identiques. Pourtant, voir Brian déambuler torse nu dans la maison ne lui inspirait rien d'autre que s'il avait été son frère. Ce corps-ci, en revanche… Ce corps au contact de ses mains, ces cuisses pressées contre les siennes, ce torse contre lequel se comprimaient ses seins… Chaque partie d'elle en vibrait. Tout son être, qui avait été en sommeil depuis le décès de Dwayne, commençait à se réveiller.

John la lâcha. Presque. Au dernier moment, il la fit pivoter, la serrant dos contre lui, ses bras de nouveau noués autour de sa taille.

— Que fais-tu ?

— Rien ne presse, lui murmura-t-il à l'oreille. Et j'ai quelque chose à te dire.

Elle tira sur l'étau qui lui enserrait les reins. Il ne lui faisait pas mal, mais John ne céda pas d'un pouce.

— Tu ne peux pas me le dire les yeux dans les yeux ?

— Tout juste.

Pitié. Pas de confession. *Je ne suis pas prête.*

— Alors, dans ce cas, dépêche-toi. Brian nous attend.

— Exact.

Il se tourna, l'entraînant avec lui. Il fit face à la lisière du champ plutôt qu'à la grange.

— Nous ne sommes plus des enfants, Johnny. Tu peux me lâcher. Je ne m'enfuirai pas. Tu es un adulte et tu devrais être capable de dire ce que tu veux. Tu as bien conscience que nous sommes tous deux trentenaires, n'est-ce pas ? Et que j'écouterai ce que tu as à me dire.

— Le problème, Alicia, c'est que je ne pense pas que je pourrai te regarder quand tu me répondras. Il faut que je sache quelque chose avant que nous n'allions plus loin. Alors autant en finir maintenant avec cette conversation.

Son étreinte se relâcha. Ses mains tremblaient, elle le sentait.

— Je comprends que tu aies pu croire que j'avais provoqué cet incendie. Mais peux-tu me faire confiance à présent ? S'il te plaît ?

Il semblait… effrayé ?

Il était beaucoup plus simple pour elle de prétendre contempler la lune plongeant derrière la cime des arbres que de se tourner vers son séduisant visage. Elle demeura donc immobile. Entourée de ses bras, se sentant en sécurité. Recollant les morceaux de son cœur afin de pouvoir aller de l'avant.

Elle se décida à se lancer.

— Tout d'abord, je n'ai jamais pensé que l'un de vous ait pu le faire. J'ai cru que cela avait été un accident même lorsque Brian a dit qu'il pensait avoir éteint le feu et que d'autres accusations ont été lancées en ville. Et puis, la vie a suivi son cours…

Sa voix se fit plus assurée.

— Jusqu'à ce que Dwayne décède et que Brian commence à venir nous donner un coup de main, nous n'en avons plus parlé. Quand il m'a dit que tu étais ivre et que tu avais dû laisser le feu se consumer, je ne l'ai pas cru mais je n'ai pas pu lui dire pourquoi.

— Pourquoi ?

Son souffle était doux et chaud dans son cou.

— C'était à toi de le lui dire. Je ne pouvais pas soigner la blessure que vous vous êtes causée l'un à l'autre.

Elle eut soudain envie de l'embrasser et d'être embrassée

par lui. Peut-être était-ce mieux qu'ils ne soient pas face à face, finalement. Parce que si elle commençait, elle ne voudrait plus s'arrêter. Quand il l'embrassait, elle oubliait le reste du monde ainsi que tout ce qui s'y passait.

Lauren était trop importante. *Ramène-la d'abord, ensuite, tu pourras t'inquiéter d'embrasser Johnny.*

— Le problème, c'est que personne à la fête n'aurait laissé brûler ce feu. En particulier Brian ou toi. Je n'ai cessé de le répéter depuis ton départ.

Le corps de John le faisait souffrir.

A l'entraînement, il avait reçu des corrections plus sévères que celle que lui avait infligée Brian, pourtant. Son frère ne l'avait pas épargné, c'était le moins que l'on puisse dire. Et puis, il y avait le fait qu'il tienne Alicia dans ses bras. Il se pencha, et la brise chaude de l'été fit voleter les cheveux de celle-ci contre sa joue. Il n'avait pas envie de bouger. Il écarta un peu les jambes pour affermir sa position, ajoutant encore à sa fatigue.

Alicia n'avait jamais douté de son innocence. A la différence de son frère qui s'était empressé de le déclarer coupable avant même de lui avoir parlé. Cependant, en s'enfuyant il avait agi en coupable. Il devait le reconnaître.

Toute sa précédente résolution d'en découdre avec son frère s'évanouit en un instant. La rancœur couvait encore, mais il la tenait à distance. Convaincu que son jumeau s'était encore montré irresponsable, Brian avait de nouveau volé à son secours. Bien sûr, Brian cumulait lui-même les bourdes, les tentatives de culpabilisation, et il savait toujours mieux que les autres, mais résultat des courses ? John pouvait avoir l'assurance que son frère assurait ses arrières.

Ils pouvaient de nouveau se faire mutuellement confiance grâce à la femme qu'il tenait entre ses bras. C'était probablement une bonne chose qu'ils ne soient pas face à face, car il avait envie de l'embrasser jusqu'à lui faire perdre la raison… entre autres choses.

— Est-ce tout ce dont tu avais besoin, John ?

— Ce dont j'avais besoin ?

Toujours serrée entre ses bras, elle fit pivoter son corps, laissant ses doigts s'attarder sur sa taille. Elle leva la main pour effleurer la zone sensible juste derrière son oreille. Si elle continuait de s'approcher, elle saurait exactement « ce dont il avait besoin ».

— Tu as de l'herbe, juste là.

D'une chiquenaude, elle éjecta les quelques brins.

— Ça doit venir de la bagarre.

Lorsque ses yeux se levèrent vers le ciel, ils se trouvèrent nez à nez. Ce qui signifiait que leurs bouches étaient aussi exactement au même niveau. Alicia se passa la langue sur la lèvre inférieure puis sur les dents. John sentit son ventre se nouer à l'idée de l'enlacer plus étroitement. Cela faisait longtemps, mais il savait à quel point ses lèvres se feraient douces lorsqu'il y poserait les siennes. Rien à voir avec les contacts fugaces qu'ils avaient connus depuis son retour. Il se rappelait leurs baisers passionnés. Ils s'étaient explorés mutuellement lors de leur premier baiser. Il avait souffert durant les années où elle avait porté un appareil dentaire. Cela avait valu la peine de s'égratigner les lèvres. Au lycée, ils avaient passé des heures à s'entraîner partout.

Combien de fois l'avait-il étreinte de la même façon, sans se soucier de l'avenir ? Rêvant de lieux lointains à explorer… mais seulement avec elle. Cela avait changé après une unique dispute et à cause de sa stupide fierté. En cet instant précis et en ce lieu, il avait simplement envie d'elle.

Un avenir sans elle était une expérience qu'il ne tenait pas à revivre.

Ses bras se resserrèrent, amenant le corps d'Alicia tout contre le sien. Glissant les doigts sous son T-shirt, il entra en contact avec la chaleur intense de sa chute de reins. Sa bouche s'empara de celle d'Alicia. De ses lèvres… lisses et fraîches, comparées au satin brûlant de sa chair sous ses doigts, doux et accueillant.

Son corps avait changé, elle avait gagné en féminité. Il avait envie d'elle… peu lui importait que son frère soit dans la grange ou que Dev doive arriver d'un instant à l'autre. Il aurait voulu la jeter sur son épaule et l'emmener jusqu'au bosquet plus loin afin qu'elle puisse crier autant qu'elle le voudrait sans qu'on les surprenne. A moins qu'il ne capture son plaisir à l'aide de ses lèvres, pour s'en délecter durant le temps où ils seraient séparés ensuite.

La vision d'Alicia, couverte de sueur tandis que la lumière de la lune faisait scintiller sa peau nue, eut sur lui un effet immédiat. Il ne pouvait s'arrêter. Il la voulait encore et encore.

Leur relation n'était jamais allée plus loin qu'un flirt d'adolescents. A l'époque, tout le monde pensait qu'ils seraient forcés de se marier dès l'âge de seize ans, mais ce n'était pas arrivé. Non qu'il n'ait pas voulu essayer, mais elle l'en avait fermement dissuadé.

— Johnny, murmura Alicia lorsqu'il fit glisser ses lèvres jusqu'à son décolleté.

De ses pouces, il caressa la courbe de ses seins à travers le satin de son soutien-gorge. Combien de fois avait-il rêvé de ce moment ? Combien de fois la vision du visage d'Alicia l'avait-elle soutenu durant une mission ou lorsqu'il se retournait sur sa couchette en se demandant ce qu'il serait advenu s'ils n'avaient pas rompu ?

— Nous devons…, poursuivit-elle, avant de renverser la tête. Johnny… Oh mon Dieu !

Il cessa de penser aux flirts de leur jeunesse et il promena son pouce sur le bonnet en dentelle. Le mamelon d'Alicia se dressa aussitôt en réponse à cette caresse.

— Nous devrions… Nous ne pouvons pas.

— Pourquoi ? Tu as un couvre-feu ? la railla-t-il, l'interrompant d'un nouveau baiser langoureux, savourant cette combinaison unique de chaleur, de fraîcheur et de suavité.

Sa main se referma sur son sein, et les hanches d'Alicia se cambrèrent. Elle savait exactement ce qu'il voulait. Aucun doute. Il ne pouvait le dissimuler.

De sa main, elle lui enserra le poignet et elle l'éloigna avec douceur.

— Non.

Les mains d'Alicia se plaquèrent fermement contre son torse. Fin du corps-à-corps.

John relâcha son étreinte, permettant enfin à Alicia de reculer. Il n'aurait jamais dû écarter ses lèvres des siennes. Eh bien quoi ? Ils étaient adultes et responsables de leurs actes !

— Nous ne pouvons pas faire ça, c'est…

— Tu as raison.

— Tu ne sais pas ce que j'allais dire, chuchota-t-elle.

— Si, je le sais.

Elle croisa les bras, l'air offusqué, et elle lui décocha un regard qu'il ne put vraiment interpréter. Puis elle se dirigea d'un pas furieux vers la grange avant de faire volte-face.

— Tu ne manques pas d'aplomb de revenir au bout de douze ans et de tenter de me séduire comme si rien ne s'était passé après ton départ.

Il ouvrit la bouche pour s'excuser.

— Non, ne m'interromps pas. Je vais te dire une bonne chose, et je sais que je n'ai pas à craindre que tu ne m'aides pas à retrouver Lauren. Je comprends. Tu es un officier de marine qui a probablement une femme dans chaque port. Eh bien, lieutenant Sloane, ma petite parcelle de ce monde n'a pas de quai. Elle est centrée autour d'une enfant de quatre ans qui n'a jamais eu de père. Je représente tout son monde. J'aimais Dwayne et je ne l'oublierai jamais.

— Je comprends.

— Je ne pense pas, non. J'ai une responsabilité envers Lauren et je n'ai pas l'intention de la mettre en danger en ayant une liaison. Encore moins en faisant l'amour dans un champ avec un homme dont je n'ai plus eu de nouvelles depuis plus d'une décennie.

— Ne t'inquiète pas pour Lauren. Nous la récupérerons. Je ferai appel au reste de mon escouade si nécessaire.

Elle afficha un sourire forcé.

— Je t'ai dit que je comprenais, Alicia. N'en parlons plus.

— Je ne voudrais pas que tu m'en veuilles…

Les mains d'Alicia tremblaient. Il s'en rendit compte quand elle lui caressa la joue avant de s'éloigner. Jamais il ne lui en voudrait. Toutefois, il ne resterait pas dans cette région du Texas. Et en même temps, il ne cesserait jamais de la désirer de tout son être.

Son téléphone se mit à vibrer. Un SMS. C'était Brian.

Phares au bout de l'allée.

Probablement Dev, mais ils ne pouvaient en être certains, et il s'était complètement laissé distraire par cette sirène dans ses bras. *Bon sang !* Il devait gardait ce désir sous contrôle, sinon il les mènerait droit en prison. Ou pis… à la mort.

21

John dissimula à l'arrière de la propriété la voiture que Dev avait « empruntée », dans le bosquet où il avait eu envie d'entraîner Alicia un peu plus tôt. Lorsqu'il entra dans la grange, celle-ci était assise en silence sur l'unique chaise, plongée dans ses pensées tandis que Dev et Brian discutaient avec assez d'animation pour qu'il les entende par-dessus le bruit du climatiseur.

Il ne s'était absenté que quelques minutes. Son ami et son frère s'étaient postés de part et d'autre du climatiseur vrombissant, mais ce n'était pas ce qui retenait leur attention.

Tous regardaient fixement la carcasse de la voiture ayant appartenu à Dwayne. Cette même voiture dans laquelle il avait eu son accident et dont le siège couleur fauve était maculé de taches de sang séchées. Rien d'autre ayant une quelconque importance ne se trouvait dans cette grange.

Brian était appuyé contre le mur avec nonchalance, les chevilles croisées. Son attitude n'avait plus rien en commun avec celle de l'homme qui faisait les cent pas comme un lion en cage, une heure plus tôt. Une main sur le menton, Dev se tapotait les lèvres d'un doigt.

John connaissait ce regard. Lors de leurs réunions de *brainstorming*, une multitude d'idées étaient lancées au hasard jusqu'à ce qu'une solution opérationnelle en ressorte. S'ils réussissaient à atteindre ce stade et à échafauder un plan, Dev pourrait lui poser toutes les questions qu'il voudrait, c'était promis.

— Bien. Nous supposons que Roy Adams venait dans

cette grange, mettait probablement en marche ce climatiseur bruyant, s'asseyait sur cette chaise — et ensuite ? Il regardait fixement le véhicule dans lequel son fils avait trouvé la mort ? Pourquoi ? s'interrogea Dev.

— Cela vaut-il la peine de passer notre temps à répondre à cette question avant de concevoir un plan pour secourir Lauren ? objecta Brian.

John s'interrogeait lui aussi.

— L'épave est vraiment méconnaissable, constata Dev.

Sans sourciller, il ajouta :

— Il ne se droguait pas ? Ne buvait pas ?

— L'analyse toxicologique n'a rien révélé. Pas une goutte d'alcool dans son organisme, déclara Brian. Je vous assure qu'il n'était pas ivre. L'un de mes amis a consulté le rapport d'autopsie.

— Tu n'en as jamais fait mention, Brian, intervint Alicia d'une voix absente.

Elle regardait droit devant elle, là où s'était trouvée la portière que les secours avaient découpée.

Brian lança à son frère un regard suppliant, mais en vain. Une fois lancé, Dev ne se laisserait pas détourner de son objectif.

— Donc, ils ont présumé qu'il s'était endormi, marmonna Dev, cependant il n'était pas tard dans la soirée. C'est tout de même une étrange supposition, même pour des policiers.

— Shauna a expliqué à qui voulait l'entendre qu'il s'était endormi au volant parce qu'il était resté debout toute la nuit pour prendre soin de Lauren.

— A-t-il vraiment été privé de sommeil ? demanda Dev.

— Pas plus que d'habitude. J'ai travaillé toute la nuit, et il était avec elle. Il m'aurait appelée si elle n'avait pas réussi à dormir. Elle dormait plutôt profondément pour un bébé de six mois. C'est d'ailleurs toujours le cas.

Alicia avait le regard fixe, sa voix était monocorde. Etait-ce bien la même femme qui s'était montrée si passionnée vingt minutes plus tôt à peine ?

— Avez-vous cru qu'il se soit endormi au volant ?

Alicia haussa les épaules. John fit signe à son meilleur ami de mettre fin à la conversation. Il ne voulait pas qu'elle s'imagine être responsable de l'accident de voiture.

— Je ne comprends pas. Qu'est-ce qui a poussé Roy à garder l'épave de la voiture de Dwayne ? Pensez-vous qu'il allait la réparer ? suggéra Brian. C'est la seule raison qui me vienne à l'esprit. Ou était-il simplement fou de douleur…

Les deux possibilités remuèrent John. Il sentit à quel point Alicia était bouleversée. Son regard vide ne lui permettait pas de savoir si elle avait seulement conscience qu'il se tenait près d'elle. Il ne voyait pas l'intérieur de la voiture, mais le véhicule paraissait dévasté.

— Votre beau-père se sentait-il, d'une certaine manière, responsable ? Est-ce la raison pour laquelle il s'est suicidé ?

La question de Dev resta sans réponse.

John n'était pas en mesure de la lui fournir. L'homme qu'ils avaient toujours connu ne se serait jamais ôté la vie. Mais le fait de perdre un proche vous changeait. Une seule personne dans cette grange pouvait avoir une idée de ce qu'avait pu ressentir Roy. Elle resta toutefois complètement silencieuse.

— Nous passons à côté de quelque chose, reprit Dev, poursuivant sa démarche analytique. Pourquoi n'a-t-il pas souhaité se débarrasser de ce qui lui rappelait constamment l'accident de son fils ?

— Se pouvait-il qu'il pense trouver un indice dans l'épave ?

Alicia parut reprendre espoir et elle se leva d'un bond pour venir examiner l'intérieur de la voiture.

— Et si cet indice s'y trouvait encore ? Peut-être avais-tu raison. Peut-être est-ce la raison pour laquelle on l'a tué.

John l'écarta de la voiture, la stoppant dans son élan.

— S'il s'y était trouvé, Roy l'aurait remis à la police.

— Mais…

— Je ne vous suis pas, les interrompit Brian.

Alicia se tourna vers lui.

— John pense possible que Roy ait eu la conviction qu'il s'agissait d'un homicide. Et qu'il ait été lui-même assassiné pour empêcher qu'il ne découvre quoi que ce soit.

— Assassiné ? Par qui ? Pourquoi ? s'écria Brian.

Il n'était plus détendu du tout. Les épaules rejetées en arrière, il arborait une posture incitant John à la bagarre, mais ce dernier ignora la provocation.

— C'est seulement une intuition.

Brian donna un coup de poing dans le mur et il se mit à faire les cent pas.

— C'est une présomption plutôt audacieuse pour quelqu'un qui est resté absent pendant douze ans. Pourquoi fais-tu cela à Alicia ?

— Tu n'étais pas présent ce soir, Brian, objecta-t-elle. Tu n'as pas vu ce qu'a fait Patrick. Il a *tué* Tory. Il l'a tout bonnement abattue de sang-froid avant que la police n'arrive. C'est vrai, John était absent. Mais peut-être est-ce la raison pour laquelle il peut envisager ce à quoi personne n'a pensé.

— Tu penses vraiment que Roy Adams ait pu se suicider en laissant Alicia se débrouiller seule ? demanda John à son frère.

Brian inspira profondément, et redevint le frère responsable qui avait aidé leur père.

— Personne ne croit que cela puisse arriver dans sa propre famille. Je suis auxiliaire médical. Je lis tous les jours l'incrédulité sur le visage de ceux qui restent. Le suicide, la drogue, la conduite en état d'ébriété. Tous réclament des preuves. Je suis désolé, Alicia. Je suppose que je suis un peu perdu. J'aurais dû être là pour toi.

— Tu l'as été, lui répondit-elle d'une voix douce.

Elle retourna s'asseoir.

— Vous disiez que Weber avait tué une femme nommée Tory ? demanda Dev. Son véritable nom pourrait-il être Victoria… Preston ?

— C'est possible, oui.

Alicia haussa les épaules, se pencha en arrière et elle se délesta de ses chaussures.

— Elle travaillait à la garderie, et je ne me rappelle pas bien son nom de famille.

— Je dois vérifier quelque chose.

Dev se dirigea vers son équipement entreposé près de la double porte.

— As-tu retrouvé l'argent ? lui demanda John.

— Quel argent ? demanda Brian qui avait suivi Dev et soulevait une mallette de matériel électronique.

— Non, mais Patrick et Shauna convertissent tous leurs avoirs en liquide, lança négligemment Dev.

— Nous sommes au courant pour la vente de la propriété et des chevaux.

Rien d'étonnant à ce que Shauna se débarrasse de choses qui ne l'intéressaient pas.

— J'entends par là, absolument tout. Ils liquident leurs actions à perte. Ils vendent leurs parts d'autres sociétés pour n'importe quelle somme qu'ils peuvent grappiller.

— Quel argent sommes-nous censés retrouver ? demanda de nouveau Brian.

— Dev, ça t'ennuie de le mettre au courant pendant que je…

Il adressa un signe de tête en direction d'Alicia qui posait de nouveau un regard de zombie sur la voiture.

Suivi par Brian, Dev rejoignit leur véhicule de location. Il posa son ordinateur portable sur le capot et il entreprit d'assembler l'équipement qu'il avait réussi à rapporter du chalet. John avait beau savoir les commandos marine parés à toute éventualité, il s'étonnait encore des incroyables capacités de Dev, qui aurait été capable de pirater la Maison-Blanche à partir de son téléphone portable.

Brian posa des questions. Dev y répondit. Alicia restait pétrifiée. Leur conversation se fondit en arrière-plan. John s'interrogeait. Devait-il la faire sortir de cette grange ? Ou l'inciter à affronter le démon qui rouillait dans cet amas de ferraille ? Il posa la main sur son épaule, et elle sursauta.

— Désolée, je… Vois-tu, personne ne m'a vraiment dit quand l'accident était survenu. C'est Roy qui a recueilli tous les détails. Cela n'avait pas d'importance à mes yeux puisque… je veux dire, il était mort, alors à quoi bon savoir ?

— Je comprends. Chacun a une manière différente de tourner la page.

Il comprenait, réellement. Après la perte de l'un de ses hommes, il avait écrit des lettres, et les parents du soldat lui avaient répondu. Le père avait voulu qu'il lui décrive en détail le combat tandis que son épouse avait écrit au commandant de John, lui demandant pourquoi ce dernier avait loué le courage de son fils au combat. Il avait compris, bien sûr.

— Je me rappelle qu'il a eu cet accident et que les secours n'arrivaient pas à l'extraire de la voiture… C'est sans doute pourquoi il n'y a plus de portière, ils ont dû l'enlever. Il est décédé sur place.

La voix d'Alicia devint presque inaudible.

— Roy s'est occupé de tout.

— Ça va aller.

Il baissa la voix et s'agenouilla près d'elle.

— Ce n'est pas un endroit pour toi. Si j'avais su que la voiture se trouvait ici, je ne t'y aurais pas emmenée.

— Tu ne peux pas me protéger du fait que mon époux soit décédé, John. Les accidents sont inévitables.

Elle serra sa main, et il prit conscience qu'il lui tapotait le genou.

— Dans ton métier, tu as dû voir ton lot de tragédies.

Il serait injuste de l'accabler avec ses cauchemars. Elle en avait assez des siens. La voix grave de Dev leur parvint, il expliquait à Brian ce qu'il cherchait sur internet.

— Quelque chose t'est arrivé, John. Je le vois. De temps à autre, ton esprit s'égare, et ta tristesse me donne envie de te ramener à moi. Tu peux m'en parler. Je suis toujours là pour toi.

— Un jour, peut-être.

Ou jamais.

Il se redressa, mais elle ne lui lâcha pas la main.

— Nous devrions nous mettre au travail. Et tu devrais te reposer un peu.

— Tu en as plus besoin que moi. Comment espères-tu concevoir un plan de sauvetage si tu es à bout de forces ?

— Je ferai un somme après le départ de Brian.

— Dans ce cas, nous devrions nous atteler à l'élaboration de ce plan pour ramener Lauren avant qu'il ne doive repartir, déclara-t-elle d'un ton plus déterminé.

— Tu as raison. Il nous faut un plan.

— Et comment imagines-tu parvenir à la secourir ? demanda Brian. Elle est surveillée vingt-quatre heures sur vingt-quatre, sept jours sur sept, où qu'ils se rendent.

— Et même si tu atteins ton objectif, je n'ai toujours pas prouvé qu'Alicia n'avait pas tout orchestré, ajouta Dev.

Leurs options étaient limitées. Ils ne pouvaient tout de même pas simplement se présenter à la porte des Weber et exiger de récupérer la fille d'Alicia. N'est-ce pas ?

— Exactement. C'est pourquoi nous allons l'enlever demain, pendant la vente aux enchères.

22

Une fois qu'ils eurent passé en revue et peaufiné la plupart des détails, Alicia, exténuée, avait sombré dans un sommeil de plomb. Elle se rappelait vaguement John lui disant au revoir et peut-être lui embrassant la joue.

L'alibi de Brian ayant été confirmé, la police n'avait pu établir de lien entre le meurtre de Tory et lui. John prévit donc d'assister à la vente aux enchères en utilisant l'identité de son frère afin d'être en position d'orchestrer l'enlèvement de Lauren. Alicia avait dormi jusqu'aux environs de 9 heures le lendemain matin. Jusqu'à ce que Dev ait fait démarrer la voiture de location et soit parti acheter le reste de l'équipement dont ils auraient besoin.

Un coup d'œil à sa montre tandis qu'elle s'étirait en s'éveillant — pour la seconde fois — lui apprit qu'il était presque 11 heures.

— J'ai vraiment faim. Il reste quelque chose dans ces sacoches ?

— C'est parce que tu n'as pas mangé avant de t'endormir. Dev va bientôt revenir. J'espère que tu aimes les hamburgers au petit déjeuner.

Brian s'assit sur la chaise. Il ressemblait tellement à John que cela rappela à Alicia leur première rencontre à tous les trois.

Ils étaient moins dégingandés, étaient devenus des hommes séduisants et se montraient des amis attentionnés. Quoiqu'ils tentent d'être différents, chacun à sa manière, ils avaient néanmoins des expressions et des mimiques identiques.

— Je suis ouverte à tout. A-t-il trouvé le matériel électronique dont il avait besoin ?

— Oui, c'est fait. En voilà, un beau sourire sur votre visage, mademoiselle Adams. Il y a bien longtemps que je ne l'avais vu y reprendre sa place.

— Espèce de charmeur. Je souris vraiment ? demanda-t-elle en riant. Je suis heureuse que tout cela soit presque terminé.

Elle était ravie à la pensée que Lauren serait bientôt de nouveau dans ses bras, saine et sauve, en sécurité. L'avenir d'Alicia au-delà de ce sauvetage était encore incertain, mais le plus important était d'arracher sa fille aux meurtriers qui l'avaient enlevée.

— Ce n'est pas tout à fait terminé. Nous devons encore procéder à cet enlèvement et vous garder hors de vue jusqu'à ce que les contacts de Dev dans la Marine puissent remonter la trace de l'argent jusqu'à Patrick. Il a passé le relais à un collègue équipé d'un ordinateur plus puissant.

— Tu ne sembles pas très optimiste.

— Voyons, Alicia. Tu penses que le plan chaotique de John va fonctionner ? Tu crois qu'il peut de nouveau se comporter comme un modeste ouvrier agricole ?

Brian se leva de sa chaise, s'étirant comme s'il était resté trop longtemps immobile.

— Pour être honnête, commença Alicia, je suis forcée de croire que John et Dev savent ce qu'ils font. Ils secourent de personnes placées dans des situations beaucoup plus dangereuses encore. Dev n'est pas un simple officier de marine, Brian. Il est incroyablement doué en informatique.

Brian sourit de nouveau. Il pouvait lui faire remarquer qu'elle souriait : lui aussi souriait constamment depuis la bagarre avec son frère !

— Et il s'est senti frustré de devoir demander de l'aide. Je pense que tu as eu plus le temps que moi de croire en John. Pendant douze ans, je l'ai pris pour un irresponsable.

— Et tu l'as accablé de reproches, tout comme le reste de la ville.

— C'est-à-dire…

Il s'interrompit.

— Oui, sans doute.

— Est-ce ce qui te rend si négatif ce matin ?

— Si tu veux savoir, je ne cesse de penser au temps que j'ai gâché.

Il se frotta la mâchoire.

— Aux corrections que j'ai reçues, au fait que tout le monde m'a fui, excepté Mabel et toi.

— Et sans doute quelques autres personnes, non ?

— Pas âme qui vive. Imagine-toi que je n'ai jamais eu de relation sérieuse.

— Tu plaisantes ?

— Je ne peux exposer personne au traitement hostile que l'on me réserve. Et tu sais que je ne peux pas déménager. Je ne peux pas non plus travailler plus de trois ou quatre jours d'affilée loin du ranch. Papa se tuerait à la tâche.

Alicia se passa les doigts dans les cheveux et elle regarda Brian se relever, l'air gêné. Cet aveu avait dû lui coûter.

Au lieu d'arpenter la grange comme un lion en cage, chose qu'elle l'avait vu faire assez souvent depuis son arrivée, il se tint immobile. Son regard la suppliait de le comprendre. Il n'avait probablement jamais partagé ces réflexions avec personne. A qui aurait-il pu expliquer cela, d'ailleurs ?

J.W. mangeait, travaillait, mangeait de nouveau et allait enfin se coucher. Il avait été un grand ami du père d'Alicia et de Roy, mais il n'était pas d'une génération qui s'épanchait. Et malheureusement, Brian tenait un peu plus de lui à chaque année qui s'écoulait. C'était John qui lui avait toujours parlé tandis qu'ils grandissaient ensemble. Toutefois, lui aussi semblait s'être renfermé sur lui-même. En deux jours, il n'avait pas dit un seul mot concernant sa vie de ces douze dernières années.

— Je suis vraiment désolée, Brian.

Elle s'efforça d'imaginer la solitude qui avait dû être la sienne durant toutes ces années.

— Mais je pense que si tu veux bien laisser une femme tomber amoureuse de toi, elle ne doutera pas de ton innocence.

— Est-ce ce qui t'a fait croire en John ?

— Que veux-tu dire ?

— Tu es convaincue qu'il n'a pas provoqué l'incendie et, pourtant, tu n'étais pas sur place. As-tu pris parti pour lui parce que tu l'as toujours aimé ?

Il énonça cela comme une évidence, comme une question qui n'appelait pas de réponse, accompagnée d'un léger haussement d'épaules, induisant qu'il en avait toujours été ainsi.

— Toi non plus, je ne t'ai jamais cru coupable. Même après que tu avais avoué.

Mais comment la conversation a-t-elle pris cette tournure ?

Faute de trouver les mots, elle se contenta de conclure :

— Tu sais que j'aime toute ta famille.

— Alicia, tu ne nous « aimes » pas, papa et moi, de la même façon que John.

Brian se mit à rire, de nouveau à l'aise et détendu.

— Et, à voir l'expression de surprise sur ton visage, je pense que tu prends conscience qu'il est temps de cesser de te voiler la face.

— Tu te trompes. J'aimais Dwayne. Je ne l'aurais pas épousé si j'avais encore été amoureuse de Johnny. C'est seulement… Vraiment, je ne peux pas faire cela à Dwayne.

— Lui faire quoi ? Tomber de nouveau amoureuse ?

— Jeter le doute sur notre couple. Ou alors laisser croire qu'il était un choix par défaut, voire que j'en voulais à son argent.

Elle se prit la tête entre les mains.

Comment son monde pouvait-il de nouveau basculer ? Elle était tellement soulagée que cette épreuve prenne bientôt fin. Tellement heureuse à la perspective de retrouver Lauren, de la savoir en sécurité. Elle avait retrouvé le sourire, elle riait.

C'était impossible.

Quelle que soit l'affection qu'elle éprouve envers Johnny,

elle ne pouvait *pas* être amoureuse de lui. Ce n'était pas correct vis-à-vis de la mémoire de Dwayne.

Une main se posa sur son épaule, et la pressa doucement.

— Personne ne croira que Dwayne a été un choix par défaut. Et il n'y a pas une personne en ville qui ait jamais pensé que tu l'aies épousé pour son argent. Je connaissais Dwayne. J'ai été son meilleur ami dès notre admission dans l'équipe des poussins au football. Il serait très heureux pour vous deux. Je suis sûr de cela. Johnny et toi serez très bien ensemble.

Brian sortit sur ces mots, la laissant à ses réflexions.

Etait-elle vraiment de nouveau amoureuse de son flirt du lycée ? Avait-elle seulement cessé de penser à lui pendant qu'elle était mariée à Dwayne ? Ce pourrait bien être vrai… Brian avait peut-être raison sur ce point, mais aller jusqu'à prédire qu'ils seraient très bien ensemble, là il s'égarait.

John était un commando marine, était-il utile de le rappeler ? Durant toutes ses études secondaires, il n'avait parlé que de s'engager. Il était carriériste. Il quitterait Aubrey pour retourner à son monde excitant plutôt que de vivre un quotidien comme celui d'Alicia. Après l'épisode de l'enlèvement planifié par Patrick et Shauna, la routine s'installerait de nouveau. Par ailleurs, elle lui avait expliqué la veille dans les grandes largeurs qu'elle n'aurait plus d'homme dans sa vie. Comment pourrait-elle, après s'être montrée aussi catégorique, changer de version ?

Et même dans ce cas, comment parviendrait-elle à le convaincre qu'elle l'aimait ? Il avait fallu que Brian la mette en face de la vérité pour qu'elle-même en prenne conscience.

Porter des bottes de cow-boy était pour John un changement bienvenu. Cela lui plairait d'en casser une nouvelle paire. S'il avait toutefois une raison d'en racheter une paire… Etant donné qu'Alicia lui avait affirmé qu'elle ne se remarierait pas — et il avait saisi l'allusion : ce message lui était adressé en particulier — il n'avait pas vraiment de raison de songer à revenir au Texas. Il n'avait pas non plus de raison de trouver un endroit où ranger des bottes dans ses quartiers au camp.

Brian n'avait pas exagéré le nombre de personnes qui évitaient de lui parler en ville. Plusieurs femmes s'étaient approchées de lui, avant d'être soudain saisies d'une brusque envie de contempler la vitrine de la quincaillerie. La ville était résolument décidée à punir son frère.

Et pourtant, ce dernier était resté sur place. Afin de s'occuper de ce qui restait du ranch. Et surtout afin de prendre soin de leur père. Incarnant comme toujours le frère responsable.

Brian avait également eu raison concernant les policiers. Ils n'étaient pas très doués pour les filatures. Il les sema le temps de retrouver Dev pour récupérer l'oreillette indétectable et le micro. Où et comment son ami s'était-il procuré ses « jouets », cela le dépassait. Il se contenta d'être reconnaissant de pouvoir compter sur quelqu'un qui ait un tel talent.

Il dut rester assis au comptoir du snack-bar pendant dix bonnes minutes, sirotant un café dont il n'avait ni besoin ni envie, avant que les policiers ne réapparaissent. Leur présence à la vente aux enchères lui serait nécessaire. Etant donné que Dev n'avait pas encore localisé l'argent, il était important de disposer de témoins dignes de foi pour rapporter les éventuels propos, faits et gestes de Patrick.

Les témoins en question se garèrent derrière le pick-up de son grand-père pour le suivre d'une manière pas très discrète jusqu'à la vente aux enchères. Dignes de foi, eux ? Il s'était peut-être avancé un peu vite… Evoluer au sein d'une foule qui avait mis son frère au ban de la société lui rappela les rues de l'Afghanistan. Un étranger camouflé en mission de sauvetage, priant pour que personne ne découvre sa véritable identité.

Reste calme. Un jour, tu diras leurs quatre vérités à ces abrutis. Simplement, ce ne sera pas pour aujourd'hui.

— Tout le monde est en place ? demanda-t-il juste avant qu'il ne puisse plus s'adresser à ses compagnons sans que cela paraisse étrange qu'il se parle à lui-même.

— Oui, répondit Alicia d'une voix hésitante.

— Je suis hors de vue, au corral.

Brian était en place pour faire diversion.

— Paré, lieutenant.

La file d'attente progressait rapidement, et ce fut bientôt à son tour. Il remplit la fiche de renseignements et la tendit à la jeune femme. Elle lui sourit, ignorant manifestement le traitement que l'on réservait d'ordinaire à son frère.

— Que faites-vous ici, Sloane ?

Un homme s'avança vers l'accueil. Vêtu d'un costume, à l'évidence l'un des responsables. Il connaissait Brian, et chacune de ses paroles exprimait son dégoût de devoir perdre son temps avec lui.

— Je pensais qu'il s'agissait d'une vente aux enchères publique.

Il était impatient de voir la réaction de cet imbécile pompeux.

— Il est obligatoire d'avoir une ligne de crédit ou des espèces pour entrer. Je vous ai déjà refusé cette ligne de crédit et je sais que personne d'autre ne vous l'a accordée. Alors, à moins que vous n'ayez apporté…

John sortit une liasse de billets d'une enveloppe.

— Il y a dix mille dollars. C'est assez pour m'offrir n'importe lequel des chevaux des Adams, non ?

— Où avez-vous eu cet argent ? Vous êtes sans le sou !

— Vous ne vous attendez pas sérieusement que je réponde à une telle question, n'est-ce pas ? A présent, où est mon numéro d'enchérisseur ?

Il rangea l'argent, regardant autour de lui les visages surpris. Empreints de réprobation.

— Je veux que cet homme soit fouillé avec le plus grand soin, et s'il est armé, livrez-le à la police.

John s'écarta de la table et il leva les bras, se forçant à afficher un grand sourire pour montrer que cela ne le gênait nullement d'être fouillé. C'était précisément la raison pour laquelle il s'était dépouillé de ses armes.

— Ils croient tous que je vends de la drogue, précisa Brian, dégoûté, avant de rire dans l'oreillette. Nous venons de confirmer leurs soupçons, et les rumeurs iront bon train. Tous se demanderont pourquoi je n'ai pas encore sauvé le ranch avec cet argent.

— Ne le distrayez pas, l'interrompit Dev. Restez silencieux jusqu'à ce que vous ayez une information à nous transmettre.

Heureusement que Dev était intervenu. John avait été sur le point de répondre lui-même à Brian, lui remontant les bretelles juste au moment d'entrer dans l'arène devant tout le monde. Son frère était la seule personne capable de le faire sortir de ses gonds à ce stade de l'opération. A croire que depuis qu'il était arrivé au Texas, il fonctionnait de moins en moins en mode commando marine.

Peut-être perdait-il ses moyens. Il était grand temps de se reprendre et de se concentrer. Depuis plusieurs mois déjà il avait des doutes sur la carrière qu'il avait choisie. Mais peu importait pour le moment. Il reviendrait dessus une fois qu'il aurait secouru Lauren. Il s'avança de box en box pour regarder les bêtes à vendre, écœuré. Le travail de toute la vie de Roy allait être dispersé aux quatre vents. Ces chevaux représentaient l'avenir de Lauren. La décision de les vendre ou de les garder aurait dû revenir à Alicia.

Au moins, il ne lui fut pas difficile d'éviter de faire la conversation… Les gens du coin gardaient leurs distances et, quant aux rares visages qui se tournèrent vers lui, son expression courroucée leur suggéra qu'il n'était pas enclin à discuter de choses et d'autres. Nul besoin de paraître intéressé par les chevaux… Il l'était pourtant, réellement.

C'étaient de belles bêtes, des reproducteurs de la race des quarter horses que son père aurait été ravi de posséder pour son ranch. Il perçut l'étonnement des acheteurs potentiels qui bavardaient entre eux. Certaines des juments n'auraient jamais dû se retrouver dans une vente aux enchères. Elles seraient cédées à bon marché car nombre des fermes les plus importantes n'étaient pas représentées. Machinalement, John serra les poings. Il dut s'accrocher à la barrière du corral pour obliger son corps à se détendre.

— Tiens, tiens, tiens. On n'imagine pas quelle vermine ose ramper hors de sa cachette quand elle trouve de quoi se repaître.

— Bonjour, Shauna. Ça fait un bail. J'ai été désolé d'apprendre tout ce que ta famille a traversé.

— Ah oui ? Comme si je pouvais te croire.

Elle se campa devant lui, l'acculant entre une poutre de soutènement et le box de la jument primée de Roy. John s'en moquait : ainsi, il avait vue sur l'arène et sur Patrick qui faisait l'article aux acheteurs.

— *On fait ami-ami avec l'ennemi pendant que je rampe dans le crottin ?*

La voix de Brian résonna très distinctement à l'oreille de John.

— *Voyons Brian, John joue un rôle*, lui rappela Alicia.

Le simple son de la voix d'Alicia le déconcentra.

— Je suis… euh… désolé. Je n'ai pas saisi ce que tu disais.

— Je disais que nous connaissons votre secret. Nous savons tous les deux que c'est ton frère qui aide Alicia.

Shauna feignit de redresser le col de John, baissant la voix de sorte qu'il soit le seul à entendre ce qu'elle disait — mais elle ne remarqua pas l'oreillette.

— J'aurais pu en parler à la police, mais Patrick m'a convaincue d'attendre. Nous ignorons ce que tu essaies de prouver en assistant à cette vente aux enchères, mais tu ferais mieux de tourner les talons et de repartir.

John lui attrapa les poignets et il la repoussa sans ménagement. Sa petite moue de douleur ne lui fit ni chaud ni froid. Il avait été confronté à des femmes jouant des mêmes minauderies qu'elle dans chaque bar où il était entré.

— Si tu crois cela, Shauna, alors fait immédiatement venir la police. Je mangeais une quiche au snack-bar hier soir au moment où, selon toi, j'étais à McKinney. La police a eu confirmation que John était en mission. Il n'a pas pu revenir quand papa a eu son attaque et il n'a certainement que faire de nos problèmes.

Il rétablit le contact visuel avec Weber. Toujours aucun signe de Lauren.

— Y a-t-il une possibilité que je dise bonjour à Lauren aujourd'hui ? Vous la cachez ?

— Tu es un très mauvais menteur. Tu sais ça, *John* ?

Elle tenta de lui toucher la tête, et il recula vivement.

— Tu n'es pas Brian, mais John, n'est-ce pas ? C'est bien ce que pensait Patrick.

— La vente va bientôt commencer, et je n'ai encore vu que la moitié des juments. Je devrais poursuivre.

Il tenta de la contourner, mais elle se remit en travers de son chemin.

— A présent, nous savons tous les deux que tu es ici pour tenter de nous prendre notre petit ange.

Elle exagéra son accent du Sud et posa un doigt sur son cœur en levant les yeux.

— Tu peux essayer de nous la prendre mais, comme tu peux le voir, elle est très bien gardée aujourd'hui.

Shauna lui désigna les gardes de sécurité, puis…

King Kong.

Ce dernier se tenait dans la direction où il avait vu Weber quelques instants plus tôt. A l'évidence, Lauren lui tenait la main mais il ne la vit pas, à travers la foule. Le colosse dominait tout le monde, et il fut aisé pour John de le garder dans son champ de vision périphérique. Il semblait se diriger, comme la plupart des autres participants, vers l'arène centrale.

— Tu ne me l'enlèveras pas, je te le promets.

— Disais-tu quelque chose, Shauna ? Mince alors ! Je n'en ai pas entendu un seul mot. Je suppose que j'étais perdu dans mes pensées, je me disais que cette jument serait parfaite pour mon cheptel. Excuse-moi.

Feindre de rester sourd à ce qu'elle avait à dire était un choix tactique : pousser Shauna à s'énerver, à commettre une erreur.

Il regarda par-dessus son épaule. Patrick frappa le mur. Il s'était rapproché. Il les écoutait, à coup sûr. Voilà pourquoi Shauna le tannait. Ils espéraient qu'il lâcherait quelque chose.

De nouveau, il tenta de la contourner, mais elle l'agrippa par le bras.

— Tu peux faire semblant de t'en moquer, mais ce garde du corps ne gagnera pas un dollar si Lauren s'éloigne de lui. Je crois que tu as déjà découvert qu'il savait se battre.

Elle toucha le côté de sa mâchoire, là où une ecchymose sombre s'était formée.

— Oh ça ? Je me suis pris une branche d'arbre en traquant un coyote qui harcelait mes bêtes. Il y a une chose que tu dois savoir… je protège ce qui m'appartient.

Il posa les mains sur ses épaules pour l'écarter tandis qu'il passait devant elle.

Un larsen lui vrilla les tympans. Trois voix résonnèrent à plein volume dans son oreille. John se maîtrisa aussitôt. Restait à espérer qu'il n'avait pas grimacé de douleur ou, pis encore, que les personnes autour de lui n'aient pas entendu quelque chose. Mais chacun vaquait à ses occupations. Shauna partit retrouver Weber d'un pas furieux. Quoi qu'aient dit Alicia et Dev, leurs voix furent couvertes par celle de Brian.

— Bon sang, c'était quoi ça ?

— Elle doit porter un micro, suggéra Dev après qu'ils se furent tus.

— Ce ne serait pas étonnant, fit John. Ils n'auront sans doute pas gardé pour eux l'information de ma présence ici.

Brian jura tout bas.

— La police n'aura pas de difficulté à recouper les pistes. Mes empreintes sont fichées, et si tu as laissé les tiennes lors de la fiesta d'hier soir…

— Aucun risque.

— Dans ce cas, soit ils vont à la pêche aux informations, soit ils travaillent avec la police, conjectura Brian.

— Vois-tu Lauren ? le coupa Alicia.

— Elle est assise près du garde du corps. C'est le même homme qu'à McKinney.

— Tu as besoin d'aide ? lui demanda Brian. On s'en tient au plan ou on abandonne ?

— Nous n'abandonnons jamais, intervint Dev avant que John ait pu répondre. Nous nous adaptons à la situation.

— Affirmatif. A présent, une diversion serait la bienvenue.

John pressa le pas. King Kong regardait toujours en direction de Weber. John craignait surtout une chose dans cette opération d'extraction : Lauren et sa mère pourraient le voir échouer.

Hors de question. Il réussirait.

23

— Diversion numéro 1, lancée.

John prêta l'oreille aux signes indiquant que son frère pourrait avoir des difficultés. Un bruit de frottement métallique indiquerait un problème de dispersion de la fumée. La bombe fumigène utilisée par Brian serait non toxique et sans danger. Elle irriterait surtout les yeux.

Il ne fallut pas longtemps pour que quelqu'un signale la fumée grise s'échappant, d'abord discrètement puis à flots, des bouches d'aération. Le fumigène de fabrication artisanale se consumerait assez longtemps pour remplir l'arène. Assez longtemps pour que soient appelées les autorités.

S'ils ne parvenaient à accomplir rien de plus, au moins le cheptel de Roy ne serait-il pas vendu ce jour-là.

Personne ne cria au feu. Personne ne sema la panique. Plusieurs employés dirigèrent avec calme la foule vers les sorties de secours. John sortit son téléphone portable et il chercha une connexion internet. Si quelqu'un lui demandait pourquoi il restait assis dans une pièce remplie de fumée, il saisirait cette excuse pour répondre qu'il ne s'était aperçu de rien.

Tout le monde évacua rapidement les lieux. Leur ruse s'était avérée aussi efficace qu'ils l'avaient espéré. Alicia leur avait demandé à tous trois de lui promettre que personne ne serait blessé. Elle était rongée par la culpabilité après le décès de Tory. Ils lui avaient pourtant dit et répété que Weber avait sans doute projeté d'éliminer les témoins dès le départ. Une option proposée lors de leur réunion de planification du matin avait été d'enlever Lauren et de s'enfuir aussitôt. Mais elle avait été rapidement abandonnée étant donné que la police serait à leurs trousses avant même qu'ils n'atteignent les grands axes. Non, ils devaient provoquer une situation amenant les Weber à être séparés d'elle. Et, pour ce faire, King Kong devrait l'emmener à l'extérieur.

La pièce était emplie de fumée, et ce dernier ne bougeait pas.

Les employés s'efforçaient de l'en convaincre, et Lauren restait assise, étrangement calme, à côté de lui.

L'avaient-ils droguée, menacée ? John serra les mâchoires. Si ces ordures avaient fait du mal à la petite fille d'Alicia, il serait incapable de se maîtriser. Il le jurait, il mettrait à contribution tout ce qu'il avait appris en tant que commando marine. Tous les coups seraient permis.

Lauren toussa et elle se couvrit le visage des mains. *Sors de là. Emmène-la hors d'ici avant que je ne m'en charge moi-même.*

— Monsieur, vous devez vraiment quitter les lieux.

— Pardon ? Désolé, la connexion est lente.

Concentré sur King Kong, John n'avait pas remarqué le jeune homme debout près de lui.

— Y a-t-il un incendie ?

Il chercha Weber des yeux. Ni Patrick ni Shauna n'étaient en vue.

— Savez-vous où je pourrais trouver un responsable ?

Il se moquait éperdument de savoir où les organisateurs de la vente s'étaient repliés. Il voulait garder un œil sur Weber. Il n'aurait jamais cru que ce dernier laisserait Lauren avec une autre personne mais, réflexion faite, ce scénario jouerait indubitablement en leur faveur.

— Je sais seulement que nous devons sortir d'ici.

L'homme posa une main sur l'épaule de John, l'encourageant à partir. Etant donné que le colosse sortait lui aussi, John se décida à s'exécuter.

— Je vous suis.

Dev se manifesta dans l'oreillette.

— La sorcière est assise dans sa voiture, moteur en marche… probablement pour se rafraîchir. Je n'arrive toujours pas à croire qu'il fasse aussi chaud au Texas. Pas de Weber en vue, par contre.

— S'ils prétendent agir en grands-parents soucieux du bien-être de Lauren, pourquoi la laissent-ils seule avec cet homme ? s'indigna Alicia. Et je suis d'accord avec Dev, il fait horriblement chaud ici avec toutes ces couches de vêtements sur le dos.

— Etes-vous en place, infirmière Adams ?

— Oui.

— Vous disiez quelque chose ? lui demanda le jeune homme qui escortait John à l'extérieur.

— Je vous remerciais seulement.

John retourna vers l'accueil pour regarder sortir King Kong. Le colosse avait cédé, John l'avait entendu, après que les employés l'eurent menacé d'appeler la sécurité. Quelques instants plus tard, il apparut, tenant Lauren sur sa hanche.

— Mesdames et messieurs, il n'y a pas de risque d'incendie.

Quelqu'un adressa cette déclaration aux participants.

— Elle semble tellement effrayée, murmura Alicia.

Bizarrement, John entendait distinctement le moindre de ses murmures malgré la foule qui l'entourait. Le reste de l'annonce lui avait échappé, mais il avait dû être annoncé que la vente reprendrait sous peu, car les participants firent demi-tour et se mirent à discuter au lieu de regagner leurs voitures.

— Elle a arrêté de sucer ses doigts il y a des mois.

Le colosse se dirigea vers la voiture stationnée de l'autre côté des bureaux. John aperçut Lauren, les doigts dans la bouche, ses yeux tristes embués par les larmes, non seulement en raison de la fumée mais aussi de ses pleurs.

— Concentre-toi sur ta mission, Alicia. Ne regarde rien d'autre. C'est bien, ma chérie.

John parla dans son téléphone portable pour ne pas avoir

l'air d'un fou. Il regarda la femme pour qui il abandonnerait tout s'avancer vers lui en se dandinant. Une perruque blonde changeait totalement son apparence. Et le rembourrage qui la faisait paraître peser une centaine de kilos y contribuait largement aussi. Seigneur, elle devait bouillir avec tous ces vêtements supplémentaires.

La police et le camion de pompiers arrivèrent pile au bon moment. Les sirènes ajoutèrent au chaos avant de s'arrêter presque aussitôt. Les hommes se précipitèrent hors de leurs véhicules, tâchant d'évaluer rapidement la situation. Les chevaux se mirent à hennir dans l'enclos, s'agitant à mesure que la fumée dérivait dans leur direction et que la foule s'animait.

— Ce sera bientôt à toi, Dev. King Kong est au téléphone. Il se dirige vers la voiture avec Lauren.

John rangea son portable dans sa poche, et Alicia, faisant mine de trébucher, se laissa tomber au sol.

— Avez-vous besoin d'aide, madame ?

En un instant, il fut auprès d'elle. Tandis qu'il l'aidait à se relever, elle glissa son arme à sa ceinture et elle la couvrit avec sa chemise.

— Rappelle-toi, si tout se déroule sans accroc, nous aurons récupéré Lauren avant même qu'ils ne s'en aperçoivent.

Aussi élevée que fût la température, il regretta de devoir la laisser échapper à son étreinte.

— J'espère sincèrement que tu as raison.

— C'est du gâteau.

— *John, je ne peux pas croire que tu aies dit ça*, gémit Dev.

— Pourquoi ? Que veut dire Dev ? lui demanda-t-elle avec le même regard triste et inquiet que sa fille.

La tension et l'angoisse des derniers jours avaient dessiné des cernes sous ses yeux, mais elle était toujours la plus belle femme aux alentours. En tout cas, pour lui.

Il était tombé amoureux fou d'Alicia… l'infirmière, la mère, l'amie. Il reconnaissait volontiers qu'il était subjugué.

Mais à qui pourrait-il en parler ? A son meilleur ami qui tenterait alors de le convaincre de quitter la Marine ? A son frère ? Leur relation s'était améliorée, mais il n'imaginait toutefois pas encore discuter avec lui d'un éventuel avenir avec Alicia.

— *Il va réussir à nous porter la poisse. Désolé de ne pouvoir entrer dans les détails, Alicia, mais un policier se dirige droit vers moi... Excusez-moi, monsieur l'agent ?*

John regarda Alicia dans les yeux.

— Dev n'est qu'un fichu superstitieux, voilà tout. Il pense que ça attire la poisse de dire qu'une opération sera facile.

Il sourit, tentant de la rassurer. Cela avait-il fonctionné ? Il l'ignorait. Ils durent se séparer avant d'attirer davantage l'attention sur eux.

Il n'avait surtout pas envie qu'elle lui demande si les craintes de Dev étaient fondées. Malheureusement, c'était le cas. Il s'était bien gardé de le lui dire, mais il se rappelait comment les choses avaient rapidement dégénéré lors d'opérations qui auraient dû être rondement menées, pourtant.

John resta au centre de tout. Croisant le regard d'autant de personnes que possible. Demeurant bien visible. S'assurant que Brian ne serait accusé de rien. Si les choses tournaient mal, cette fois la faute retomberait sur lui. Pas sur son frère.

Il assista de loin à la performance de Dev. Elle lui parut assez convaincante... du moins, à une distance de cent mètres.

Son ami présenta au policier d'Aubrey sa fausse carte des services de la protection de l'enfance du comté et il pointa du doigt l'endroit où King Kong avait installé Lauren, à l'arrière de la voiture de Shauna. Où Dev s'était-il procuré le matériel nécessaire, oreillette, déguisement, fausse carte pour organiser cette mise en scène en aussi peu de temps, John n'en avait aucune idée. Cela l'amena à apprécier d'autant plus le fait que son ami soit venu lui donner un coup de main et assurer ses arrières.

Le policier fendit la foule, et Dev, déguisé en homme âgé, le suivit. L'officier de police montra le document falsifié de la protection de l'enfance à King Kong qui toqua aussitôt à la vitre arrière de la voiture.

— Pourquoi êtes-vous encore là ?

John se retourna dans la direction d'où on le tirait par l'épaule.

Weber.

— Je sais que c'est vous, la fumée. Mais croyez-moi, quand j'aurais découvert comment vous avez procédé, vous irez en prison et pour de bon.

— Patrick, cela fait un moment. Ravi que les choses aillent si bien pour vous.

— Vous vous fichez de moi ? Je devrais…

— Me frapper ? Ne vous gênez pas.

John aurait aimé cogner le premier. Il avait envie de voir ce pauvre type saigner et le supplier d'arrêter.

— Hé ! John. Du calme, frérot !

Il chassa l'idée de mettre Weber en pièces — pour le moment. Cela lui aurait beaucoup plu, pourtant.

— Tiens-t'en au plan, Johnny, lui recommanda Alicia. Oublie-le. C'est Lauren que nous voulons.

L'objectif du jour était le sauvetage d'une fillette de quatre ans innocente. L'arrestation du meurtrier qui se tenait devant lui viendrait en son temps — et il espérait que ce serait son témoignage qui enverrait cette crapule derrière les barreaux et plus précisément dans le couloir de la mort de la prison d'Etat de Huntsville.

Le portable de la crapule en question se mit à sonner furieusement. S'il pouvait garder Weber occupé cinq minutes de plus, Dev pourrait accomplir sa mission et repartir sans le moindre problème. Shauna affronterait seule le « représentant des services de la protection de l'enfance » venu lui retirer Lauren. S'il s'en mêlait, Weber pourrait bien ralentir Dev. Plus l'on poserait de questions à son ami, plus les choses risqueraient de se gâter.

— Que me voulez-vous, Weber ? Je suis seulement venu acheter des chevaux.

Ce dernier lui bouscula l'épaule.

— Je veux que vous partiez. Votre argent de la drogue n'est pas le bienvenu ici. Vous ne mettrez jamais la main sur les bêtes d'Adams. Le ranch de votre famille a toujours été un élevage de quarter horses de second ordre et c'est ce qu'il continuera d'être.

Weber ôta ses lunettes de soleil. Ses yeux sans vie fixèrent John, et ses lèvres esquissèrent un rictus.

— Mais peut-être avez-vous été trop longtemps absent pour le remarquer, *John* ?

Le poing de John se serra, et l'envie le démangea d'assommer cet individu après lui avoir donné une bonne leçon. A la façon des frères Sloane. Et pour ce qui était de cogner, son frère et lui se ressemblaient bien !

— *Ne fais pas ça, John. Tu te retrouverais en prison avant même de t'en rendre compte. Rappelle-toi, tu es moi.*

— J'ai compris, répondit John à son frère.

Heureusement, la réponse pouvait aussi concerner Weber. Si ce dernier parvenait à le pousser à se battre ou à révéler son identité, il serait plus difficile d'accomplir leur mission.

— Dans ce cas, partez.

Le portable de Weber sonna de nouveau, et il porta la main à sa poche.

Ne le laisse pas regarder qui l'appelle.

— Il y a une chose que je ne saisis pas, Weber.

Même si John s'était décidé à se contenter d'une joute verbale, pour cette fois, son adversaire roula des épaules et se positionna de profil, prêt à lui décocher un coup de poing.

— Je suis impatient d'apprendre laquelle. Comme si votre opinion importait à qui que ce soit ici.

En effet. Il y eut un brouhaha d'approbation dans la foule, lui rappelant une fois encore le passé, l'incendie. John n'était pas sourd aux murmures autour de lui. C'était un peu sa faute si Brian avait dû, pendant si longtemps, mener seul cette bataille.

— Je ne comprends pas comment vous gérez votre ranch,

Weber. Rafraîchissez-moi la mémoire. Sans chevaux, ni bétail, on peut difficilement appeler ça un ranch, vous êtes d'accord ? Mais peu importe. Qui le dirige ? Vous prenez vos ordres de Shauna… ou de son argent, c'est ça ? Quelle impression cela fait-il de vendre les chevaux avec lesquels vous travailliez dans les écuries ?

— Oh ! vous…

John se prépara à encaisser le coup. Il allait rouler au sol directement dans les jambes des participants qui s'étaient rassemblés autour d'eux en les entendant hausser le ton.

— Monsieur Weber, il y a une urgence à votre voiture. On a essayé de vous joindre par téléphone.

Weber avait le poing levé, prêt à frapper, mais il laissa retomber son bras aussitôt et tourna la tête vers le messager.

— *Dev a extrait Lauren. Le policier l'escorte à sa voiture*, déclara Alicia.

— *Tu vois, c'était du gâteau.*

Brian cita le slogan du jour.

— Je ne peux peut-être pas vous faire arrêter, mais je peux au moins faire une chose.

Weber s'épousseta les mains et il interpella l'un des employés, posté à proximité.

— Escortez-le hors de la propriété et veillez à ce qu'il ne revienne pas.

John se dégagea des mains de l'homme qui tentait de « l'escorter » à son pick-up. Il fallait que Dev ait disparu avec Lauren lorsque Weber se rendrait compte qu'il l'avait perdue. John était certain qu'il exploserait et il voulait que des témoins assistent à la scène. Cependant un facteur inconnu demeurait : ils ignoraient si Weber avait, au sein de la police d'Aubrey, des amis susceptibles de retenir un représentant des services de la protection de l'enfance en attendant la confirmation du comté.

Dev devrait donc être hors de vue.

— Prévenez-moi quand ils seront vraiment partis.

— Comment ?

L'homme qui le poussait vers le parking le regarda, perplexe.

— *D'accord*, confirmèrent tous deux Brian et Alicia.

Une nouvelle bourrade entre les omoplates, et John en eut assez.

— C'est bon ! J'avancerai plus vite si je ne trébuche pas chaque fois que vous me poussez. Bas les pattes. Je pars.

La majeure partie de la foule avait migré à la suite de Weber en direction de la prétendue urgence. L'homme poussa de nouveau John.

— Je suis libre ?

— *Affirmatif*, lui répondit son frère, imitant la voix de Dev. *Tout le monde est captivé par le numéro de Shauna.*

— Mon vieux, vous ne serez jamais libre à Aubrey.

L'homme — John crut reconnaître le jeune frère de l'un de ses anciens camarades de classe — le poussa de nouveau.

John ne trébucha pas. Il ne bougea pas d'un pouce.

Mais il fit volte-face.

24

Donny Ashcroft emmena John vers le parking comme Patrick le lui avait ordonné. Il lui donna un autre coup au milieu du dos pour le presser, mais cette fois John ne broncha pas : il fit volte-face et il lui décocha un direct du droit. Donny s'étala au sol. Alicia, qui les observait de l'angle du bâtiment, réprima un rire. Pauvre garçon, sa mâchoire le ferait vraiment souffrir pendant un moment. Ce n'était peut-être pas *fair-play* de frapper quelqu'un par surprise, mais à la décharge de John, il avait demandé à cet idiot de cesser de le pousser. Tant pis pour lui.

— Dev franchit le portail, déclara Brian.

Elle adressa un signe à John afin qu'il sache où la trouver, mais il suivait Patrick. Son visage affichait une expression déterminée. La même que lorsqu'il l'avait emmenée loin de Lauren la veille au soir.

— Sortons d'ici.

Dans l'oreillette, la voix tremblante de Brian trahit clairement son malaise.

John reprit :

— Il faut absolument qu'il ait le temps de tourner au coin de la rue. Nous ne pouvons pas prendre le risque que quelqu'un aperçoive les plaques minéralogiques de la voiture de location.

Il se rua sans attendre dans la foule.

— J'ai une autre grenade fumigène, fit Alicia.

— Utilise-la. Il faut occuper les policiers et empêcher qu'ils ne poursuivent Dev.

— Mais John, Brian est dans l'enclos avec les chevaux et ils sont déjà nerveux.

Dire qu'elle s'inquiétait était loin de décrire le degré de nervosité qui faisait tressaillir son corps. Pendant quelques instants, cette anxiété sembla se dissiper… avant de réapparaître de plus belle. Quand donc sa vie reviendrait-elle à la normale ?

La normale… Sa vie d'avant était-elle si fantastique ?

— Fais-le, lui ordonna John en s'élançant dans la direction où avait disparu Patrick. Nous n'avons pas le choix.

Quelques instants plus tard, la fumée s'éleva en volutes vers le ciel de l'autre côté de l'enclos. Les chevaux se mirent à hennir, en proie à l'agitation. Ils sentaient la fumée et ils ignoraient qu'il n'y avait pas d'incendie. Elle savait ce qu'ils ressentaient, terrifiés par l'inconnu. Son déguisement de fortune gênait ses mouvements et l'étouffait par cette chaleur. Sans parler de cette horrible perruque qui la démangeait. Elle mourait d'impatience de se délester de ces artifices et de retrouver Lauren. Mais avant cela, ils devaient déjà laisser à Dev le temps de s'enfuir.

Quant à elle, elle ne pouvait rien faire d'autre que rester sur la touche et attendre.

L'expression de John après qu'il eut assommé Donny lui rappela d'autres souvenirs que ceux des moments où Lauren lui avait été arrachée et où Tory était morte. A présent, elle avait perdu de vue les deux frères et elle avait peur de ce que John pourrait faire. Elle entendit du bruit et crut saisir des mots dans l'oreillette, mais pas assez distinctement pour qu'elle puisse les comprendre.

Dev était retourné à sa voiture et l'officier de police avait rejoint les pompiers qui revenaient de l'enclos. Elle se joignit à la foule et elle eut recours à la bonne vieille communication de vive voix pour apprendre de quoi il retournait.

— Que se passe-t-il ?

Elle ne s'adressa à personne en particulier et reçut néanmoins une avalanche de réponses.

— Il y a une bagarre.
— C'est Sloane et cet énorme type.
— N'est-ce pas le garde du corps de Weber ?
— J'ai entendu dire que la police avait emmené Lauren Adams.
— Shauna doit être effondrée.

Une fois que les gens s'étaient lancés dans les commérages, on ne pouvait plus les arrêter. Certains prêtaient foi à la propagande des médias. D'autres ne croyaient pas un mot de ce qu'ils voyaient ou entendaient à la télévision. Tous s'étaient agglutinés dans l'espoir de voir la bagarre qui opposait John à celui qu'il appelait « King Kong ».

Un « Oh ! » collectif secoua l'assistance, témoin d'un premier coup de poing. Tout ce que put apercevoir Alicia fut deux bras s'élevant dans les airs.

— John ?

Ce petit cri lui avait échappé bien malgré elle.

Elle demanda sur un ton plus audible :

— Qui a l'avantage ?

Elle était incapable de voir au-dessus des têtes des spectateurs devant elle. Il fallait qu'elle sorte de là avant de s'évanouir du fait de la chaleur et du manque d'air.

— Je ne peux te l'affirmer de façon certaine, mais je pense que John est en train de recevoir une correction.

La voix de Brian surgit dans sa tête comme celle d'un DJ sur une radio. C'était une étrange sensation d'avoir quelqu'un qui vous parle à l'oreille. En même temps, cela procurait aussi un sentiment de réconfort de savoir cette personne à vos côtés. Alicia aurait voulu lui jeter un regard incendiaire mais, en dépit de ses propos un peu moqueurs, sa voix amicale — si semblable à celle de John — la rasséréna.

— Qu'est-ce qui lui est passé par la tête ?

— Je ne crois pas que l'idée soit venue de lui. Mais c'est précisément la diversion qu'il nous fallait pendant que les pompiers dispersent la fumée. Tout ira bien pour lui, Alicia. Ne t'inquiète pas.

— Dev est-il parti ?

— Je ne vois aucun signe de la voiture, et la fumée semble avoir convaincu la police de s'occuper de choses sérieuses au lieu d'obéir à Patrick, la rassura Brian.

— Les policiers voudront peut-être tempérer l'ardeur de la foule au lieu de se contenter d'assister à la bagarre.

Alicia se fraya un chemin jusqu'à la barrière du corral sur laquelle plusieurs hommes s'étaient juchés afin d'avoir une meilleure vue. Les chevaux se serraient les uns contre les autres, et si l'un de ces hommes tombait sous leurs sabots… Eh bien, il ne devrait s'en prendre qu'à lui-même s'il était blessé.

— Nous devons mettre un terme à cela avant que quelqu'un ne soit blessé.

— Je ne suis pas sûr que nous le puissions. John m'a dit de te faire sortir d'ici.

— Eh bien, viens me chercher, le nargua-t-elle, sachant qu'il ne pourrait la rejoindre.

Ils se retrouveraient tous en prison s'il le faisait. Mais, même s'il l'avait pu, Brian aurait dû entraîner Alicia de force. Elle ne pouvait s'enfuir en abandonnant John. Lui-même ne ferait jamais une telle chose si elle était en danger.

— Il semble que deux clans se soient constitués… selon que les participants soient pour ou contre John. Si nous n'y prenons pas garde, il va y avoir une émeute.

Personne ne pouvait entendre Alicia parler en raison du brouhaha de la foule.

— N'est-ce pas agréable de savoir que tant de personnes se soucient de Lauren et de toi ? lui demanda Brian.

— J'ai aussi entendu des commentaires sur toi, tu sais.

— Allons bon.

De loin, elle vit ce haussement de sourcils typique des frères Sloane, qui signifiait : « Est-ce vraiment important à ce stade ? » Ça l'était, oui. Simplement, ils n'avaient pas le temps d'en parler.

— Comment allons-nous mettre fin à cette bagarre ?

La vente aux enchères avait attiré les propriétaires de ranchs de plusieurs villes, toutefois il y avait encore de nombreux habitants d'Aubrey qui se pressaient pour voir « Brian » Sloane recevoir une raclée. Peu leur aurait importé de savoir qu'il s'agissait de John en fait. Leurs concitoyens estimaient les deux frères Sloane responsables de la mort d'une enseignante très appréciée. Lorsque certains ouvrirent l'enclos, déplaçant la bagarre au beau milieu des chevaux déjà paniqués, elle comprit que les choses allaient mal se terminer.

Si King Kong ne tuait pas John, les chevaux le feraient. Et les deux tiers de l'assistance ne lèveraient pas le petit doigt pour empêcher cela.

L'oreillette grésilla.

— Nous ne pouvons montrer nos visages, Alicia. Pense à la sécurité de Lauren.

— Mais…

— Tiens-t'en au plan. C'est à ton tour de quitter les lieux.

« Tiens-t'en au plan. » Elle aurait cru entendre John donner un ordre !

— Et ensuite ?

— Pardon ?

Brian n'était pas seul à prêter attention à ce qu'elle disait. Ses voisins immédiats l'avaient regardée à une ou deux reprises pour voir si elle leur parlait.

— Et ensuite ? Nous attendons qu'il soit jeté en prison ou pire ?

Elle tapota la jambe de l'homme assis le plus près d'elle sur la clôture et elle le reconnut. Dusty Philips avait déjà acheté plusieurs chevaux à Roy.

— Monsieur Philips, je vous en prie, ne pouvez-vous pas faire quelque chose pour arrêter cela ?

— Pourquoi le voudrais-je ? lui répondit-il, avant de tiquer. Alicia, est-ce que c'est vous ? Je vous croyais… Que diable portez-vous là ?

Les deux hommes avaient roulé au sol, et elle les voyait

mieux à présent. La foule scandait des encouragements. King Kong écrasait de son avant-bras le larynx de John, l'étranglant.

— Peu importe, ne pouvez-vous pas l'aider ? S'il perd conscience, les chevaux le piétineront.

— Sors de là ! hurla Brian à son oreille. Cet homme te connaît. John me fera bien pire que cela si tu te fais prendre.

Dusty secoua la tête et il serra plus fort la barrière.

— Les policiers sont juste là, pourquoi ne pas le leur demander ?

— Vous savez qu'ils ne l'aideront pas. Personne ne va-t-il mettre fin à cela ?

— Si, moi, Alicia, intervint l'épouse de Dusty. Quiconque vous a vue avec votre petite fille sait qu'il est impossible que vous ayez fait ce dont on vous accuse. Bonne chance pour mettre les choses au clair. Viens, Dusty.

Le couple enjamba la barrière et sauta au milieu des chevaux. Alicia n'était pas inquiète pour eux. Dusty et Carla vivaient au contact des chevaux depuis leur naissance. Carla était championne de *barrel racing*, et Dusty tenait tête régulièrement à des taureaux. Ils traverseraient plus vite l'enclos que n'importe qui dans cette foule.

Alicia n'avait aucune idée de ce que comptait faire Carla. John était un commando marine surentraîné et il n'était pas parvenu à se libérer.

— Il est temps de mettre fin à ça, les gars ! lança Carla aux policiers. Craig, David, Kerry, venez, ce n'est pas juste. Vous allez le laisser se faire étrangler ?

Les trois hommes sautèrent dans la terre meuble et ils se joignirent à Dusty. Il fallut leurs efforts à tous les quatre réunis pour parvenir à faire bouger le colosse.

— Allez-vous vraiment rester là à ne rien faire ?

Leur faisant honte, Carla persuada l'officier de police en chef et le garde de sécurité de leur prêter main-forte eux aussi.

Des spectateurs sautèrent de la barrière et ils l'ouvrirent pour les deux hommes.

— Rappelle-toi, Brian. Ils pensent que c'est toi qui te trouves là.

John avait raison. King Kong était incroyablement fort et il n'était pas le moins du monde disposé à renoncer. John se contorsionnait, lui donnant des coups de pied, le souffle court.

Alicia se sentit défaillir. Etait-ce l'effet de la panique ? Elle eut la sensation de manquer d'air, elle aussi.

Les hommes s'évertuèrent à faire lâcher prise à King Kong. Alicia tendit la tête. John était libre ! Ce n'était pas trop tôt. Il inspira une grande goulée d'air. Elle aussi recouvra sa respiration. Le simple fait d'avoir retenu son souffle la laissa étourdie. Comment se sentait John ? Il ne se démonta pas. Une fois debout, il leva les poings, attendant le deuxième round.

— Viens, Alicia. La police peut se charger du reste. Nous devons sortir d'ici.

— Euh… Je suis en quelque sorte retenue sur place.

Tout le monde voulait voir ce qui se passait, et elle se retrouva coincée contre la barrière. Quatre hommes parvenaient à peine à maîtriser le colosse qui avait failli tuer John. Elle eut l'impression que l'officier de police tentait de procéder à l'arrestation du gigantesque homme de main.

Tandis que John battait en retraite parmi les chevaux nerveux, il la regarda, pointa un doigt sur son oreille et il secoua la tête.

— Je pense que John ne nous entend plus.

— Dois-je venir te chercher ? lui proposa Brian.

A la base, elle n'aurait pas cru qu'une centaine de personnes dans une arène ouverte puissent piétiner quelqu'un. Mais, confinée comme elle l'était dans son déguisement, elle commençait à se sentir prise au piège. Si elle arrivait à l'enlever et à se glisser entre les barreaux, elle pourrait se cacher derrière les chevaux et rejoindre John à l'intérieur du bâtiment.

— Pars, Brian. Ça ira, je te rejoindrai.

Dieu merci, elle portait un pantalon de yoga et un petit haut sous l'encombrant déguisement. Il lui fallut plus longtemps qu'elle ne l'aurait voulu pour s'en débarrasser, comprimée comme elle l'était, néanmoins elle y parvint. Même le contact du métal brûlant de la barrière sur sa peau lui sembla plus frais que ne l'avait été son confinement dans ces couches successives de vêtements. Elle aurait probablement pu repartir par là où elle était arrivée, mais cela lui aurait fait prendre un plus grand risque que si elle se mêlait aux chevaux. Les Philips s'étaient faufilés tellement rapidement parmi eux : autant suivre leur exemple.

C'était du gâteau, comme l'aurait dit John.

Les superbes bêtes que les Adams avaient mis des décennies à acquérir faisaient le tour de l'enclos, toujours nerveuses mais se calmant à mesure que la fumée se dissipait.

C'était le moment idéal. Tous les yeux étaient braqués sur King Kong, que les policiers entraînaient en direction de leur voiture. Elle se glissa entre deux barreaux, emportant ses vêtements roulés en boule. Enfin, elle était libre. Elle se pencha autant que possible, s'efforçant de rester à couvert derrière les chevaux.

Elle touchait au but. Elle repéra la porte menant aux box individuels. Elle était presque arrivée lorsque les chevaux cessèrent de décrire des cercles et se ruèrent tous en direction de l'entrée. Des éclats de voix incompréhensibles s'élevèrent au-dessus des hennissements craintifs et des piaffements irrités des animaux. Elle resta rivée au sol, ignorant dans quelle direction les chevaux se déplaceraient ensuite.

Des coups de feu. Deux, puis trois détonations.

Les hennissements redoublèrent d'intensité. Les chevaux

voulaient échapper au danger et ils partiraient en cavalcade d'un instant à l'autre. Près d'elle, une jument se cabra. Alicia se figea, la regardant fixement fouetter l'air de ses antérieurs.

25

La voix de John était restée bloquée dans sa gorge. Peut-être King Kong lui avait-il sectionné les cordes vocales car elles refusèrent de fonctionner. Ni avertissement. Ni question. Rien. Ce fut lorsqu'il vit Alicia s'effondrer au sol que, pour la première fois de sa vie, la peur le pétrifia.

Il s'était trouvé pris dans des échanges de tirs au beau milieu du désert afghan sans que cela lui cause une telle frayeur. La jument lui avait-elle donné un coup de sabot ? Etait-elle inconsciente ? Recroquevillée au sol, elle avait couvert sa tête de ses bras. Elle-même était ensevelie sous des sweat-shirts colorés, des T-shirts et des pantalons de pyjama. Cela semblait presque irréel, et s'il n'avait pas été paralysé par la peur qui pulsait dans ses veines, il aurait pu se demander s'il ne s'agissait pas d'un rêve.

Non, c'était réel. Dev et ses fichues superstitions ! Alicia n'avait pas bougé. S'il se mettait à crier afin de vérifier si elle était consciente, il ne réussirait qu'à affoler les chevaux un peu plus. Tout aurait été plus facile s'il n'avait pas perdu sa maudite oreillette dans la bagarre.

D'un coup d'œil, il évalua la situation. Le portail du corral était fermé. King Kong était coincé dans la voiture de police. Pour une raison qu'il ignorait, les policiers emmenaient Shauna, qui se défendait comme une tigresse, invectivant Weber. Lauren était en sécurité… Dev le lui avait confirmé par SMS juste avant. Il avait entendu des coups de feu. Aucun signe d'un homme à terre ni d'une poursuite.

La jument frappa de nouveau le sol de ses sabots. De l'autre côté de la barrière, certaines personnes commencèrent à pointer du doigt la pile de vêtements. Soudain, Alicia remua les doigts, John le vit. La jument s'en aperçut elle aussi.

— Ne bouge pas, mon ange. Je te rejoins. Reste calme.

Les chevaux poursuivirent leur ballet. Plusieurs hommes, de l'autre côté de l'enclos, faisaient de leur mieux pour apaiser les bêtes. Mais ils ne pouvaient atteindre Alicia. Il était sa seule chance.

Au moindre mouvement de celle-ci, les vêtements colorés s'agiteraient, et la jument prendrait peur de nouveau.

— Tout doux, ma belle, chantonna-t-il, s'adressant à Alicia tout autant qu'à la jument. Reste tranquille… j'y suis presque.

Tous les chevaux portaient des licols afin que l'on puisse les attraper aisément dans l'arène. Il suffisait qu'il s'en saisisse… La jument se cabra et elle lui échappa.

— Je suis près de toi. Tu m'entends, chérie ? Tu vas bien ?

— Oui, chuchota-t-elle.

— J'essaie d'attraper son licol. Tu sais que quand je le saisirai, il se peut qu'elle donne une ruade, alors prépare-toi. Vois-tu ses sabots ?

— Je suis prête.

— Super. Encore un pas. Et… je l'ai !

La jument se mit à se débattre, donnant des coups de sabots dans toutes les directions, mais il parvint à l'acculer contre la barrière, contenant au maximum ses mouvements pour protéger Alicia.

— Tu peux te relever, maintenant. Sortons d'ici. Lauren est en sûreté. Il est temps qu'il en soit de même pour sa maman.

Elle s'assit, un sweat-shirt jaune vif tomba par terre, et des applaudissements retentirent. Tout le monde regardait John, ce ne fut qu'à ce moment-là qu'il le remarqua. Les deux cow-boys venus lui prêter main-forte calmaient les chevaux et les ramenaient dans leurs box. L'un d'eux vint chercher la jument effrayée.

John ouvrit les bras et il y attira Alicia, l'embrassant aussitôt. Ce baiser l'apaisa, et il espéra qu'il en serait de même pour elle. Peu lui importait qu'elle soit prête ou non. Il refusait de la perdre. Il fallait qu'elle sache qu'elle lui appartenait.

— Ne me fais plus jamais une telle frayeur.

Il aurait voulu la secouer jusqu'à ce qu'elle le lui jure, mais il recommença plutôt à l'embrasser. Et elle répondit sans équivoque à son baiser.

Les applaudissements redoublèrent.

— Waouh !

— Je suis d'accord. Peut-être l'assistance pense-t-elle que je suis Brian, mais je m'en moque. Dev a envoyé un message aussitôt qu'il est arrivé en lieu sûr avec Lauren. Hé ! mais tu ne prends pas du tout appui sur ton pied gauche.

— Non, la jument a marché…

Il la souleva dans ses bras, laissant les sweat-shirts et pantalons de pyjama à terre. Elle noua ses bras autour de son cou tandis qu'il regagnait à grands pas l'intérieur du bâtiment.

— Peux-tu me dire ce qui t'a pris d'aller te balader au beau milieu d'un troupeau de chevaux paniqués ?

Il ne résista pas à l'envie de poser ses lèvres sur son front, là où une boucle de cheveux avait échappé à sa pince.

— Je ne suis allée me balader nulle part. J'essayais juste de me soustraire à cette foule pour te suivre.

— Tu as de la chance qu'ils n'aient piétiné que ta cheville et pas ton crâne.

Il poursuivit son chemin vers la porte latérale des écuries avec la ferme intention de l'emmener aussi loin que possible. Tout le monde à la vente aux enchères savait maintenent Alicia présente. Et il ne faudrait pas longtemps avant que la confirmation ne tombe que Lauren n'avait pas été emmenée par les services de la protection de l'enfance.

— Je pense que tu peux me reposer, maintenant.

Elle blottit sa tête dans le creux de son épaule, message

sans ambiguïté : elle se sentait particulièrement bien, lovée entre ses bras.

Bien que las et physiquement épuisé, il était plus qu'heureux de la serrer contre lui. Il eut terriblement envie de la poser et de l'embrasser jusqu'à lui faire tout oublier.

— Allons-y. Après tout ce que nous avons traversé, je ne veux pas que Brian ou toi soyez arrêtés. Ni que vous attendiez dans une cellule de prison pendant que la police démêle toute cette affaire. Une fois qu'elle aura établi le lien entre ses empreintes et la maison des kidnappeurs, King Kong se mettra à table pour obtenir une réduction de peine, reliant Weber au meurtre de Tory. Ensuite Weber…

— Weber fera quoi ?

John fut stoppé net dans son élan.

Weber était appuyé contre le mur des écuries, un employé de la vente étendu, inconscient, à ses pieds — et il pointait sur eux un Glock 9 mm.

— Il se pourrait que Weber vous brûle la cervelle, à cet instant précis, pour se défendre. Ou alors qu'il attende. Savez-vous quel sera son choix, John ?

Weber était un meurtrier qui ne correspondait pas à un profil déterminé. Impossible de prévoir ce qu'il ferait, ni quand il passerait à l'acte. Il pouvait appuyer sur la détente sur un coup de tête. C'était le genre de prise de risque que John appréhendait davantage que des chevaux piaffant dans un corral.

— Que voulez-vous, Patrick ? lui demanda Alicia, resserrant son étreinte autour du cou de John.

— Moi ? Je ne veux absolument rien. Je m'emploie à capturer les fugitifs qui ont dupé les autorités, enlevé ma petite-fille par alliance de quatre ans et qui ont poussé mon épouse à tirer sur notre garde du corps.

— Voilà pourquoi on lui a mis les menottes.

Alicia parut un peu étonnée.

— C'est elle qui a tiré les coups de feu et elle a été ensuite arrêtée. Oh mon Dieu ! c'est horrible. Quelle surprise !

John vit bien qu'elle réprimait un sourire. Elle était contente que Shauna soit en garde à vue.

Weber leva les yeux au ciel et il agita son arme d'un geste désinvolte.

— Je vois que vous êtes tous séparés. Vous ne vous échapperez pas cette fois. Avoir un véhicule caché dans les environs, comme hier soir, ne vous aidera pas aujourd'hui.

— Ma voiture est garée sur le parking avec les autres, les clés sont sous le tapis. Je dis cela pour le cas où vous auriez besoin d'une voiture pour vous enfuir. Je suis sûre que vous vous inquiétez de ce que votre complice, le colosse, pourrait raconter à la police.

Alicia baissa les bras, les laissant glisser le long du dos de John.

Tournant son regard vers lui, elle articula en silence : « Repose-moi ». Tandis qu'il la posait doucement à terre, elle glissa sa main sous le pan de sa chemise et elle s'empara du SIG qu'elle lui avait apporté un peu plus tôt.

— Pensez-vous vraiment que personne ne vous arrêtera, Patrick ? demanda-t-elle à Weber en lui faisant face, gardant l'arme pressée contre le dos de John. De très nombreuses personnes connaissent à présent la vérité. Vous ne pourrez pas toutes les faire taire.

Comment faire pour que John ait l'arme en main et puisse nous défendre ?

— Vous êtes d'un tel ennui, Alicia. Lâchez cette arme que vous tentez si visiblement de prendre et finissons-en.

Alicia laissa tomber le SIG par terre avant même que John ait pu nier son existence. Le revolver rebondit entre ses pieds.

— Poussez-le du pied et avançons.

John poussa le pistolet à une cinquantaine de centimètres devant lui. A cinquante centimètres seulement. Il aurait pu plonger à terre et tirer plusieurs balles, mais le psychopathe qui pointait son arme sur Alicia aurait déjà appuyé sur la détente.

— Où allons-nous ? lui demanda-t-elle.

— Faire la conversation est une stratégie tellement fatigante. Cela ne m'empêchera pas de vous tuer.

— Il ne manquerait plus que cela !

— Comment ? s'exclama John, de concert avec Weber, surpris.

— Eh bien, d'une part, cela indiquerait que vous êtes stupide. Et je ne pense pas qu'aucun de nous soit stupide.

Elle fit face à John et articula toujours en silence : « Joue le jeu. »

Elle se remit une mèche en place derrière l'oreille avec une lenteur calculée.

— Téméraire et entêté, peut-être, mais pas stupide.

Elle tentait de parlementer avec Weber. Cherchait-elle à gagner du temps ?

— Vous savez quoi, Patrick ? Je suis fatiguée et j'ai chaud. Je vais m'asseoir là sur ce coffre de sellerie jusqu'à ce que vous décidiez où nous sommes censés nous rendre. Tu n'es pas fatigué, Brian ?

Elle adressa à John un signe de tête et elle tapota le bois près d'elle avec insistance. Il saisit l'allusion. Elle mijotait quelque chose. Elle l'attira près d'elle, l'arme toujours posée par terre, juste hors de leur portée.

Et soudain, il comprit. Son émetteur-récepteur fonctionnait toujours. Brian devait lui donner des instructions en coulisses.

— Levez-vous. Les mains bien en vue, John. Vous êtes John. Ne prenez pas la peine de le nier.

— Qui le nie ?

Il haussa les épaules et ne bougea pas.

— Ça fait du bien de s'asseoir et de se reposer un instant. Il fait tellement chaud, là-dehors, et j'ai mal aux pieds, ils ne sont pas habitués aux bottes.

— Relevez-vous. Tous les deux. Maintenant !

— Je ne crois pas, Patrick.

Alicia regarda ce dernier fixement, puis elle tapota la

jambe de John et se massa le mollet. Elle jeta un coup d'œil appuyé à ses chaussures. *Message reçu.* Glissé dans sa chaussette, caché sous son pantalon de yoga ample, se trouvait un joli petit pistolet à canon court. « Mesure de sécurité », avait dit Dev. Une chance qu'elle ne l'ait pas perdu dans le corral ! Toujours assise, elle replia les jambes sous elle pour se frotter sa cheville endolorie — et fit discrètement glisser l'arme derrière elle.

— Je t'aime, lui déclara John, se moquant de qui pourrait l'entendre.

Elle lui sourit, sûre qu'il réglerait le problème.

Il glissa sa main sur la sienne et il prit l'arme. D'un geste, il la braqua sur Weber.

— Nous allons gentiment attendre la police ici. A moins que vous soyez assez fou pour appuyer sur la détente et fuir les policiers qui sont vraisemblablement déjà en chemin. Mais Alicia et moi, nous ne bougeons pas de là.

Weber parut déstabilisé, comme s'il tentait de déterminer à quel jeu ils jouaient. Soudain, quelque chose assombrit son regard. Sa confusion se dissipa, et il redevint l'individu patibulaire de la veille au soir. Il posa les yeux sur John.

— Pauvres imbéciles entêtés !

— Je vous ai pourtant prévenu, Patrick, que nous n'étions pas stupides. Pourquoi vous faciliterions-nous la tâche ?

John perçut la brève indécision de Weber. Une microseconde durant laquelle il comprit que ce dernier était fatigué de ce petit jeu et qu'il allait appuyer sur la détente. Il leva le pistolet à canon court, poussa Alicia en arrière, l'écartant du coffre de sellerie, et il se jeta sur elle.

Il entendit la détonation de l'arme de Weber, il vit l'effet du recul sur son avant-bras. Le temps sembla se figer. En alerte, John anticipa où la balle terminerait sa course. Trop bas. Le bois vola en éclats.

Weber s'avança vers eux et tira de nouveau. John plaqua de nouveau Alicia au sol et fit feu dès que Weber entra dans son champ de vision.

La balle atteignit Weber à l'épaule. Son arme se retrouva au sol, et il tomba à genoux. Mais cela ne s'arrêta pas là. Il ramassa le Glock… et il le dirigea vers sa tempe.

Si Weber comptait ainsi échapper à la justice, il se trompait. John témoignerait à la barre et enverrait ce malade derrière les barreaux. Au tribunal ensuite de décider de son châtiment.

— Vous ne vous en tirerez pas…

John fit de nouveau feu.

— … aussi facilement.

L'arme tomba une nouvelle fois au sol. Toujours bien vivant, après avoir été la cible de deux tirs, Weber s'effondra.

— C'est terminé ? demanda Alicia, toujours sous lui.

— Désolé, ma chérie.

Il se releva et l'aida à faire de même.

Brian arriva en courant, le souffle court.

— Bon sang, où étais-tu ? demanda John à son frère.

Le shérif Coleman le suivait à petites foulées et il poursuivit sa course jusqu'à Weber.

— Il est en vie, lança-t-il dans l'émetteur fixé à son épaule. Où est l'ambulance ?

— Il a plutôt intérêt à être en vie. Mon unité m'aurait retiré mon insigne de tireur d'élite si je l'avais tué sans le vouloir.

— Il a tué Tory et il a orchestré l'enlèvement de Lauren, déclara Alicia. Il se peut qu'il ait également assassiné Roy. Shauna est tout aussi coupable et elle voulait nous tuer. Elle était au courant de ce qui se passait, Ralph. De tout. Et…

Elle se retourna vers Brian, reprenant enfin sa respiration.

— Où est Lauren ? Quand pourrai-je la voir ?

— Waouh ! doucement Alicia. Tout va bien, lui assura Brian. Dev est en route pour le ranch. Il y arrivera avant nous.

— Merci, mon Dieu. Mais la police ignore ce qu'ils ont fait. A qui devons-nous expliquer ces choses ? Pourrai-je voir Lauren avant que l'on n'enregistre nos dépositions ?

— J'ai le sentiment que la police est déjà au courant. Sinon, elle nous arrêterait. N'est-ce pas, shérif ?

Celui-ci leur adressa un clin d'œil.

Lauren était saine et sauve, et John voulait Alicia un moment pour lui tout seul. Avant qu'ils ne doivent faire leurs dépositions et expliquer pourquoi ils avaient évité la police.

— Shauna et King Kong clament leur innocence. Ils affirment que tout était l'idée de Weber depuis le début. Incluant le prétendu suicide de Roy.

Brian lui fit signe qu'ils devraient s'éclipser pendant qu'ils le pouvaient.

— Peut-être devriez-vous tous deux vous sauver avant que la police ne se rappelle qu'elle doit vous parler. Je pense qu'il y a une petite fille à la maison qui se languit de sa maman.

— Oui.

Brian tendit la main à John pour l'aider à se relever et il lui donna une rapide accolade.

C'était le pas en direction de la réconciliation qu'attendait John. Mais il devait d'abord s'assurer d'une chose.

Se rappelant qu'elle avait du mal à marcher, il souleva une nouvelle fois Alicia dans ses bras. C'était bien plus simple pour elle — et bien plus agréable pour lui.

— As-tu besoin qu'un médecin examine ta cheville ?

— Elle est seulement contusionnée et risque d'être un peu endolorie. Je peux marcher, je t'assure.

— Hors de question. Tu as toujours ton oreillette ?

— Oui. Il t'a fallu longtemps pour t'en rendre compte.

— Rends-moi un service.

— Tout ce que tu voudras.

Elle se lova contre lui et elle déposa des baisers légers dans son cou.

— Rends l'oreillette à Brian. Dev va déjà me remonter les bretelles pour en avoir perdu une. Je n'imagine pas ce qu'il me ferait si j'en perdais deux.

— Mais je n'ai pas perdu la mienne.

Brian s'avança néanmoins vers elle pour la lui reprendre.

— Qui sait où elle risque de se retrouver dans un moment.

— Où m'emmènes-tu ? demanda-t-elle à John d'un ton suave, resserrant son étreinte autour de son cou.

— Est-ce si important ?

Elle lui répondit d'un sourire. Elle ne chercha pas d'excuse ni ne tenta de le convaincre de rester pour parler au shérif ou à la police. Il y avait une voiture sur le parking. Il lui avait dit qu'il l'aimait. Il était temps à présent de découvrir si cela suffisait.

— Peut-être es-tu prête… ou non, Alicia. Mais je me lance.

26

— Johnny Sloane, essaierais-tu de m'attirer sur la banquette arrière de ta voiture ? Rappelle-toi juste que ça n'a même pas fonctionné au lycée. Je suis flattée, mais j'aimerais vraiment voir ma fille.

Alicia plaisantait, mais elle n'avait aucune idée de l'endroit où ils allaient. La climatisation poussée au maximum avait un effet très agréable. Du moins n'avaient-ils pas la sensation de se liquéfier en raison de la chaleur.

— J'ai seulement besoin de deux minutes en privé avec toi. Rien que deux minutes. C'est promis, lui dit-il en mordillant le bout de ses doigts qu'étreignait sa main puissante. Je ne pense pas qu'aucun de nous ne s'y trouverait aussi confortablement installé que lorsque nous étions adolescents.

Il tourna en direction du ranch. Toutefois, il ne lui avait pas donné l'impression jusque-là qu'ils rentraient directement à la maison. Peut-être avait-il changé d'avis et la ramenait-il après tout à Lauren.

— Je suis prête. J'avais tort hier soir, ou plutôt ce matin, enfin… quand nous étions dans ce champ.

Il lui embrassa le dos de la main.

— Je le sais.

— Où allons-nous ?

— Il y a une chose que je dois faire ici.

— Mais c'est…

L'incendie.

— Oui, c'est ici que vivait Mme Cook.

— Pourquoi as-tu besoin de venir sur le lieu de l'incendie ?

— Pour boucler la boucle. Tourner la page. Ça me semble approprié.

Il s'arrêta dans le champ où ils se garaient étant adolescents. A l'époque, l'ancienne grange avait été totalement dévastée par les flammes. Les décombres avaient été évacués. Mais il restait un arbre à l'aspect familier et un mur de pierre vers lequel il emmena Alicia.

Le dernier endroit où ils s'étaient disputés. Il proposa de la porter, mais elle voulut marcher pour se donner le temps de réfléchir. Elle l'avait écouté, alors, tout en souhaitant qu'il reste au Texas, que sa vie ici lui suffise.

John la souleva pour la percher au sommet de l'antique mur de pierre. Il était en grande partie en ruine, et les débris jonchaient le sol à leurs pieds. Néanmoins, ils pouvaient encore s'asseoir comme ils le faisaient quand ils parlaient d'aller voir des pays lointains… de partir.

— Il y a douze ans, je suis parti sans te dire au revoir comme il fallait. Je pensais que nous avions rompu et je n'ai pas vraiment trouvé utile de tenter de m'excuser. Je reconnais que je me suis montré arrogant et que l'idée d'avoir une petite amie au pays n'était pas ma priorité. Bon sang, j'avais dix-huit ans !

— C'est bon, je…

— C'est à mon tour, Alicia.

Il sembla troublé, mais il ne détourna pas les yeux.

Quoi qu'il ait à lui dire, c'était important. Lauren était saine et sauve, et John comptait pour elle. Elle pouvait donc prendre le temps de l'écouter avant qu'ils ne rentrent au ranch.

— A l'époque, j'étais un jeune homme meurtri. Je suis désolé. J'ai fait le tour du monde et je suis de retour, ma chérie. Et je sais que cela te paraîtra étrange, mais je suis prêt à rentrer à la maison. Tu peux prendre tout le temps nécessaire pour t'y préparer. Je serai là quand tu t'estimeras prête. Je t'aime. Je t'ai toujours aimée.

— Est-ce à mon tour à présent ?

Il se mit à rire et il hocha la tête, gardant toujours ses mains dans les siennes.

— Je m'attendais un peu à quelque chose de ce genre lorsque nous sommes partis. Je veux dire, tu m'as déclaré que tu m'aimais, face à Patrick. Et tu l'as aussi prouvé à travers tes actes… par le fait de tout risquer, pour Lauren et moi, comme tu l'as fait. Au cours de ces derniers jours, tu m'as démontré, à de nombreuses reprises, que tu m'aimais.

— Je suis ravi d'avoir fait quelque chose de bien.

— Je ne voulais pas éprouver ce type de sentiments. Mais pas pour les raisons que tu imagines. Je n'arrêtais pas de penser que ce serait déloyal vis-à-vis de mon mariage. Ensuite Brian m'a convaincue que Dwayne serait heureux que nous soyons ensemble. Il a raison. Dwayne souhaiterait que je sois heureuse. Il voudrait notre bonheur à tous. Je suis tout à fait prête à t'aimer, John.

Il la reposa au sol et il l'embrassa. Dès l'instant où leurs lèvres se touchèrent, un désir dénué de culpabilité prit le pouvoir. Plus d'angoisse ni de questions. Etre avec lui représentait son avenir. Elle en avait la certitude.

— Vas-tu rester dans les parages pendant un moment ?

Dans le cas contraire, elle était déterminée à vivre là où il serait en poste.

— Tu n'as pas à abandonner ta carrière dans la Marine, à moins que ce ne soit ce que tu veuilles vraiment.

— Je suis de retour, et pour de bon, crois-moi. Nous devrions rentrer à la maison maintenant. Tu dois me présenter à Lauren.

— Elle va adorer avoir un papa.

La maison. Elle était encombrée d'objets et de meubles, et John l'adorait. Il y régnait une odeur de poulet frit, de sauce blanche et de cookies au beurre de cacahuètes… la recette de sa mère. Mabel avait commencé à préparer les nuggets de poulet aussitôt que Dev avait remonté l'allée avec Lauren. A présent, la petite fille, qui serait bientôt comme son enfant, s'était endormie dans ses bras, une moustache de chocolat au-dessus de la lèvre.

C'était une fillette très courageuse et elle avait grimpé de son plein gré sur ses genoux. Cela avait peut-être aidé qu'il ressemble trait pour trait à Brian, qu'elle avait connu toute sa jeune vie. Un jour, peut-être, elle l'appellerait « papa », et ce jour-là il accepterait avec joie toute la confiance et tout l'amour qu'elle partagerait avec lui.

— Tu as de la chance que je ne te dispute pas le droit de tenir ma fille chérie.

Alicia embrassa le front de Lauren puis celui de John tandis qu'elle se perchait près de lui sur l'accoudoir du fauteuil.

— Je pensais t'en laisser l'occasion.

Il pencha la tête en arrière et fut récompensé par un long baiser. Chose dont il ne se lasserait jamais. Il baissa la voix de façon à n'être entendu que d'Alicia.

— Brian m'a parlé pendant que tu donnais son bain à Lauren. Il est déterminé à découvrir qui nous a piégés et a véritablement provoqué l'incendie.

— C'était il y a longtemps. Cela a-t-il encore de l'importance ?

— Cela en a pour lui. Il compte bien rétablir sa réputation, mais je sens qu'il y a plus que cela. J'ignore ce que c'est. J'ai tenté de le convaincre que ce n'était pas important. Bref, il aura le temps d'élucider plus tard ce mystère.

Alicia mêla ses doigts aux siens.

— Je comprends, mais ça semble vain. Peut-être changera-t-il d'avis lorsque les choses se tasseront.

— Vous pouvez arrêter de vous bécoter, tous les deux, à présent.

Brian venait de les rejoindre. Il baissa la voix aussitôt qu'il remarqua Lauren. Il posa son portable sur la table basse avant de s'asseoir dans le seul autre fauteuil du salon.

— Cette chose ne cesse de sonner. J'ignorais que quelqu'un

avait mon numéro. Le shérif a expliqué que Patrick avait fulminé contre l'échec de ses plans durant tout le trajet vers l'hôpital. Il semble qu'il partait pour le Mexique afin de pouvoir également éliminer Shauna. Tous sont en route pour la prison.

— Ne t'ai-je pas entendu parler, tout à l'heure, d'une jument ?

— Si, avec Dusty Philips. Il nous laisse quelques jours avant de finaliser la transaction sur la jument que j'essaie de lui vendre depuis des semaines.

Leur père, que Brian avait amené dans le salon, tapota du doigt l'endroit où sa montre aurait dû être. Il semblait avoir fait beaucoup de progrès au cours des deux derniers jours.

— Pourquoi maintenant ? dit pour lui Brian, à haute voix. D'une part, les bêtes des Adams n'ont pas été vendues aux enchères. Et si Carla participe, cette année encore, aux championnats nationaux, elle aura besoin d'une nouvelle monture.

— As-tu vraiment envie de la vendre, Brian ? lui demanda Alicia, juchée sur l'accoudoir du fauteuil de John.

— Ce n'est pas une question d'envie. Nous devons la vendre, sinon nous perdrons le ranch.

— Aussitôt que…

— Nous ne prendrons pas ton argent, Alicia, répliqua Brian d'un ton ferme.

Leur père le confirma d'un signe de tête.

Grâce au ciel, ce dernier allait se rétablir. John voulait retrouver la relation avec son père que Brian avait su maintenir, lui. Il voulait aussi restaurer sa relation avec son frère.

— Que diriez-vous du mien ? fit John.

— Nous avons besoin de beaucoup plus que ce que tu as à la banque.

Le rire de Dev leur parvint de la cuisine où il aidait Mabel.

— Il y a 10 000 dollars dans ma chambre. De combien avez-vous besoin ?

— Où as-tu obtenu autant de liquide ?

— C'est un excellent joueur de poker, répondit Dev pour lui. Par ailleurs, il n'a pas vraiment de vie. Ni loyer. Ni voiture digne de ce nom. Ni femmes.

— Je pense que j'ai assez pour redresser le ranch et engager quelques employés. Laisser à papa le temps de se remettre et te permettre de t'accorder des congés bien mérités.

— Johnny, je crois que pour le coup tu as réduit ton frère au silence.

Mabel s'essuya les mains sur son tablier.

— Avec tout ça, vous devriez tous vous trouver un endroit où dormir. La clé de ma maison est sous le troisième pot de fleurs de la terrasse à l'arrière. Je reste ici pour le cas où votre père aurait besoin de quelque chose.

L'expression de leur père était différente de celle qu'il lui avait vue trois jours plus tôt. Il n'y avait plus cette inquiétude dans ses yeux, seulement de l'approbation.

— Je retourne au chalet faire l'inventaire de mon matériel. Si un seul câble manque à l'appel, je le retrouverai, faites-moi confiance.

Dev sourit, nuançant la sévérité de son propos.

— J'ai un lit très confortable dans l'autre chambre. Ce qui veut dire que vous pouvez avoir pour vous seuls la chambre d'amis de Mabel, conclut Brian en riant. Bonne chance avec ta nouvelle famille, frérot.

— Nul besoin de chance quand l'amour est de la partie, lui répondit John.

Alicia l'embrassa. Elle caressa d'un doigt tendre la joue de Lauren et posa sa tête sur celle de John.

— C'est du gâteau.

ANGI MORGAN

Une troublante affaire de famille

Titre original : THE RENEGADE RANCHER

Traduction française de VERONIQUE MINDER

83-85, boulevard Vincent-Auriol, 75646 PARIS CEDEX 13.
Service Lectrices — Tél. : 01 45 82 47 47
www.harlequin.fr

1

Mince, grande et blonde.

Lindsay Cook était *sublime*.

Brian ne pouvait que le reconnaître.

Depuis plusieurs semaines, il la suivait à son insu, et son admiration pour elle croissait implacablement.

La nature avait doté Lindsay Cook d'une chevelure blonde couleur de miel qui lui descendait jusqu'à la taille, de deux prunelles bleues comme un ciel de printemps et d'un corps aux courbes idéales. Elle aurait pu être l'égérie d'un parfum, la muse d'un grand couturier et s'illustrer sur la couverture des plus grands magazines féminins de la planète.

La jeune femme ne se doutait de rien, mais Brian connaissait ses date et lieu de naissance, l'université où elle avait étudié, ses relations, en particulier sa meilleure amie, Beth.

Il avait glané ses informations sur internet : Lindsay Cook avait un faible pour les voitures de sport, possédait deux poissons rouges et était allergique aux poils de chat. Elle avait eu ce qui était convenu d'appeler des petits boulots au cours de ces dernières années et été, à ses heures perdues, conceptrice *free-lance* de sites internet. La mort tragique de son cousin, Jeremy Cook, avait changé le cours de son existence, essentiellement vouée à sa passion du surf.

Jeremy Cook s'était noyé, six mois plus tôt, au cours de leurs vacances à Cozumel, à la suite de quoi Lindsay Cook s'était établie à Arlington, dans la banlieue de Dallas, pour mettre ses affaires en ordre et reprendre en main la boutique de téléphonie mobile de son cousin.

Brian en savait énormément sur Lindsay Cook, mais il n'était pas certain qu'elle ait encore beaucoup de temps à vivre. Ce qui expliquait d'ailleurs son intérêt pour la jeune femme.

Il s'arracha à ses pensées et entra dans le snack où il lui avait fixé rendez-vous. Il s'efforça de ne pas diriger immédiatement son attention sur elle et dévisagea plutôt les autres clients qui occupaient, à deux ou à trois, les tables alentour. Lindsay Cook étant seule à la sienne, il ne pouvait se tromper.

— Lindsay ? Lindsay Cook ? demanda-t-il cependant à mi-voix, feignant l'hésitation.

Elle se leva à demi et lui tendit la main spontanément.

— Je présume que vous êtes Brian Sloane.

Elle avait un sourire vraiment magnifique.

Sublime.

Depuis qu'il la filait, il avait souvent constaté l'effet que produisait le sourire de Lindsay Cook tant sur les hommes que sur les femmes ou les enfants, mais cette fois ce sourire-là lui était destiné. Il en fut si troublé qu'il répondit avec un temps de retard.

— Oui. C'est moi.

Sur ces mots, il s'installa en face d'elle, détailla son chemisier de soie rouge, de coupe sobre mais si moulant qu'il en fut un peu plus désarçonné.

— Si je vous ai bien compris, lors de notre entretien téléphonique, vous aimeriez que je conçoive le site Web d'un ranch ? reprit-elle.

Brian se ressaisit à la hâte.

— Dans une certaine mesure…

Elle eut l'air étonné, il décida d'être direct.

— Ecoutez, mademoiselle Cook, ce que je vais vous révéler vous semblera étrange, mais il faut que vous m'écoutiez très attentivement et, surtout, que vous me fassiez confiance. Voilà : j'ai effectué des recherches sur votre famille et j'ai découvert…

Une lueur de méfiance s'alluma aussitôt dans les prunelles bleues de Lindsay Cook, et il s'en voulut de ce préambule maladroit.

— Ah ? fit-elle. Vous ne m'avez pas contactée pour que je conçoive un site internet ? Ce n'était qu'un prétexte ?

Brian chercha une meilleure entrée en matière. Lui faire ses révélations de but en blanc avait été une mauvaise idée, il aurait dû prendre un minimum de précautions.

— Le fait est que…

— Excusez-moi une seconde ! l'interrompit-elle.

Elle fouilla dans sa besace et en sortit un trousseau de clés auquel était aussi accroché un petit spray au poivre qu'elle pointa sur lui.

— Qui êtes-vous ? Pourquoi me suivez-vous ? demanda-t-elle d'une voix glaciale. Hier et avant-hier, je vous ai repéré dans la rue. Et vous étiez derrière moi dans la file, chez le barista, la semaine dernière. J'ai accepté de vous rencontrer uniquement pour vous démasquer.

— Pour l'amour du ciel, calmez-vous, mademoiselle Cook. Je vous jure que je ne vous veux aucun mal !

Brian leva les mains en signe de reddition et pour parer à la menace du spray.

— Je m'appelle vraiment Brian Sloane. Je suis auxiliaire médical d'urgence à Fort Worth, comme je vous l'ai expliqué au téléphone. Je peux vous le prouver, j'ai mes papiers d'identité.

Mais Lindsay Cook restait manifestement sur ses gardes, prête à lui envoyer du poivre dans les yeux.

En son for intérieur, Brian maudissait le manque de discrétion de ses filatures. Il regrettait également d'avoir cherché son regard, l'autre jour chez le barista. A sa décharge, il n'avait pu y résister, elle était si belle…

— Ecoutez-moi bien, Brian Sloane, ou qui que vous soyez, reprit-elle d'une voix plus basse et menaçante. Je vais me lever et sortir de ce snack. Vous allez y rester jusqu'à ce que je sois assez loin. Je vous conseille de ne plus jamais me harceler. A propos, je vous ai pris en photo avec mon Smartphone lorsque vous êtes entré. Alors si je vous revois rôder autour de moi, même par le plus grand des hasards, je porterai plainte contre vous pour harcèlement.

Mais Brian passa outre ses menaces et se pencha sur la table. Elle tressaillit et recula.

— Je vous le concède, mademoiselle Cook, c'est une drôle de façon de faire connaissance, mais…

— C'est le moins qu'on puisse dire ! Alors reculez ! s'exclama-t-elle, les doigts crispés sur son spray.

Après une hésitation, Brian reprit.

— Ecoutez-moi… Lindsay, j'ai des informations capitales sur votre famille.

— Je n'ai plus de famille.

— Je sais. Et je sais aussi pourquoi. J'ai voulu vous rencontrer pour vous inciter à la prudence.

— Vous êtes journaliste, n'est-ce pas ? Et vous vous faites passer, pour je ne sais quelle raison perverse, pour un conducteur d'ambulances ? lâcha-t-elle, haussant les sourcils.

Conducteur d'ambulances ? s'étrangla-t-il. Non, il était *auxiliaire médical d'urgence*, ce qui signifiait qu'il avait une formation d'infirmier, presque d'urgentiste !

Cependant, depuis l'installation récente de sa belle-sœur au ranch, il avait appris à décrypter certaines attitudes et expressions féminines. Derrière l'hostilité de Lindsay Cook planait une certaine curiosité.

Comme il effectuait un geste, elle eut un mouvement de recul.

— Pas de panique, mademoiselle Cook, je veux juste sortir mon portefeuille. D'accord ?

Au même instant, le serveur, qui passait son torchon sur le bar, intervint.

— Un problème, Lindsay ?

— Rien de grave : juste un journaliste trop curieux. De nouveau.

— Je ne suis pas journaliste ! s'exclama Brian avec toute sa force de conviction.

— Alors pourquoi me suivez-vous ?

— C'est une longue histoire, que je n'ai pas envie de vous raconter sous la menace d'un spray au poivre !

Sur ces mots, il attendit, le regard fixé sur le visage délicat et expressif de la jeune femme.

Enfin, elle s'adossa à sa chaise, croisa les mains sur ses genoux et attendit qu'il poursuive, sans toutefois ranger son spray.

Le serveur se remit quant à lui à nettoyer son comptoir tandis que les autres clients, un instant attirés par leur conversation, se désintéressaient d'eux.

— Très bien, Brian Sloane. Je vous donne cinq minutes. Ensuite, nos chemins se sépareront, lâcha-elle en recoiffant une mèche derrière son oreille.

Comment raconter, en cinq minutes, une histoire aussi compliquée et aussi tragique ? soupira-t-il intérieurement. Son histoire à lui. Et à elle aussi.

— D'accord…, commença-t-il, résigné. Voilà : il y a douze ans, l'une de mes professeurs de lycée a trouvé la mort dans un incendie. En réalité, elle a été tuée.

— Cela ne me concerne, pas ! Allez voir la police !

Lindsay remit ses clés dans son sac, prête, manifestement, à prendre congé.

— Attendez ! Je n'ai pas terminé ! Vous m'avez donné cinq minutes.

— Eh bien, j'en ai assez entendu !

Elle se leva, en un mouvement qui fit onduler sa longue chevelure blonde. Une mèche retomba sur son front, elle la recoiffa. Le soupir exaspéré qu'elle poussa souleva ses seins moulés dans son chemisier rouge.

Il la retint.

— Lâchez-moi ! s'exclama-t-elle. Sinon je demande à Craig…

D'un mouvement de tête, elle lui montra le serveur.

— … de s'occuper de vous.

Brian lui lâcha le poignet. Mais le dénommé Craig sortit de derrière le comptoir et vint se poster à côté d'elle. Brian recula aussitôt. Lindsay Cook le dévisagea avec un air de défi tandis que le serveur se penchait vers lui par-dessus la table et lui saisissait l'encolure de son polo pour l'obliger, rudement, à se lever.

Brian ne se laissa pas démonter.

— Je suis désolé, Lindsay, je n'avais pas l'intention de vous effrayer.

Lindsay Cook soupira et fit signe à Craig.

— Lâche-le.

Après un nouveau soupir, elle poursuivit.

— Ecoutez, monsieur Sloane, je suis lasse des gens qui s'intéressent à ma famille parce qu'elle a été décimée par des accidents. C'est morbide… J'ai un jour été contactée par un individu qui affirmait que les Cook étaient maudits et qu'il était prêt à lever le sort qui pesait sur moi, la dernière des Cook, avec une cérémonie de désenvoûtement. Ce n'est qu'un exemple, et pas des pires, parmi d'autres.

Elle posa sa main devant ses yeux, recoiffa une mèche derrière son oreille et se redressa.

— Je vis avec ce drame chaque jour. Qu'il soit relaté, interprété, discuté dans les journaux, sur internet m'est insupportable. C'est indécent. Injuste. Je ne le tolère plus. Alors par pitié, laissez-moi tranquille !

Elle baissa la tête. Ses cheveux retombèrent en rideau devant son visage.

— Il ne s'agit pas de malédiction ou de je ne sais quelle autre idiotie ! commença Brian avec virulence.

Elle releva les yeux.

— Je doute que les membres de la famille Cook aient

été victimes d'accidents, martela Brian. Surtout, je suis certain que vous êtes la prochaine sur la liste.

— Une *liste* ? On chercherait à *me tuer* ?

L'air effaré, elle porta les mains à sa gorge. Ses ongles étaient de la même couleur que son chemisier, remarqua Brian.

— Je ne vous harcèle pas, mademoiselle Cook. Nos chemins se sont croisés parce que Gillian Cook était la professeur dont je vous parlais tout à l'heure. Sa mort a eu des conséquences fatales sur ma famille. Récemment, j'ai appris le décès de Jeremy Cook par la presse. Mon intérêt envers le destin des Cook a redoublé.

Bras croisés sur son torse musclé, Craig revint auprès de Lindsay. Voilà pourquoi la jeune femme lui avait fixé rendez-vous dans ce snack, comprit Brian.

— Allez voir la police ! intervint le barman. Lindsay ? Tu m'autorises à mettre ton harceleur à la porte ?

Brian retint un juron. Il ne réussirait pas à s'expliquer en présence du chevalier servant de Lindsay. Pour autant, leur animosité n'avait rien de surprenant. La vérité était incroyable, il avait longtemps eu du mal à y croire.

Mais soudain, il fut très las.

Pourquoi s'obstinait-il ? Il l'avait prévenue, elle refusait de l'écouter. L'entrevue était donc terminée.

Il posa les mains bien à plat sur la table pour reculer et se lever.

Au même instant, Lindsay Cook se ravisa.

— C'est bon, Craig, laisse-nous…, déclara-t-elle avec un signe de connivence au barman.

Visiblement rassuré, Craig regagna son bar sans autre forme de procès.

Brian reprit sa place et se pencha par-dessus la table pour continuer à voix basse.

— Que les choses soient bien claires : je ne suis pas un policier, un journaliste ou un détective privé. Je suis un éleveur de chevaux qui travaille aussi comme auxiliaire médical d'urgence pour boucler ses fins de mois.

— Très convaincant. Ou rocambolesque ?

Elle se mit à rire. Si son regard étincela, il resta cependant bien triste. A l'évidence marquée par les tragédies familiales récurrentes, elle avait du mal à être légère, songea Brian.

— Vous avez le droit de vous interroger, Lindsay. Vous avez aussi le droit de vous méfier de moi… Je suis désolé de vous avoir importunée, mais je devais vous prévenir : vous êtes en danger, restez sur vos gardes. Maintenant, libre à vous de me croire ou non… En ce qui me concerne, j'ai accompli ma mission et je ne vais pas vous déranger plus longtemps.

Il se leva.

— Non. Ne partez pas !

Elle avait le visage froncé par le désarroi, et il se rassit avec un soupir.

— Si vous commenciez par le commencement ? proposa-t-elle.

Elle ramena une mèche sur son épaule et la natta distraitement.

— Vous êtes allé raconter votre histoire à la police ?

— Oui, répondit-il.

— Que vous a-t-on dit ?

— Que j'affabulais.

Elle se leva et vint s'asseoir à côté de lui.

— Mais pourquoi pensez-vous que l'on cherche à me tuer ? Ce n'est pas banal tout de même !

— J'ai une amie généalogiste qui a étudié l'arbre de la famille Cook. En plus, il y a douze ans, quand votre cousine a été…

— Pourquoi pensez-vous que je suis la prochaine victime ? le coupa-t-elle avec impatience.

— Vous le savez déjà : parce que vous êtes la dernière des Cook, Lindsay.

2

Certes, elle était la dernière des Cook, mais allait-elle pour autant finir assassinée ?

Lindsay était assommée par la prédiction, pourtant abracadabrante, de cet inconnu.

D'un autre côté, Brian Sloane semblait parfaitement sain d'esprit et réellement inquiet à son sujet.

Intriguée, quoique déboussolée, elle resta immobile, le dos droit contre le dossier de sa chaise, tentant d'assimiler et d'analyser ses « révélations ». Elle n'y croyait pas vraiment, mais décida d'écouter Brian Sloane, d'autant qu'elle avait un peu de temps avant de retourner travailler.

Brian posa sa main sur la sienne.

— Je suis désolé de vous avoir assené cette information avec une telle brusquerie. A ma décharge, c'est la première fois que j'ai une telle annonce à faire. Et la dernière, j'espère…

Il lui adressa une ombre de sourire et lui serra les mains. Lindsay cilla. Sa compassion, la pression de ses paumes calleuses, chaudes et fortes, lui allaient droit au cœur.

Au fur et à mesure qu'elle assimilait le sens de ses propos, l'horreur lui courait un peu plus le long de l'échine. Toute sa famille aurait été *tuée* ? Pourquoi ? Par qui ?

Elle se ressaisit : la théorie de cet inconnu était absurde !

— A vous de m'écouter, Brian Sloane, reprit-elle d'une voix ferme mais très basse. Quand Jeremy est mort, j'ai commis l'erreur de mentionner à l'un de ses amis journalistes que toute notre famille avait perdu la vie dans des accidents. Cet individu n'a pas attendu les funérailles de mon cousin pour consacrer un article aux Cook. « L'Etrange Destin des Cook », tel était l'intitulé de son papier, qui a connu un succès phénoménal. Sans doute l'avez-vous lu ? De là, j'ai été contactée par des journalistes douteux, des paparazzi en quête de sensationnel et des hurluberlus avec de thèses aussi extravagantes que la vôtre.

— C'est pourquoi vous pensiez que j'étais un journaliste, acquiesça-t-il. Je comprends, et je ne vous tiens pas rigueur de votre méfiance, Lindsay.

Brian Sloane avait une voix posée, un regard lucide. Il n'avait pas du tout l'air d'un psychopathe ou d'un illuminé. Dans un sens, c'était rassurant. Dans un autre, ses propos n'en étaient que plus inquiétants.

— A votre avis, pourquoi voudrait-on ma mort, monsieur Sloane ?

— Je vous en prie, Lindsay, appelez-moi Brian. Il n'y a que mon père qu'on appelle « monsieur Sloane ».

Voilà un éleveur de chevaux qui avait le charme d'un gentleman, songea-t-elle, soudain conquise. Et aussi… le corps d'un athlète, se dit-elle, laissant errer son regard sur son torse moulé dans un polo.

Il émanait de Brian Sloane une force tranquille et une vigueur propres à rassurer n'importe quelle demoiselle en détresse. Et à séduire un cœur solitaire.

Elle n'était pas en détresse.

En revanche, elle était seule…

— Nous ne savons pas quel est le mobile de ce tueur en série, reprit Brian. Du moins, nous ne l'avons pas trouvé.

— Nous ? Mais… vous venez de dire que la police ne vous avait pas cru.

— Ma voisine généalogiste, qui est une amie de ma famille, et ma belle-sœur m'ont aidé.

Il s'accouda sur la table.

— Découvrir la vérité, c'est important chez les Sloane.

— Encore une fois, vous devriez peut-être commencer par le commencement.

Et toi, tu devrais ne plus le dévisager avec un air béat, s'intima-t-elle.

Brian s'exécuta.

— Il y a quatre mois, j'ai effectué des recherches sur une voisine, qui était mon professeur, à Aubrey — c'est là où je suis né et où se trouve mon ranch. Gillian Cook a trouvé la mort, il y a douze ans — moi, à l'époque, j'en avais dix-huit — lors d'un incendie qui…

— Gillian est une cousine par alliance que je n'ai jamais rencontrée, l'interrompit Lindsay.

— Je sais. Quand j'ai lu dans la presse que Jeremy Cook s'était noyé à Cozumel, je me suis intéressé de plus près à votre famille.

— Mon cousin faisait de la plongée sous-marine ce jour-là. Son corps a été retrouvé, déchiqueté par le corail.

Elle se tut brusquement. Elle revivait la noyade de Jeremy presque chaque nuit, et une telle culpabilité la rongeait qu'elle ne pensait pas se la pardonner un jour.

— Environ quarante personnes étaient dans l'eau, mais personne n'a rien vu, continua-t-elle d'une voix plus basse.

Brian acquiesça, l'air compatissant.

— Mabel, l'amie de mon père passionnée de généalogie, a découvert que treize membres de la famille Cook sont décédés de mort accidentelle au cours des vingt dernières années.

Il sortit un papier de sa poche.

— En voilà les noms.

Il poussa le papier dans sa direction, s'adossa à sa chaise et noua ses mains derrière sa nuque, attendant manifestement qu'elle prenne connaissance de sa liste et lui donne son avis.

Elle parcourut donc le papier.

— Votre liste ne prouve pas qu'il y a eu meurtres, conclut-elle.

— Vous ne remarquez rien de particulier ?

Il se redressa et abattit sa main sur la table. Son regard était fiévreux. Lindsay reprit aussitôt son spray et se figea.

Cet homme serait-il assez pervers pour lui recommander prudence et vigilance face au danger tout en étant le tueur en série dont il dénonçait les crimes ?

Ridicule.

Elle s'intima au calme.

— Je ne vois que le nom de personnes que j'ai aimées et qui ne sont plus…

— La tâche que je vous impose est difficile, j'en suis conscient.

Sa réponse fusa.

— Je ne crois pas : vous avez toujours votre père, je n'ai plus personne.

Elle se mordit la lèvre.

— Je suis désolée, Brian, je ne voulais pas être aussi grossière.

— Nous ne nous connaissons pas, vous ne pouvez donc pas me blesser.

— Quoi qu'il en soit, vous n'êtes pas le premier à vouloir m'exposer une théorie sur les morts accidentelles dans la famille Cook. Il y a eu cet article, qui a ensuite suscité des blogs sur la malédiction des Cook. Un autre ami de Jeremy a répandu sa propre version des faits, abracadabrante. Chacun y va de son interprétation, souvent farfelue. Dont la malédiction est, disons, la moins… pire. La version d'un tueur aux trousses des Cook depuis vingt ans est dans tous les cas inédite et la moins… surnaturelle !

Elle réfléchit un instant :

— Mais, dites-moi, pour quelle raison un tueur s'en prendrait-il à ma famille, et depuis aussi longtemps ? Vous n'avez aucune preuve, Brian. Aucun élément pour étayer et valider votre pseudo-théorie.

Elle soupira, soudain très lasse.

— Ecoutez, nous allons mettre un terme à cette entrevue. Je vous prie de ne plus rentrer en contact avec moi, dorénavant.

Sur ces mots, elle se leva, prit sa besace et sortit avant que Brian Sloane, dont la force de persuasion reposait sans doute sur la séduction, ne lui demande de rester et ne l'en convainque.

Pourquoi donc s'intéressait-il à sa famille ? Elle n'en avait aucune idée et ne le saurait évidemment jamais.

Son spray en main, elle poussa la porte du snack d'un coup d'épaule. La chaleur de l'après-midi l'enveloppa immédiatement.

Elle fouilla dans sa besace, à la recherche de ses lunettes de soleil, et les mit tandis qu'elle se hâtait, au cas où ce M. Sloane aurait eu la fantaisie de lui emboîter le pas.

Un tueur en série avait programmé sa mort ? Celle de *toute* sa famille ?

Ridicule !

Jeremy aurait été *tué* ? Cela n'avait pas de sens ! Jeremy s'était *noyé* ! Il y avait une quarantaine d'autres passionnés de plongée qui avaient participé à cette excursion dans les récifs coralliens au large de Cozumel. Tous avaient été interrogés, aucun n'avait fait de révélations alarmantes.

Selon la police, Jeremy avait plongé trop profond et s'était retrouvé piégé dans les récifs. Il s'agissait d'une terrible tragédie, et non de l'œuvre d'un tueur en série.

Ah ! si j'avais accepté de me joindre à Jer... Il serait toujours vivant...

Une sensation de picotement, annonciatrice des pleurs, affleura derrière ses paupières. Depuis la mort de Jeremy, elle avait la larme facile.

Croisant un couple chargé de sacs de courses, elle fut un instant tentée de s'offrir une manucure et un joli pull en cachemire. Elle en avait vu en solde, et de sa couleur préférée.

Non !

C'était l'ancienne Lindsay qui fuyait ses soucis en courant les magasins et les soldes, sans se soucier de vider son compte en banque, toujours dans le rouge, car elle n'avait pas d'emploi fixe.

Depuis la mort de Jeremy, elle avait changé pour de

bon : elle avait repris sa boutique de téléphonie mobile, avait désormais une activité professionnelle régulière, des responsabilités et même la possibilité d'évoluer dans sa branche. Le marché des téléphones portables était en plein boom.

Sa pause-déjeuner tirait à sa fin, mais la rue, piétonne et commerçante, offrait toutes sortes de tentations. Elle devait suivre cet itinéraire pour gagner la boutique, qui se trouvait au coin de la rue. Qu'à cela ne tienne, un détour lui permettrait d'éviter magasins de vêtements et vitrines trop alléchantes.

Elle avait tourné la page ! Pris un nouveau départ. Conformément au désir de Jeremy.

Sept heures plus tard, elle regagna le parking où seule sa voiture, plus exactement la voiture de Jeremy, était garée. Les magasins avaient fermé, mais le quartier restait très animé. Elle marchait, pensive, quand soudain un frisson d'appréhension la parcourut et lui fit ralentir le pas.

Elle était épiée.

Epiée ?

Remplie d'appréhension, elle scruta les alentours, mais ne repéra rien d'inquiétant ni personne. Et certainement pas Brian Sloane, le séduisant éleveur de chevaux. Au même instant, son Smartphone vibra dans sa poche, et elle sursauta. S'intimant au calme, elle prit le téléphone et consulta l'écran.

C'était son amie Beth.

— Lindsay ? Je voulais juste m'assurer que tu allais bien. Comment s'est déroulée ta journée ?

Elle n'eut pas le temps de répondre.

— Oh ! Lindsay…, soupira son amie. Comme il nous manque…

— Je sais…

Un sanglot jaillit de ses lèvres.

— Beth, je ne cesse de penser à lui… D'autant que je travaille dans sa boutique. Je vis dans sa maison, je conduis sa voiture… Je me sens coupable parce que moi, je suis vivante et que je vis sa vie. Parce que je n'ai pas pu empêcher sa mort…

Elle se tut et sortit les clés de sa besace.

— Excuse-moi, Beth, je t'ennuie. Je ne cesse de me lamenter sur mon sort.

— Non, Lindsay. Si je prends de tes nouvelles chaque jour, c'est justement parce que je sais que ça ne va pas fort… Tu rentres à la maison ?

Lindsay appuya sur son bip et monta dans sa voiture.

— Oui. Merci d'avoir appelé, Beth. A très vite.

Dans une vingtaine de minutes, elle prendrait un bon bain, aurait de la mousse jusqu'au menton et serait entourée par des bougies. A cette pensée, elle soupirait d'aise quand apparut sur la route un panneau de déviation qui l'obligea à modifier son itinéraire. Elle dut traverser un quartier totalement inconnu.

Elle avait bien un GPS, mais ne savait pas trop s'en servir. En plus, elle n'habitait pas ici depuis longtemps et n'avait pas du tout le sens de l'orientation.

Aussi, au fil des tours et détours, elle se perdit dans le sud d'Arlington.

Finalement, elle s'arrêta sur le bord de la route, déclencha ses feux de détresse, puis alluma son GPS. Elle essayait d'en comprendre l'utilisation, quand l'approche d'un véhicule la fit tressaillir et lever les yeux. Les appels à la prudence de Brian Sloane lui revinrent instantanément en tête, et elle eut peur. Peur de quoi ? De la nuit noire ? De la route, déserte ?

Elle haussa les épaules, mais resta aux aguets et baissa sa vitre pour faire signe au conducteur de continuer sa route.

Contre toute attente, celui-ci ne ralentit pas et ne s'écarta pas non plus pour l'éviter. Au contraire, il accéléra et se dirigea droit sur elle.

La collision était imminente et inévitable…

Pour parer la violence d'un choc peut-être fatal, Lindsay démarra aussitôt, tandis que les phares du véhicule, qui se rapprochait trop vite, frappaient son rétroviseur intérieur.

Dans le télescopage, sa voiture fut propulsée vers l'avant et pila brusquement. L'airbag se déploya, absorbant l'impact, et Lindsay fut projetée vers l'arrière.

Elle mit quelques instants à se ressaisir, puis rouvrit les yeux. Dans l'obscurité de la nuit, seules les lueurs de son tableau de bord clignotaient. Son moteur s'était tu, le silence était tombé.

Elle releva la tête : le véhicule qui l'avait emboutie n'était plus là, le chauffard s'était enfui. Il n'y avait qu'elle sur la route.

Elle prit sa besace, un mouvement qui lui arracha un cri de douleur, sortit son Smartphone, composa le 911 et expliqua la situation à l'opérateur.

— Les secours seront bientôt là, lui annonça ce dernier. Voulez-vous que je reste en ligne jusqu'à leur arrivée ?

— Je suis un peu secouée, mais je crois que ça va.

Elle allait raccrocher, mais ses mains tremblaient. En fait, elle était morte de peur.

Consécutivement au choc, mais aussi parce que le conducteur en fuite l'avait *volontairement* percutée, cela ne faisait aucun doute.

— Vous êtes certaine que ça va ? insista son interlocuteur.

— Euh…, répondit-elle. Il n'y a personne sur la route… alors si cela ne vous dérange pas…

— Je serai avec vous jusqu'à l'arrivée de la police, qui ne va pas tarder. Vous avez vu le véhicule qui vous a emboutie ?

— Non, pas vraiment… Ou c'était une voiture… noire ? Mais comme il fait nuit…

Elle se tut. Cet accident survenait précisément le jour où un inconnu venait de lui annoncer qu'elle était en danger de mort.

Etait-ce un hasard ?

Brian Sloane l'aurait-il suivie ? Etait-il l'auteur de cette collision ? Devait-elle mentionner leur étrange entrevue à la police ? Mais la prendrait-on au sérieux ?

— Madame ? Vous êtes toujours là ? Vous voyez la police ?

— Oui… Merci.

Elle devait prendre sa vie et sa destinée en main.

Etre responsable. Ne plus être victime.

Victime d'un énième… accident.

3

— Individu ivre et inconscient. Glasgow à 13…

Brian donna les autres constantes de son patient dès qu'il franchit l'accès des urgences. Une fois que l'individu fut installé dans un box de soins, une infirmière lui fit une prise de sang afin de mesurer son taux d'alcoolémie. L'homme, complètement ivre, avait brûlé un STOP et causé, dans la banlieue de Fort Worth, un carambolage dont il était la seule victime.

— Toi, tu restes ici, Sloane ! assena l'infirmière Meeks en tirant les rideaux. Demande à un médecin de suturer ta plaie à l'arcade sourcilière.

— Pas question ! riposta Brian. Ce n'est qu'une égratignure.

Seule son inattention lui avait coûté cette blessure. Il pensait aux yeux bleus de Lindsay Cook, qu'il ne reverrait sans doute plus jamais, quand le patient l'avait frappé par surprise et envoyé valdinguer contre le défibrillateur. Cam, son équipier, avait éclaté de rire, puis s'était étonné de sa distraction, inhabituelle, mais Brian s'était bien gardé de lui en expliquer la raison.

Meeks sortit un kit de suture et lui tendit un champ stérile.

— Assieds-toi, Brian. Je m'en occupe.

— Inutile, je vais bien.

— Pas question ! insista Meeks.

Sur ces mots, elle lui désigna une chaise. Brian y prit place, elle appliqua le champ stérile sur sa blessure.

— Bon sang, le type que vous venez de nous amener pue l'alcool à plein nez ! lâcha Meeks. C'est à croire qu'il en est imbibé ! On nous avait annoncé une nuit assez calme, mais maintenant c'est la panique. On manque de titulaires et de résidents.

— Meeks ! Code bleu ! s'écria tout à coup une voix.

— Attends-moi, Sloane, je reviens, déclara Meeks en sortant.

— Je n'ai pas besoin de suture !

Mais Meeks avait déjà disparu. Brian, résigné, resta au chevet du patient ivre, toujours endormi et en train de ronfler. Il vérifia ses constantes et reprit sa place : la douleur commençait à pulser dans sa tête.

Alors il ferma les yeux, ce qui le ramena à la nuit de l'incendie où Gillian Cook avait péri, douze ans plus tôt. Il n'y avait pas repensé pendant longtemps, mais son souvenir était devenu lancinant et l'obsédait sitôt qu'il fermait les yeux et restait seul avec ses pensées.

Car quatre mois plus tôt, lui et son frère avaient *enfin* passé au crible les plus petits détails de cette nuit tragique qui avait bouleversé son destin.

Cam arriva avec deux gobelets.

— Désolé d'avoir mis autant de temps pour aller chercher du café. Ça va ? Tu sembles dans les vapes, mon vieux !

— Tu plaisantes ! s'exclama Brian en se levant d'un bond. J'ai dû m'endormir quelques secondes, point.

— Tu t'es évanoui plutôt ! déclara Meeks, qui entrait derrière Cam.

— On a un appel ! Je le prends ! la coupa Cam.

Il sortit, et sa voix s'estompa.

— Ne bouge plus, Brian, déclara Meeks en enfilant des gants stériles pour examiner sa blessure.

Elle prit sa tension et lui posa les questions de routine.

— Comme tu as eu une commotion cérébrale, il vaudrait mieux que tu passes un scanner. Je m'en charge, je vais demander à un titulaire de s'occuper de la suture.

Brian acquiesça en silence. Mais son mal de tête croissant était plus provoqué par son entrevue avec Lindsay

Cook que par sa blessure proprement dite. Il s'en voulait de ne pas avoir réussi à convaincre la belle jeune femme du danger qui la menaçait.

Mais à quoi bon s'inquiéter plus longtemps sur son sort ? Il l'avait prévenue, elle avait refusé de le croire, fin de l'histoire.

Son instinct de protection ne lui avait jamais posé que des problèmes.

A l'époque où Gillian Cook avait trouvé la mort, il avait ainsi endossé, à la place de son frère, la responsabilité de l'incendie où elle avait péri.

Sans savoir que John, qui en était soupçonné, était innocent. Mais à l'époque, son frère était sur le point d'entrer dans l'US Navy pour devenir Navy SEAL. S'il avait été arrêté, accusé et jugé, son rêve aurait été brisé.

Au final, si douze ans plus tôt, tous deux ne s'étaient pas violemment disputés avant le drame, s'ils avaient ensuite parlé à cœur ouvert des événements de cette nuit tragique, les choses auraient pris une autre tournure, songea Brian, et il aurait eu un destin complètement différent. La police aurait enquêté et découvert l'identité du pyromane, de nombreuses autres morts auraient été évitées.

Douze ans de perdus…

Quel gâchis !

Un interne entra, l'arrachant à ses pensées.

— Ce n'est pas trop tôt ! pesta Brian. Le patient est toujours inconscient.

— Mais surtout ivre, vu son taux d'alcoolémie. Je ne suis pas là pour lui, mais pour vous. Meeks a dit que vous aviez besoin d'une suture.

— Meeks me hait donc à ce point pour me mettre entre les mains d'un interne ?

— Tout le monde est occupé, et j'ai besoin de m'entraîner, riposta l'interne, l'air vexé.

Cam réapparut :

— Brian ? Le chef t'ordonne de rentrer chez toi. Appelle quand tu seras prêt : je te reconduis à ta Ford.

— Aïe ! Attention ! s'exclama Brian à l'intention de l'interne en train de l'anesthésier. Bon sang, Cam, va me chercher un vrai médecin !

Cam se mit à rire.

— Sois un peu indulgent, Brian !

— Et toi, file, reprit Brian avec un soupir. Je me débrouillerai pour marcher jusqu'à ma Ford.

— O.K., fit Cam en lui tapotant l'épaule. Bon courage.

Etourdi par l'odeur de l'alcool et de l'antiseptique, Brian ne répondit pas.

Après avoir irrigué sa plaie, l'interne s'installa sur un petit tabouret et commença la suture sans avoir attendu que l'anesthésie locale ait au préalable endormi la zone temporale et frontale.

Brian écarta sa main.

— Revenez quand vous aurez appris à recoudre une plaie dans les règles de l'art !

Furieux, l'interne s'éloigna sans tenter de plaider sa cause. Brian prit alors l'aiguille et se planta devant un petit miroir afin d'examiner sa blessure. Lorsque son front et sa tempe furent complètement insensibles, il commença à suturer.

— Pas mal ! lança-t-il ensuite à l'intention du patient aviné et toujours endormi.

Il effectua encore quelques points et, une fois qu'il eut terminé, se lava les mains. Il se les essuyait quand Meeks revint.

— Vous pouvez vous occuper de mon patient ? demanda-t-il sans se retourner. Et laissez tomber ma suture, je m'en suis chargé.

Le silence persistant, il fit volte-face et croisa un regard bleu qui l'obsédait.

— Bonsoir…, fit Lindsay. Et voilà, je vous ai retrouvé… Je sais, c'est étrange, nous sommes au beau milieu de la nuit et aux urgences... C'est d'autant plus étrange que je ne pensais plus jamais vous revoir.

Il fronça les sourcils. Lindsay Cook était très pâle et avait un hématome à la pommette. A l'évidence, elle souffrait beaucoup. Que lui était-il arrivé ? Pourquoi venait-elle le relancer ?

— J'ai entendu dire que vous aviez été blessé et que vous deviez rentrer chez vous, continua-t-elle, visiblement incertaine et presque apeurée.

— Vous ne semblez pas en forme, fit-il remarquer.

— Ça pourrait aller mieux, mais ça pourrait aussi être pire.

Elle prit place sur le tabouret qu'il venait de quitter.

— Donc vous travaillez vraiment ici ?

Il ne releva pas.

— Comment m'avez-vous retrouvé, Lindsay ?

Et surtout, pourquoi ?

— Eh bien... j'ai contacté les urgences de Fort Worth et j'ai demandé à vous parler. On m'a expliqué que le service d'ambulances où vous étiez employé était privé. J'ai trouvé le numéro, j'ai appelé. On a pensé que j'étais votre belle-sœur, pour des raisons qui m'échappent, mais je n'ai pas corrigé mon interlocuteur, conclut-elle dans un sourire désarmant.

Elle recoiffa une mèche derrière son oreille avec une petite grimace de douleur.

— Mes collègues ne se sont pas étonnés que ma belle-sœur n'ait pas tenté de me joindre sur mon portable ?

— Comme vous étiez blessé, ils ont peut-être pensé que vous étiez en train de passer un scanner ou de subir un examen médical qui vous empêchait de répondre au téléphone.

— Mais vous aviez mon numéro, Lindsay. Alors pourquoi vous ne m'avez pas appelé directement ?

— Parce que je ne voulais pas avoir cette conversation par téléphone, justement.

Un silence tomba.

Soudain, l'espace confiné où ils se trouvaient parut se rétrécir. Il suffisait d'un rien pour qu'ils se frôlent.

Ce qu'il désirait depuis qu'il l'avait rencontrée.

— Je suis désolé que notre entrevue se soit si mal déroulée, reprit-il. J'ai été maladroit, mais je voulais vous dire la vérité et vous recommander la plus grande prudence.

Lindsay lui saisit la main dans un geste qui semblait désespéré. *Comme si elle agrippait sa dernière planche de salut…*, songea Brian.

— Je crois qu'on a essayé de me tuer, ce soir, murmura-t-elle, les yeux fixés sur l'inconnu ivre et toujours endormi.

Brian frémit.

— Que s'est-il passé ?

Elle soupira.

— Je me suis perdue en route, alors que je rentrais à la maison. Une voiture m'a emboutie.

— Vous avez eu un accident ? Un médecin vous a examinée ? Où avez-vous été blessée ?

— Mon épaule est douloureuse… c'est à cause de la ceinture de sécurité.

— Je peux regarder ?

Il joignit le geste à la parole, mais elle eut un mouvement de recul.

— Faites-moi confiance. Soigner, c'est mon métier depuis huit ans. Voire plus si l'on compte les soins que j'ai donnés à mes chevaux. Quand avez-vous eu cet accident ?

— Vers 21 heures. Un urgentiste m'a examinée. Je vais bien.

Il palpa doucement son épaule gauche.

— Je résume : vous vous êtes perdue et vous avez eu un accident de la circulation ?

— Pas tout à fait…

Elle observa le patient aviné.

— Je peux parler sans danger ?

— Oui. Cet individu est complètement soûl.

— Le chauffard a *volontairement* embouti ma voiture.

Elle se tut.

— Vous allez me protéger ? reprit-elle ardemment. Je ne peux compter que sur vous, Brian.

— Vous protéger ? Mais je suis auxiliaire médical d'urgence, pas garde du corps, Lindsay. Tout à l'heure, je voulais seulement vous avertir d'un danger potentiel mais réel.

Il cherchait à rassembler suffisamment d'indices pour que la police accrédite sa thèse et ouvre une enquête sur le meurtre de Gillian Cook. C'était une tâche immense qui se superposait à une foule d'autres soucis.

Son ranch était au bord de la faillite, il était étranglé par les dettes et ne savait comment résoudre une situation devenue critique.

— S'il y a eu tentative de meurtre, vous devez porter plainte. Je suis impuissant à vous aider, Lindsay.

— J'ai peur de rentrer seule chez moi, avoua-t-elle à mi-voix. J'ai besoin de vous, Brian. Vous êtes mon seul espoir.

— Je ne suis pas un héros de cinéma, Lindsay. Vous ne me connaissez pas, vous vous méfiiez même de moi… alors pourquoi vous remettre en mes mains ?

Il palpa de nouveau son épaule.

— Dites, vous avez passé une radio ? Je vais appeler une infirmière.

— C'est grâce à vous si ma voiture ne s'est pas encastrée dans un poteau ! s'exclama-t-elle sans l'écouter. Votre avertissement m'a rendue prudente et plus vigilante. Je me suis sentie épiée en sortant de la boutique où je travaille. J'ai vite repéré cette voiture et je me suis méfiée de l'attitude de son conducteur. Si vous ne m'aviez pas parlé, tout à l'heure, je n'y aurais pas prêté attention et je ne serais plus de ce monde… Aidez-moi, Brian.

Il soupira. Il était las de porter son entourage à bout de bras. Son frère douze ans plus tôt. Son ranch. Son père. Et Lindsay Cook en plus de tout ça ? Il lui avait révélé ses certitudes, il l'avait avertie qu'elle courait un danger, il ne pouvait pas en faire davantage.

— Allez à la police. Portez plainte contre X.

Elle hocha la tête.

— Inutile. Selon les policiers, j'ai été imprudente de me garer sur l'accotement d'une route aussi étroite, même en déclenchant les feux de détresse. Selon eux, mon chauffard n'en était peut-être pas un…

Ses yeux si bleus se remplirent d'eau. Une larme coula sur sa joue constellée de taches de rousseur.

Elle l'essuya du dos de la main.

— Je ne suis pas l'homme qu'il vous faut, insista-t-il, consterné.

— Alors pourquoi m'avoir fait part de vos révélations si c'est pour m'abandonner à mon sort ?

— Je vais demander qu'on vous examine, biaisa-t-il.

Il avait l'intention d'appeler Meeks, mais se ravisa.

Malgré lui.

— Concrètement, qu'attendez-vous de moi, Lindsay ?

— Que vous parliez aux autorités et que vous leur fassiez part de vos découvertes. De vos soupçons. Que vous leur expliquiez que je suis en danger !

— J'ai déjà essayé ! La police ne m'a pas cru et ne me croira pas davantage.

— Alors, vous, protégez-moi !

Lindsay, si méfiante à son égard lors de leur rendez-vous du midi, remettait sa vie entre ses mains ? Il n'en revenait pas.

En même temps, c'était sa faute à lui si elle avait peur… Sans ses appels à la prudence, elle serait rentrée tranquillement chez elle.

Tranquillement ?

Non. Elle avait eu un accident.

Un meurtre maquillé en accident ?

De nouveau ?

A moins que, troublée par ses révélations, elle ne se soit monté la tête ? La police semblait le penser.

— Comment pouvez-vous être aussi sûre qu'on a voulu vous emboutir ? Vous êtes certaine que cette voiture cherchait à vous faire quitter la route ?

— Certaine ! Je ne suis pas stupide ! lâcha-t-elle, l'air agacé.

Elle lui adressa un regard méfiant.

— Vous vous êtes blessé au front ? Dites-moi comment.

— Je suis tombé, répondit-il. Pourquoi cette question ?

— Vous avez des témoins ? le défia-t-elle. Et si c'était vous mon chauffard ?

— Vous avez donc parlé de moi à la police ?

Elle pinça les lèvres et roula nerveusement une mèche entre ses doigts.

— Je tiens des propos bizarres… mais je suis épuisée. Et j'ai peur de rentrer chez moi seule, répéta-t-elle.

Elle se tut, puis reprit lentement.

— Oui, c'est vrai, pendant un instant, j'ai pensé que vous auriez pu être… mon chauffard…

Elle lâcha un rire amer.

— Quelle perversité de votre part, n'est-ce pas ? Un meurtrier s'érige en défenseur de sa future victime, lui ouvre son cœur, l'avertit de rester vigilante pour mieux la rendre paranoïaque et attenter à sa personne !

Brian allait intervenir quand elle leva la main.

— Tranquillisez-vous, vous avez été innocenté par vos collègues : ils ont confirmé que votre service avait commencé à 19 heures… Et puis, ne suis-je pas venue demander votre aide ?

Elle s'interrompit, rougissante.

— Je suis désolée, Brian, je parle à tort et à travers. Je suis à bout de nerfs… Tout ce que je veux, c'est une tasse de café et des pancakes.

— La cafétéria est fermée. Je vous invite au Pan-Hop ?

Elle opina.

— Pourquoi pas ? J'adore leurs Spéciaux banane, noix de pécan. Mais… votre patient ?

— Je l'avais presque oublié, grommela-t-il.

Il pressa sur le bouton d'appel de l'infirmière.

— Meeks ? Vous venez ? Moi, il faut que je file.

— J'aimerais que vous m'expliquiez la situation, reprit Lindsay, l'air plus calme. Depuis le début.

— Le dossier que j'ai constitué sur cette affaire se trouve dans ma Ford. Vous me suivez ? Je vous raconterai tout quand nous serons au Pan-Hop.

Tout ?

Pas qu'il était tombé sous son charme sitôt qu'il avait vu sa photo sur internet, quatre mois plus tôt.

A son tour de rester vigilant…

Un détail l'intriguait. Pourquoi avait-elle eu cet accident précisément après leur rendez-vous ?

A cause de lui ?

S'il était responsable des événements des dernières heures, il ne pouvait abandonner Lindsay à son sort.

4

Pendant leur route, Lindsay demanda à Brian l'origine de sa blessure. Puis elle le déposa près de la société d'ambulances, non loin du Pan-Hop, pour qu'il aille se changer et prendre son dossier dans sa Ford.

Elle l'attendait toujours quand on frappa à sa vitre. Elle sursauta.

— Vous venez ? lui demanda Brian. Les Spéciaux banane noix de pécan nous attendent !

Elle opina, prit sa besace, sortit de sa voiture de location et, à l'aide de son bip, en verrouilla les portières.

Brian avait remis ses vêtements de ville dans lesquels ils avaient fait connaissance, à la mi-journée. Comme ce rendez-vous semblait loin, conclut-elle.

Elle le suivit jusque devant le Pan-Hop. Il en ouvrit la porte et s'effaça pour lui laisser le passage. Mais elle se figea sur le seuil, jaugeant avec angoisse les clients. Et si le chauffard se trouvait parmi eux ? Ç'aurait été une coïncidence, mais elle ne croyait plus au hasard…

Une frayeur sans nom la gagnait. L'épiait-*il* toujours ? Ne s'était-elle pas sentie observée, quelques heures plus tôt ?

Elle recula d'un pas, cherchant la pénombre.

— On y va ? proposa Brian au même moment.

— Je suis désolée, mais je ne peux pas…

Elle rebroussa chemin, dirigeant le bip vers sa voiture de location pour en déverrouiller les portières. Contre toute attente, ce fut l'alarme stridente du véhicule qui se déclencha.

Effrayée, Lindsay fondit en larmes. Elle voulait rentrer chez elle, n'avait plus du tout envie de café, ni de pancakes. Elle était à bout de forces.

Brian ne fit aucun commentaire. Il prit ses mains entre les siennes, lui leva le menton et s'empara de son bip. L'alarme cessa aussitôt. Puis il chercha son regard. Il semblait si doux, si attentionné. Un instant, cela lui fit le plus grand bien. Mais la panique réapparut presque aussitôt. Elle se mit à scruter les recoins les plus sombres de la rue ainsi que les flaques de lumière dispensées par les lampadaires.

On l'épiait à son insu, elle en était persuadée. Comme en début de soirée, quand elle avait quitté la boutique.

La voix de Brian l'arracha à ses pensées.

— Que se passe-t-il, Lindsay ?

— Je ne peux pas rentrer dans le Pan-Hop… Il y a trop de monde.

En vérité, le Pan-Hop était presque désert. Mais elle était incapable de faire un pas devant l'autre, comme clouée au sol.

Encore une fois, Brian n'insista pas. Il la prit par le coude et la conduisit vers sa Ford dont il ouvrit la portière.

— Je vous aide ?

La Ford était d'époque antédiluvienne. A l'évidence, il fallait plus s'y hisser qu'y monter mais, en dépit de ses douleurs, elle réussit à y prendre place seule.

— Je vais vous aider à mettre la ceinture de sécurité, d'accord ? Il faut avoir le coup de main ! ajouta-t-il, joignant le geste à la parole.

Elle fut reconnaissante du naturel avec lequel il l'assistait.

Au moment où il se pencha, une délicieuse odeur, de foin et de grand air, flotta dans l'habitacle.

Brian Sloane sentait bon le soleil.

Emue, elle baissa les yeux, observa sa nuque. Il avait une coupe courte, presque militaire, dont il n'avait manifestement pas l'habitude, car il ne cessait de porter les mains à son front. Elle avait le même geste pour se dégager le visage.

En tout cas, il n'avait pas exagéré en affirmant qu'il fallait « avoir le coup de main » pour passer et boucler la ceinture de sécurité. Il n'avait certainement pas utilisé ce prétexte pour s'approcher d'elle et flirter. Bien sûr, il lui effleura les hanches à plus d'une reprise malgré ses efforts visibles et louables pour éviter tout contact ambigu.

Lindsay en eut d'autant plus envie de caresser sa nuque toujours offerte. Elle céda à son impulsion, leva le bras et…

— Et voilà ! s'exclama Brian au même instant.

Il se redressa et s'écarta d'elle. Il lui souriait grandement, comme s'il venait d'accomplir quelque exploit prodigieux.

— Merci.

— Ça va ?

— Oui. Bien.

Elle mentait. La tête lui tournait. Le choc consécutif à l'accident ? Autre chose ? Par chance, Brian ne paraissait pas remarquer son désarroi. Il ne semblait pas avoir été troublé par leur trop grande proximité et leur subite intimité.

— Votre épaule vous fait souffrir ? s'enquit-il en lui ajustant sa ceinture.

Apparemment, son seul souci, c'était sa sécurité.

Brian Sloane était auxiliaire médical d'urgence. Eleveur de chevaux. Bel homme. Un séducteur-né… L'ancienne Lindsay serait immédiatement tombée sous son charme. Pas la nouvelle, qui avait la tête froide, se rappela-t-elle. Sa confusion intérieure n'était due qu'à la menace qui planait sur son existence.

— Vous êtes galant et attentionné. Votre mère doit être fière de vous !

Le sourire de Brian s'effaça aussitôt.

— Ma mère est morte des suites d'une longue maladie, il y a déjà longtemps, déclara-t-il sobrement.

Sur ces mots, il contourna sa Ford pour se mettre derrière le volant. Ses traits étaient masqués par la nuit, mais il soupira, et elle maudit sa maladresse.

Son compliment avait réveillé de douloureux souvenirs.

Elle avait manqué de discernement bien qu'elle ait fait l'expérience du deuil plus souvent qu'à son tour. Dans la foulée, elle regretta de lui avoir reproché, plus tôt dans la journée, et aussi maladroitement, d'avoir toujours son père.

Brian démarra et sortit du parking.

— Ne soyez pas désolée, Lindsay, vous ne pouviez pas savoir que j'avais perdu ma mère.

— Je voulais seulement exprimer ma reconnaissance…

— Je sais.

— Mes parents sont morts dans un accident, il y a six ans. Quand je me souviens de cette journée… de nouveau, j'ai du chagrin… Cette souffrance me laissera-t-elle un jour en paix ?

— Oui, la rassura-t-il. Un jour, vous serez apaisée et vous ne ressentirez que de la nostalgie. Vous ne garderez plus que les bons moments à la mémoire.

A cette heure de la nuit, les rues étaient désertes. Lindsay les fouilla du regard, y cherchant une voiture noire tout en s'intimant de ne pas sombrer dans la paranoïa. Chaque fois que Brian ralentissait, s'arrêtait à un feu ou à un carrefour, elle scrutait les environs.

— Je doute que cet individu tente de nouveau de vous agresser ce soir, dit-il enfin. Parce que deux accidents consécutifs dans la même soirée, c'est beaucoup. Parce que je suis avec vous et que je ne suis pas un Cook. Enfin, parce qu'il n'attaque jamais de front. D'où sa parfaite immunité depuis des années. Vous me donnez votre adresse, Lindsay ?

— Vous devez savoir où j'habite, puisque vous prenez déjà la direction de mon quartier, fit-elle remarquer. Pourquoi vous ne vous êtes pas mieux expliqué, tout à l'heure ?

— Si je puis me permettre, vous ne sembliez pas très encline à m'écouter.

— C'est juste. Je me méfiais. J'ai même pensé que vous auriez pu être au volant de la voiture qui m'a emboutie…

— Et pourtant, vous n'avez pas donné mon nom à la police.

— Comment le savez-vous ?

— Parce que la police n'est pas venue m'interroger !

— La police a surtout conclu que je m'étais monté la tête quand j'ai parlé, maladroitement, de complot. Et puis, très vite, il y a eu un quiproquo : la police m'a en effet accusée d'avoir volé la voiture de Jeremy ! Les papiers sont toujours à son nom. J'ai dû m'expliquer, ce qui a pris un temps fou.

— Sans blague, la police vous a accusée de vol ?

— Et ce n'est pas tout ! Quand j'ai précisé que le propriétaire de la voiture était mort, vous imaginez la situation et la confusion…

Elle se tut et frotta ses poignets douloureux. Elle avait été menottée par les policiers méfiants qui l'avaient conduite au poste.

— Si je suis arrivée à une heure aussi tardive à l'hôpital, c'est parce que j'ai dû contacter l'avocat de Jeremy pour qu'il me tire de ce pétrin.

— Vous avez *aussi* été embarquée ?

— Oui. Mais son intervention, au poste, et ses preuves m'ont disculpée.

— Dites, votre maison a un système d'alarme ?

— La maison de Jeremy, précisa-t-elle avec un soupir. Oui. Elle en a un.

— La maison de Jeremy… Ah ! Voulez-vous que je vous accompagne jusqu'à la porte ?

— Avec plaisir. Mais j'aimerais aussi que vous m'expliquiez tout. Et puis, comment vous envisagez de retrouver cet individu.

Brian leva la main pour l'interrompre.

— Lindsay, arrêtez ! Il n'est pas question que je me lance à ses trousses. Je ne suis pas un justicier. Ni un héros. Je rassemble seulement des indices probants afin de les transmettre à la police !

Il s'arrêta, déboucla sa ceinture de sécurité et se passa une main sur le visage.

— Je comprends l'incrédulité de la police : moi-même,

j'ai eu du mal à croire cette histoire insensée. C'est seulement lorsque Mabel a étudié votre généalogie que j'ai pris conscience de l'ampleur de la situation. Depuis, je continue de reconstituer les faits et d'effectuer des recoupements.

— Vous refusez de m'assister ? De me protéger ? le coupa-t-elle.

— Je vous donnerai un coup de main en vous racontant mon histoire. Et mes découvertes… Ne bougez pas, surtout, je vais vous aider à descendre de ma Ford. Vos muscles doivent sans doute être endoloris, à présent.

Il prit l'épais dossier cartonné qui se trouvait sur la banquette arrière, puis descendit de sa Ford et la contourna.

En attendant, Lindsay ouvrit la portière, mais elle ne put retenir un petit cri de douleur. Elle avait en effet mal partout…

La voix de Brian lui parvint simultanément.

— Je vous l'avais bien dit !

— C'est incroyable : j'ai l'impression d'avoir été rouée de coups.

— C'est l'adrénaline qui retombe. Je parie que vous allez vous endormir sitôt que votre tête aura touché l'oreiller.

— J'en doute ! Avant, nous devons parler.

— Dès que nous serons entrés, promis.

Elle hésita un instant.

— Je vous préviens, je ne vous invite pas à passer la nuit chez moi…

Voilà qu'elle redevenait paranoïaque, se sermonna-t-elle.

— Je n'ai aucune intention, criminelle ou autre, à votre égard, Lindsay. Vous pouvez me croire sur parole et me faire confiance.

Malgré tout, sa peur continuait de monter, la submergeait, même.

Soudain, une voix, celle de Jeremy peut-être, s'éleva dans sa tête.

Tu as besoin de lui. De son aide. Songe à l'accident

de ton père et de ta mère. N'oublie pas que tu as failli mourir, ce soir.

Il faut que tu mettes au jour la vérité... Brian Sloane en a déjà découvert une partie.

Obstine-toi, jusqu'à ce que tu aies retrouvé le psychopathe qui a décimé la famille Cook, Lindsay.

A la mémoire de nous, ses victimes... La dernière des Cook nous le doit bien.

Elle soupira.

— Je suis désolée, Brian, mais tout est si soudain et encore si confus…

Elle se massa le cou et riva son regard à celui, séduisant et caressant, de Brian Sloane. De là, les mots jaillirent de ses lèvres comme par enchantement.

— Vous allez trouver mon revirement bizarre, mais accepteriez-vous de passer la nuit chez Jeremy ? Je me sentirais plus en sécurité…

Pour seule réponse, il lui tendit la main. Elle lui donna ses clés.

A situation exceptionnelle, solutions exceptionnelles…, se rassura-t-elle.

Brian rentra silencieusement dans la maison avec Lindsay.

Certainement à bout de forces, celle-ci se laissa tomber sur le canapé et retira ses escarpins.

Brian alluma la lumière, posa son dossier cartonné sur la table basse et contint son désir de retirer ses bottes. Il était moulu… Il aurait bien aimé s'allonger et fermer l'œil un instant.

L'adrénaline retombait pour lui aussi. Son mal de tête revenait, plus intense.

— J'ai beau être épuisée, je veux entendre votre…, commença Lindsay.

Elle s'interrompit. Il suivit son regard dans la direction du bocal des poissons rouges sur le bureau.

— Que se passe-t-il ?

— Quelqu'un est entré chez moi pendant mon absence ! murmura-t-elle, au bord des larmes.

— Comment pouvez-vous en être sûre ?

Il s'approcha et lui posa la main sur le bras.

— L'aquarium était posé sur le guéridon et non sur le secrétaire de Jeremy. Je le sais, j'ai nourri les poissons ce matin avant de partir, reprit-elle, toujours à voix basse.

Elle tremblait.

— Vous en êtes certaine ?

— Absolument.

— Alors nous partons tout de suite !

— Mais…

— Maintenant, Lindsay !

Brian aurait été seul qu'il aurait passé chaque pièce de la maison au crible et peut-être perdu du temps. Or, Lindsay lui avait attribué le rôle de protecteur. Il l'avait refusé, mais ses instincts reprenaient le dessus.

Lindsay n'eut que le temps de remettre ses escarpins, et ils remontèrent dans la Ford.

En route, elle fouilla dans sa besace et en sortit son Smartphone.

— Zut ! ma batterie est presque morte. Je peux vous emprunter votre portable ?

— Qui voulez-vous appeler ? La police ? N'oubliez pas qu'elle ne vous a pas prise au sérieux, ce soir, et que vous avez passé un petit moment au poste.

— Mais si cet individu a laissé des empreintes digitales chez moi ? Des indices ?

— J'en doute. Il est pathologiquement prudent, et cela fait des années qu'il agit impunément.

— Je vous rappelle que c'est ma vie qui est en danger.

— Justement.

— Où me conduisez-vous ?

— A Aubrey. Dans mon ranch. Nous avons une petite

heure de route devant nous. Prenez ma veste, elle vous servira d'oreiller : vous avez besoin de repos.

Manifestement trop lasse pour discuter, Lindsay opina et chercha une posture plus confortable.

— Merci, Brian. Merci pour tout.

Il lui proposait de prendre du repos, et elle le remerciait, s'étonna-t-il. Il aurait pourtant dû se rallier à sa décision de contacter la police.

Cependant, vu les circonstances, la conduire au ranch semblait être la solution la plus simple.

Son frère lui reprocherait-il une décision si hâtive ? Possible…

Depuis que, quelques mois plus tôt, il avait eu avec John une conversation à cœur ouvert sur la nuit qui avait changé le cours de son existence, les décisions concernant la vie au ranch faisaient l'objet de décisions collégiales, donc de discussions sans fin.

Et s'il s'acharnait à retrouver trace de l'individu qui avait détruit ses projets d'avenir, douze ans plus tôt, son frère préférait recouvrer sa tranquillité et regarder vers l'avenir après avoir traversé ses propres épreuves, récemment.

Tant pis si John était mécontent, conclut Brian. L'honneur lui interdisait d'abandonner Lindsay Cook à son sort.

Le temps passa plus vite qu'il ne l'avait pensé, alors même qu'il roulait dans l'antique Ford que son grand-père avait achetée, quinze ans plus tôt. Il en bricolait le moteur et l'entretenait de son mieux, mais le véhicule était poussif et n'avait pas la climatisation. Au moins, il lui appartenait ! La banque ne pouvait le saisir, comme elle menaçait de le faire avec le ranch.

Chaque chose en son temps, s'ordonna-t-il.

Pour le moment, assurer la sécurité de Lindsay Cook était plus important que trouver le moyen de payer ses dettes et garder le ranch. Même s'il connaissait à peine la jeune femme.

Sur ce, il tourna dans sa propriété, se gara près de la

grange et coupa le contact. Lindsay dormait toujours et balbutia dans son sommeil au moment où, ayant rejoint sa portière, il l'ouvrit.

Le vent la décoiffa. Brian dégagea son visage avec tendresse. Puis, sans réfléchir, il effleura son front avec ses lèvres, mais imperceptiblement. Enfin, il la souleva dans ses bras et fit rouler sa tête dans le creux de son épaule.

Il se comportait comme un héros de roman sentimental... C'était ridicule ! Qu'espérait-il ? Il n'avait aucune chance de conquérir Lindsay Cook. Jamais elle ne s'intéresserait à un éleveur de chevaux texan, il le savait grâce à ses recherches.

Passionnée de surf, Lindsay Cook avait mené une vie fantasque et au gré de ses envies. Elle fréquentait des milieux qu'il ne connaissait pas et qui, de toute façon, ne l'intéressaient pas.

Le jour se levait... Bientôt, il devrait accomplir les corvées quotidiennes et matinales. Seul avec son frère, car il n'avait pas les moyens d'avoir des ouvriers... C'était stupide d'avoir proposé à cette élégante jeune femme de l'héberger dans son ranch. Elle en détesterait la rusticité...

La vieille maison avait besoin d'un coup de peinture, les étables et la grange, d'un toit neuf. L'abreuvoir devait être dragué. Enfin, il possédait si peu de chevaux désormais que sa propriété ne méritait plus guère le nom de « ranch ».

Sa propriété ?

Pour combien de temps encore ?

Si, à l'âge de quinze ans, il avait rêvé de la quitter pour aller en ville, à Dallas par exemple, cette perspective était dorénavant inconcevable.

Là-dessus, il entra, Lindsay toujours endormie dans ses bras.

— Tu rentres déjà ? Je pensais que tu avais trois jours d'astreinte, dit John qui baillait dans la cuisine. Tu veux du café ?

Sur ces mots, il leva les yeux de la cafetière et, voyant Lindsay, se figea. Puis la colère envahit ses traits.

— Lindsay Cook !

Mais Brian était trop fatigué pour s'expliquer.

— Pas de question, par pitié ! intima-t-il à son frère.

5

L'art de trouver des solutions sans les avoir cherchées…

Il admirait avec jubilation cet univers parfait qui œuvrait dans son sens et contribuait à son succès.

Brian Sloane, quelle engeance ! Mais aussi, quelle proie parfaite !

Il avait l'habitude d'enregistrer, sur son magnétophone, les détails relatifs au long et patient travail qui, depuis vingt ans, l'occupait. Le jour viendrait où l'on retranscrirait ces propos qu'il dictait depuis presque vingt ans. On en tirerait un livre dont il avait déjà trouvé le titre : *Mémoires d'un génial tueur en série*.

Jouant le rôle d'un journaliste qui l'interviewerait, il demanda à la cantonade :

— Les premières recherches de Brian Sloane ont-elles entravé votre dernier projet en date ?

Il sourit à part lui et adressa au journaliste imaginaire sa réponse avec un air modeste :

— Oui, indiscutablement. Mais cet auxiliaire médical d'urgence est un obstacle que j'éliminerai, le moment venu.

Après sa mort, son grand œuvre devrait être porté à l'attention du public dans ses moindres détails, cela pour éviter toutes les hésitations, suppositions et extrapolations malvenues et erronées. Quand le monde entier découvrirait l'œuvre de sa vie, ce serait par le biais de ses propres mots seulement.

L'idée de se consacrer à la postérité lui était venue après le deuxième meurtre, qu'il avait orchestré à la perfection.

Car il excellait à maquiller des crimes en accidents sans que personne ne se doute de rien. Quelle meilleure idée, dès lors, que de tenir un journal de bord audio ?

Il conservait ses précieux témoignages dans un coffre anti-incendie et les réécoutait inlassablement, à ses heures perdues. Rien n'était plus jubilatoire que de s'entendre relater, minutieusement, chaque phase de ses opérations : le concept, les nuances, enfin tout ce qui avait rendu chaque exécution identique et différente à la fois.

— Je me suis mal exprimé, continua-t-il, réendossant complaisamment le rôle du journaliste. Ce que je veux savoir, c'est si Brian Sloane représente un problème pour votre prochaine opération.

Après un silence feint, il répondit.

— Disons que c'est un défi supplémentaire. J'ai observé Brian Sloane. Son existence est sans intérêt et banale. En revanche, le retour de John Sloane au bercail a été passionnant, car marqué par l'enlèvement de la fille de sa compagne. Mais je me vois désormais dans l'obligation d'accélérer mes plans à destination de la dernière des Cook. Avec la mort de Lindsay Cook, j'aurais refermé un cycle. Ma vengeance aura été accomplie.

Sur ces mots, il se leva de son bureau et prit place sur son canapé en cuir.

Il oublia son jeu intervieweur-interviewé et soliloqua, extatique.

— Faire croire à la mort de Gillian Cook dans un incendie a été pratique et, surtout, brillant ! Quelle maîtrise de mon art !

Sur ces mots, il ouvrit une bouteille de vodka de sa marque favorite, s'en versa un verre et y fit tourner le liquide.

— Gillian Cook invitait souvent ses élèves chez elle en fin d'année scolaire. Ils allumaient des braseros sur sa propriété, et cette brave Gillian demandait à l'un d'eux de toujours vérifier qu'ils étaient bien éteints, une fois les festivités terminées. Ce jour-là, elle a cependant eu une petite inquiétude. A raison, bien sûr, car le feu s'était étendu ! Par mes soins… Il a suffi d'un petit coup sur sa tête pour que la brave femme tombe, inconsciente. De là, sa grange s'est embrasée. Un spectacle formidable. Personne n'a jamais découvert qu'il s'agissait d'un meurtre et non d'un accident malheureux dû à la prétendue irresponsabilité d'un adolescent qui l'a payé très cher ! Pauvre Brian Sloane. S'il avait su… Mais il n'est pas au bout de ses peines !

Tout vient à point à qui sait attendre.

Rares étaient ceux qui cultivaient l'art de la patience, laquelle rendait chaque victoire plus savoureuse.

— Je vais me débarrasser de Brian Sloane. Bientôt. Très vite et sans bavures.

Et en guise de conclusion, il but sa vodka cul sec.

Il aimait cette brûlure qui se répandait dans son corps et lui donnait toujours envie d'un second verre.

— La seule question, c'est de savoir comment je vais contraindre Brian et Lindsay à quitter le ranch et à se rendre vulnérables. Je ne peux créer un accident dans l'enceinte de cette propriété. Trop de monde. Trop de témoins. Trop de méfiance, à cause de l'enlèvement de la petite Lauren, il y a quatre mois.

Il lissa sa moustache et vérifia qu'il n'y restait pas de vodka. Puis il s'en versa un nouveau verre, en but une gorgée et le reposa avec une telle vivacité que quelques gouttes en jaillirent.

— Comment procéder ? Voilà un nouveau défi qui n'est pas pour me déplaire !

Il s'adossa au canapé en cuir, y appuya la tête et se concentra sur le micro logé dans le plafond. Enfin, il ferma les yeux et visualisa le ranch où Sloane et Cook se trouvaient désormais.

— Si je vais au bout de mon idée, ce sera la première fois que je devrai faire face à mon adversaire… Pourquoi pas ? Mais ce qui fait la beauté de mes opérations, c'est de rester invisible. Transparent. Mes victimes ne me voient ni ne m'entendent. Oui, j'ai réussi le crime parfait.

Il s'était juré de toujours dire la vérité. Aussi ajouta-t-il ces mots :

— *Addenda.* Ce pauvre Jeremy Cook m'a pourtant aperçu, même trouble, à travers son masque de plongée. Jamais je n'avais vu de si près mes victimes avant la fin. Quand j'ai été proche de lui, il n'a pas eu peur. Je l'ai maintenu sous l'eau sans peine. Il n'a été pris de terreur que lorsqu'il a eu épuisé ses réserves d'oxygène. Alors il a compris. Il a su que c'était la fin.

Revivre cet instant d'une rare intensité fit battre son cœur plus fort et raviva son désir de ressentir derechef cette jouissance inouïe. Mais il passa sous silence son euphorie. Les psychiatres ou les médias la galvauderaient par quelque interprétation absconse. Ils feraient de son prodige une perversion, voire une pathologie. Erreur !

— Retour au problème actuel. Comment éliminer d'un coup Sloane et la dernière des Cook ?

Il visualisa de nouveau la propriété. Son accès, ses dépendances, les prés et l'étang…

La perspective de frapper prochainement le faisait frémir de bonheur.

Excitation. Impatience et surtout… récompense.

— Appâter la presse. Donner une information aux médias qui mette Brian Sloane en cause dans l'accident de circulation dont a été victime cette pauvre Lindsay Cook ! Alerter un photographe, un paparazzi. Les Cook, comme les Sloane, attirent les médias comme le miel les abeilles. Les Cook, par la prétendue malédiction qui plane sur eux, et les Sloane à cause de la mort de Gillian Cook et, surtout, de l'enlèvement récent de Lauren, la fille de l'épouse de John Sloane. Dès lors, Cook et Sloane sortiront de leur tanière et je m'occuperai d'eux. Bien, maintenant, je vais parachever mon plan et en enregistrer les phases.

Il aimait ce bien-être inouï suscité par la chasse à l'homme et l'imminence d'une exécution. Il se versa un autre verre de vodka pour célébrer son génie et le leva.

— A vingt ans d'excellence. Au crime parfait !

La vodka l'étourdit agréablement, comme il s'y attendait.

Le destin lui avait fourni un adversaire de taille en la personne de Brian Sloane, qui serait aussi l'instrument de la mort de Lindsay Cook.

Pour concrétiser son projet, il lui suffisait de mettre la main sur l'une de ces malheureuses filles qui ont fui famille et amis, fuguent et dérivent comme des épaves. Les rues de Dallas en regorgeaient.

Il en avait déjà repéré une.

Nouveau cadeau du destin.

Il ne lui restait plus qu'à contraindre Brian Sloane et Lindsay Cook à quitter le ranch.

6

Brian souffrait d'un terrible mal de tête. Il avait besoin de sommeil et de quelques jours de repos. Ces derniers temps, il avait travaillé incessamment, que ce soit au ranch ou à l'hôpital, cherchant des solutions à ses problèmes financiers.

Il passait ses trop rares moments de loisir à rechercher des indices sur le meurtrier de Gillian Cook et de sa famille.

Il avait envie de son lit, où Lindsay dormait à poings fermés.

Il sourit à part lui. Il ne se passerait pas longtemps avant qu'il ne partage sa couche avec elle, car l'attirance entre eux était évidente. Sans doute y succomberaient-ils une fois qu'ils se connaîtraient mieux, mais certainement pas au ranch, où vivaient aussi son père, son frère avec sa femme et la fille de cette dernière.

Le coq chanta. Brian se leva, prit le temps de se changer, d'avaler une tasse de café, puis rejoignit John qui, déjà dans les étables, nourrissait les chevaux.

— Alors ? lui demanda son frère.

— Alors quoi ?

— Tu es blessé. Que s'est-il passé au juste ?

John se comportait en aîné, ou plutôt en ancien Navy SEAL habitué à donner des ordres et à recevoir l'obéissance de ses hommes.

— Il n'y a rien à raconter.

— Tu es tombé ? demanda John.

Il lui prit le visage dans les mains et l'obligea à le regarder dans les yeux. Enfin, il passa son pouce sur le bandage.

— Bon sang, mais tu saignes toujours !

— Ça suffit, John ! répéta Brian. Cesse de me traiter comme si j'avais dix ans.

Il se dégagea et recula, en s'essuyant le front.

— J'ai déjà un père, j'ai passé l'âge d'avoir un baby-sitter.

Dans les faits, Brian avait toujours été le plus responsable des deux, John ayant été réputé, du moins dans leur prime jeunesse, pour son insouciance badine. Mais il avait gagné en maturité en entrant dans la Navy, puis en devenant Navy SEAL. Lors de son retour au ranch après douze ans d'absence, il s'était réconcilié avec sa petite amie du lycée et avait décidé d'adopter Lauren, sa fille, qu'elle avait eue d'un premier mariage.

— Le médecin qui a suturé la plaie n'est pas digne de l'être ! constata John. Tu vas avoir une belle cicatrice ! Ne crois pas que je vais me blesser aussi à l'arcade pour que, de nouveau, on puisse faire un petit échange d'identité, le cas échéant. Bon, raconte-moi ce qui s'est passé.

Brian ne répondit pas, même si John ne reprendrait certainement pas le travail sans avoir obtenu de réponse.

— Blessé lors de ta quête de vérité sur les Cook ? insista son frère qui effectuait ses propre déductions. On était pourtant convenus d'arrêter, après que la police t'a ri au nez quand tu as révélé tes découvertes.

— Ça n'a rien à voir. Un ivrogne m'a frappé alors qu'on lui portait secours ! Je suis tombé et je me suis ouvert l'arcade sourcilière.

— Et Lindsay Cook ? Tombée dans tes bras par miracle ?

— Hier, on s'est rencontrés lors de sa pause-déjeuner. Dans la soirée, elle a eu un accident qui l'a conduite aux urgences. Elle était en état de choc, elle avait peur, je lui ai proposé de la conduire au ranch. Ecoute, John, je suis complètement épuisé, alors terminons nos corvées au plus vite, et je vous expliquerai, à toi, Alicia et papa, la situation plus en détail tout à l'heure, lors du petit déjeuner.

A ce moment précis, son père passa la tête par la porte qui ouvrait sur le paddock.

— Et en bonus, conclut Brian à l'intention de son frère, si Lindsay est réveillée, tu pourras lui poser tes questions.

— Laisse tomber cette histoire ! s'exclama John. Ces événements se sont déroulés il y a douze ans ! Il faut aller de l'avant !

Il reprit la pelle pour mesurer les céréales destinées aux chevaux.

— Non ! Je veux découvrir la vérité, rétorqua Brian. Et entre nous, je n'ai jamais donné mon accord pour renoncer. Comme d'habitude, tu as ordonné, et je t'ai rappelé que je n'étais pas sous tes ordres.

Sur ce, il prit des seaux de céréales et entreprit de nourrir les quarters horses qu'il essayait de vendre depuis déjà plusieurs mois.

John éclata de rire.

— J'ai dit quelque chose de drôle ? demanda Brian, étonné.

— Je viens juste de comprendre : c'est toi qui as suturé ton arcade sourcilière, n'est-ce pas ?

John se tapait sur les cuisses, sans cesser de rire.

— J'aurais dû m'en douter !

— De quelle suture parles-tu ? intervint leur père, s'appuyant lourdement sur sa canne.

Quatre mois plus tôt, il avait eu une attaque. Mais chaque jour, il se rendait chez son amie Mabel, qui habitait à trois kilomètres de là. Une promenade qui n'était pas seulement destinée à lui faire faire de l'exercice, mais à rejoindre une femme qu'il avait autrefois aimée.

— John a perdu l'esprit, papa, ne prête pas attention à ses remarques stupides. Bon, je vous laisse, je vais préparer le petit déjeuner.

— Brian, nous devons parler de la situation du ranch ! lui rappela son père. La banque a téléphoné, hier.

— Pas pour le moment, papa.

Brian sortit pendant que John expliquait les raisons de son

hilarité à leur père. Son frère avait remarqué la maladresse de ses points. Peu importait. Il demanderait à sa belle-sœur, qui était infirmière, de les lui refaire.

Plus tard.

Là, il mourait de faim et avait besoin de se distraire l'esprit de Lindsay, endormie, ses cheveux blonds étalés sur l'oreiller…

Une bonne odeur de pancakes chatouilla les narines de Lindsay. Elle prit une grande inspiration et sourit aux anges, puis s'étira… Malheureusement, elle ne ferait pas de surf dans la journée, son épaule la faisait encore trop souffrir. Elle se la massa, puis retomba dans le lit avec un soupir d'aise. Quel bonheur d'être dans son spot favori de Californie… Elle adorait le soleil qui passait par les fenêtres et lui chatouillait le visage. L'odeur de draps propres et séchés dehors la ravissait.

Puis elle remonta la couette jusqu'à son menton et regretta de ne pouvoir passer la matinée au lit. Elle n'avait pas de temps à perdre. Et surtout, envie de pancakes. Elle ouvrit donc les yeux…

Elle était dans une pièce inconnue !

La panique l'envahit aussitôt. Accompagnée par une sensation de douleur intense. Qui n'était pas due à un petit accident de surf…

Mais où suis-je ?

Après un instant, elle s'en souvint.

Elle ne se trouvait pas sur une plage de Californie, mais dans le ranch d'un certain Brian Sloane. Et elle devait être à sa boutique de téléphonie mobile à 15 heures.

Comme le soleil et la mer lui manquaient…

Elle s'obligea à refouler sa nostalgie…

Elle était devenue responsable, avait désormais un véritable emploi avec une possibilité d'évolution. Elle habitait une jolie maison meublée avec goût et n'avait plus besoin de se réfugier chez des amis, ou des amis d'amis, quand l'hiver venu elle ne savait pas où vivre et manquait d'argent.

Avoir des responsabilités lui plaisait.

Sur ces entrefaites, elle inspecta la pièce des yeux. Les rideaux étaient élégants, une commode était recouverte de napperons, et un joli coffret à bijoux trônait dessus. Sur un autre meuble, des photos de famille étaient disposées dans des cadres : grands-parents, parents, deux bébés identiques ainsi qu'une femme d'une beauté stupéfiante et en robe de mariage.

Lindsay réfléchit un instant. Soit Brian Sloane était marié, soit elle ne se trouvait pas dans sa chambre.

A cette idée, elle jeta un œil à sa tenue : elle était en petite culotte, caraco et soutien-gorge. Bon. L'avantage était que ses vêtements de la veille, qu'elle devait remettre, n'étaient pas froissés.

Elle se leva donc, remit le lit en ordre et se rendit dans la salle de bains. Elle y fit un brin de toilette, puis, intimidée, remonta le couloir jusqu'à la salle à manger, se fiant à la bonne odeur de pancakes et surtout en espérant retrouver Brian.

Un homme dormait sur le canapé du salon. Son visage était enfoncé dans les coussins et de surcroît masqué par un Stetson rabattu, mais c'était Brian, elle en était certaine. Il avait gardé ses bottes, lesquelles reposaient sur l'accoudoir. Qu'il se soit endormi sur ce canapé inconfortable n'avait rien de surprenant, songea Lindsay. Il avait travaillé pendant une bonne partie de la nuit après quoi il avait passé plusieurs heures avec elle. En revanche, qu'il ait pu la porter jusqu'à son lit et la dévêtir, sans la réveiller, était plus étonnant.

— Chut ! tu vas avoir de gros ennuis si tu réveilles oncle Brian, dit soudain une voix de petite fille.

Lindsay releva la tête : l'enfant se tenait à la porte de la cuisine, un doigt sur ses lèvres.

Derrière elle, une jeune femme, sans doute sa mère, s'affairait devant l'évier.

*
* *

Lindsay hésita à s'annoncer. Comment expliquer la raison de sa présence ?

— Maman ? appela la fillette, en rejetant ses nattes sur ses épaules d'un geste coquet.

— Lauren, viens vite manger tes pancakes, avant de sortir jouer ! Et laisse ton oncle tranquille, répliqua sa mère sans lever les yeux de l'évier où elle faisait la vaisselle.

— C'est que la fiancée de Brian est réveillée ! claironna Lauren.

Là-dessus, elle prit la main de Lindsay tandis que la jeune femme faisait volte-face.

Elles se ressemblaient, constata aussitôt Lindsay. Même cheveux bruns bouclés et brillants. Même dessin des sourcils.

— Bonjour ! commença la mère de Lauren. Je m'appelle Alicia. Je suis la belle-sœur de Brian. Il nous a expliqué que vous étiez arrivée avec lui, au petit matin. Je ne m'attendais pas que vous soyez déjà levée ! conclut-elle en s'essuyant les mains dans un torchon.

Son sourire, au début hésitant, était devenu sincère. Elle s'accroupit devant sa fille.

— Lauren ? J'espère que tu n'as pas réveillé Lindsay.

— Ne vous inquiétez pas, j'ai bien dormi, personne ne m'a réveillée ! la rassura Lindsay. J'arrivais dans le salon quand j'ai vu Lauren…

Elle se mit presque à bafouiller :

— Je ne suis pas la fiancée de Brian. Nous nous sommes rencontrés hier et… disons, à la suite de circonstances particulières, il a proposé de m'héberger au ranch… Je reconnais que mes explications sont très confuses… Mais c'est une histoire compliquée.

Alicia opina d'un air de connivence et assit Lauren sur un tabouret.

— Merci d'avoir annoncé Lindsay, chérie. Maintenant, mange des pancakes.

Puis elle ajouta :

— Ne vous inquiétez pas, Lindsay. Brian m'a tout raconté. Vous avez faim ? Il m'a expressément demandé de vous servir des pancakes dès que vous seriez levée et prête.

— Ça sent très bon. Je peux vous aider ?

Lauren éclata d'un rire canaille :

— Tu es bête : les invités, ça n'aide pas !

— Lauren !

La belle-sœur de Brian retira du réfrigérateur une jatte de pâte et y plongea le mixeur.

Elle prépara un pancake, puis le servit à Lauren. Celle-ci le plia aussitôt et l'enfourna sans autre forme de procès, si vite que du sirop d'érable lui coula sur le menton. Lindsay ne put s'empêcher de sourire.

L'enfant ne manquait pas d'aplomb. Et d'ailleurs, Lauren ajouta :

— Mais c'est toi, maman, qui as dit qu'oncle Brian était bête d'inviter sa fiancée dans notre maison qui est si petite, même pour nous ! Et en plus, avec tous nos problèmes !

— Lauren ! On ne parle pas la bouche pleine ! s'exclama Alicia, l'air consterné.

Puis elle se tourna vers Lindsay.

— Je suis désolée, je…

— Ne vous inquiétez pas. Elle a raison. C'est stupide de ma part d'avoir accepté l'invitation de votre beau-frère.

Séjourner dans ce ranch était un embarras pour tout le monde… On ne débarquait pas comme ça chez les gens.

— Il vaudrait mieux que je parte… Je vais tout de suite appeler un taxi et rentrer.

— Oh mon Dieu non ! je vous en prie ! s'exclama de nouveau Alicia, visiblement désolée. Ne soyez pas bête ! Pour l'amour du ciel… Excusez-moi, Lindsay, ce n'est pas ce que je voulais dire ! Vous êtes la bienvenue et aussi longtemps que vous le désirez ! Vous êtes chez Brian autant que chez moi. Je n'aurais jamais dû faire cette remarque sur la petitesse de notre maison.

Lindsay sourit avec effort.

— N'empêche, Alicia, il vaut mieux que j'y aille.

Sur ces mots, elle recula, essayant de prendre congé le plus gracieusement possible. Mais au fait, où était sa besace ? Dans la chambre où elle avait dormi ?

Elle s'y précipitait quand, au même instant, deux mains se posèrent sur ses épaules.

Elle heurta un torse viril, et la voix de Brian s'éleva par-dessus sa tête.

— Où courez-vous ? Vous n'avez plus nulle part où aller, Lindsay.

— Oncle Brian ? Tu n'as pas l'air content, intervint Lauren de sa petite voix acidulée soudain inquiète.

— Ce n'est rien, je suis un peu fatigué, ma puce, répondit Brian.

Son souffle était chaud, nota Lindsay.

— Je suis de mauvaise humeur quand je ne dors qu'une demi-heure par nuit, ajouta-t-il avec un soupir résigné.

— Je t'ai déjà dit de prendre notre chambre, intervint Alicia.

— Surtout pas ! Ne te fais pas de souci, Alicia. Je peux dormir n'importe où, n'importe quand.

Puis il conduisit Lindsay vers la table où il l'obligea à s'asseoir.

— Comment va votre épaule aujourd'hui ?

— Elle me fait encore un peu mal, mais ça va mieux.

Le plus étrange, songea Lindsay, c'était cette légèreté en elle depuis l'arrivée de Brian. Elle prit donc place avec plaisir autour la table de la cuisine et en caressa lentement le plateau.

Pieds en métal, plateau en Formica usé par des marques de crayons, de feutres, de couteaux et des brûlures : ce vieux meuble racontait l'histoire d'une famille… La rallonge en avait été tirée, et six chaises au charme suranné l'entouraient.

— Ta fiancée va rester longtemps chez nous, oncle Brian ? demanda Lauren.

Lindsay se mordit la lèvre pour ne pas rire et sourit gentiment à la fillette.

— Je dois aller travailler cet après-midi, donc il faut que je rentre, expliqua-t-elle en jetant un œil à Brian.

Il haussait un sourcil, contrarié.

— Après m'être restaurée, bien entendu ! acheva Lindsay à son intention.

Alicia posa devant elle une pile de pancakes qui semblaient aériens.

— Servez-vous, Lindsay, j'en ai déjà dévoré plusieurs, déclara Brian.

Son sourire était encourageant, et son ton, si autoritaire fut-il, ne lui déplut pas.

Galvanisée, elle obtempéra.

— Regarde, oncle Brian, Lindsay adore les pancakes de maman ! Elle a poussé un soupir de délice en levant les yeux au ciel ! s'enthousiasma Lauren.

— Elle a raison, ma puce ! approuva Brian.

Lindsay comprenait mieux pourquoi Lauren, au mépris des règles de la plus élémentaire politesse, avait parlé la bouche pleine : les pancakes d'Alicia étaient absolument succulents, et elle avait eu envie de le lui dire dès la première bouchée. Le café était également excellent, remarqua Lindsay.

Elle s'était réjouie d'avoir hérité de la luxueuse machine à expresso de Jeremy et d'avoir un café Starbucks au coin de sa rue, mais la saveur de ce café-là se mariait bien avec celle des pancakes et le sirop d'érable. En vérité, jamais elle n'avait fait plus délicieux petit déjeuner…

— C'est vrai, ils sont exquis, Alicia, dit-elle finalement. Merci.

Et comblée, elle mordit de nouveau avec entrain dans son pancake.

— Je ne mérite pas vos compliments, répondit Alicia. J'ai seulement mixé la pâte. Mon cher beau-frère connaît en effet un ingrédient secret qu'il refuse de me dévoiler.

Elle pointa sa spatule dans la direction de Brian.

— C'est lui qui a préparé la pâte avant que je ne sois levée.

Lindsay était sur le point de féliciter Brian quand la porte moustiquaire s'ouvrit brusquement. Deux hommes firent leur apparition. L'un, le père de Brian visiblement, marchait, plutôt avec aisance, à l'aide d'une canne. Le second était en train de retirer son Stetson et, de toute évidence, le frère jumeau de Brian.

— Deux hommes affamés ont besoin d'une collation ! lança le père sur le ton de la plaisanterie.

Alicia posa des pancakes sur la table.

— Les hommes de cette maison sont toujours affamés !

Le frère de Brian embrassa Alicia en riant, tandis que son père s'attablait. Lindsay observa tour à tour les trois hommes, fascinée : les jumeaux auraient le visage de leur père d'ici quelques années, c'était manifeste.

— Lindsay ? intervint Brian. Je te présente mon jeune frère, John, et mon père… John, papa, voici Lindsay Cook.

— Plus jeune de vingt-trois minutes et néanmoins plus âgé parce que plus mature, rectifia John.

— Alicia, j'aimerais que tu regardes de plus près les points de suture de Brian, reprit le père en dévisageant son fils aîné, l'air inquiet.

— Moi, j'ai fini, maman ! les coupa Lauren en reposant bruyamment sa fourchette sur son assiette. Je peux sortir de table ?

Alicia lui envoya un baiser en opinant, et John lui sourit.

Quelle belle famille ! pensa Lindsay.

L'harmonie qui régnait dans cette cuisine en dépit, ou plutôt, grâce aux taquineries et chamailleries était émouvante.

Mais toi, tu es seule. Tu es la dernière des Cook.

A peine cette pensée eut-elle surgi dans sa tête que son pancake eut un goût de carton. Lindsay, cette fois bouleversée, se figea et un vertige la saisit, comme le jour où les sauveteurs avaient ramené le corps sans vie de Jeremy.

On parlait toujours autour de la table, mais le sens des conversations lui échappait.

— Lindsay ? Ça va ?

Elle sursauta et cilla. Brian posait sa main sur son épaule.

— Excusez-moi… j'ai besoin d'air… j'étouffe.

Elle repoussa la sollicitude de Brian et sortit à la hâte. La porte moustiquaire claqua dans son dos, elle dévala l'allée de gravier. Un second claquement de porte résonna, signe qu'on la suivait, mais elle n'en continua pas moins sa course éperdue.

Fuir.

Quitter le Texas. Disparaître sans laisser de trace. L'individu qui la pourchassait ne la retrouverait jamais, surtout si elle reprenait sa vie de bohème sur les plages, voire s'exilait ! L'Australie était réputée pour ses spots, pas vrai ?

— Lindsay ! Attendez ! Qu'est-ce qui vous prend ?

— Laissez-moi ! Je dois partir ! s'écria-t-elle.

Le gravier abîmait irrémédiablement ses jolis escarpins — sa dernière folie. Tant pis. Elle n'en aurait plus besoin une fois qu'elle aurait retrouvé ses chères plages de Floride, d'Hawaii ou de Californie. Elle trouverait un emploi saisonnier, n'importe quoi. Elle avait de l'expérience, elle connaissait du monde dans l'univers du surf.

— Vous voulez retourner à Fort Worth ? lança Brian.

— Exact : je vais appeler un taxi !

Brian éclata de rire.

— Il n'y a pas de taxis à Aubrey. Revenez !

— Je me débrouillerai ! Je n'aurais jamais dû accepter votre invitation. Toute votre famille semble trouver normal que j'aie dormi dans votre lit, mais je sens aussi des réticences… Vous avez l'habitude de proposer votre chambre à des inconnues ?

— La seule femme qui a jamais dormi dans mon lit a cinq ans. C'est Lauren. Moi, j'occupe le canapé quand je suis à la maison. Autrefois, c'était la chambre de mon père, et je ne comprends pas pourquoi vous vous énervez !

— Je ne m'énerve pas ! A quoi bon ? On cherche seulement à me tuer. Pas de quoi s'affoler, n'est-ce pas ? ironisa-t-elle.

— Vous avez raison : vous n'êtes pas *énervée*, vous êtes proche de l'hystérie. Ecoutez, Lindsay, je sais que votre vie a été bouleversée par mes révélations et…

Il la prit par le bras.

— Lâchez-moi ! cria-t-elle en essayant de se dégager.

— Aïe ! Vous m'avez griffé ! Je ne vous laisserai pas tant que vous ne serez pas calmée ! dit-il, l'attirant contre lui d'un geste impérieux.

Lindsay retint un juron. Etait-elle énervée ou désespérée ? Elle n'en savait rien. Tout ce qu'elle désirait, c'était que Brian lui fiche la paix. Malheureusement, elle avait beau se débattre, il la tenait fermement et elle se retrouva la joue plaquée contre son torse. Aussitôt, une odeur d'herbe et de soleil, la même que la veille dans la vieille Ford, l'envahit et l'enveloppa.

Elle cessa de gigoter et leva les yeux vers lui, vers le visage le plus séduisant qu'elle avait jamais croisé en dépit de, ou plutôt grâce à, son ombre de barbe. Les traits de Brian se détendirent. Il n'était même pas essoufflé par la course et leur courte lutte. Son regard était brun, chaleureux et pénétrant. Elle s'y perdit.

Puis poussa un gros soupir.

Brian Sloane n'était pas responsable de la mort de Jeremy, ni de l'accident de la veille au soir. Il l'hébergeait chez lui, dans sa famille, pour sa sécurité. Parce qu'elle lui avait demandé son aide.

En théorie, c'était simple. En pratique… c'était une tout autre histoire.

Une histoire dont elle ne parvenait même pas à imaginer la fin, heureuse ou non…

7

Brian tenait Lindsay serrée dans ses bras, un peu perdu. Il avait terriblement envie de l'embrasser, mais s'il franchissait cette étape, il ne pourrait plus revenir en arrière et regretterait certainement sa précipitation.

Au même instant, Alicia apparut par la fenêtre de la cuisine. Elle lui adressa un petit signe, pour s'assurer que tout allait bien.

— Lâchez-moi maintenant ! s'exclama Lindsay.

— Comme vous voulez. De toute façon, je suis trop las pour me battre avec vous.

Sur ces mots, il relâcha la jeune femme. Celle-ci se laissa tomber dans le sorgho d'Alep qui bordait l'allée de gravier, puis rassembla ses genoux sur sa poitrine et les enlaça.

Un instant, le désir de la réconforter, de la serrer de nouveau dans ses bras effleura Brian. Comme elle, il aurait voulu fuir. Fuir le ranch et sa famille, les pressions permanentes et, surtout, les dettes. Il suffisait de sauter dans la Ford pour mettre ce séduisant projet à exécution.

Il soupira, s'accroupit, plaqua les mains sur ses cuisses pour résister à la tentation de les poser sur les épaules de Lindsay. C'était étrange, voire étonnant, d'être à ce point attiré par une inconnue, et ce n'était pas seulement parce qu'elle était extraordinairement jolie.

— Lindsay, écoutez-moi, tout ce que je veux, c'est vous aider. Comme vous me l'avez demandé.

— Je sais, commença-t-elle en posant le front sur ses

genoux. Je suis désolée de m'être emportée… Je ne sais pas ce qui m'a pris.

— Vous avez peur de moi ? De nous ?

— Non ! Vous n'auriez jamais proposé de m'héberger si vous aviez voulu me faire du mal. Vous n'êtes pas responsable de mon accident d'hier soir, ni de la mort de Jeremy. Mais cette conversation, dans cette cuisine… Je ne sais pas comment vous l'expliquer… tout à coup, j'ai eu le sentiment d'étouffer.

— Vous allez mieux maintenant ?

Lindsay leva vers lui un regard rempli à la fois de défiance et de détermination. Les rayons du soleil passaient au travers des feuillages des grands chênes bordant l'allée. Leur lumière allumait de jolis reflets dorés dans sa chevelure blonde, remarqua-t-il.

De nouveau, un irrépressible désir de la serrer contre lui l'envahit.

— C'est à devenir fou…, murmura-t-il à part lui.

— Pardon ? demanda-t-elle, tandis que la confusion envahissait ses traits et lui faisait hausser les sourcils.

— Rien.

Il se redressa et l'aida à se relever. Mais il fut soudain intimidé par le contact de sa main, de sa peau si douce.

Intimidé ?

Il n'avait jamais été intimidé par une femme. A près de trente ans, il n'était jamais tombé amoureux.

Amoureux ?

L'était-il de Lindsay Cook ?

Déjà ?

Elle s'était relevée, et il la lâcha.

— Ça va mieux ? répéta-t-il, conscient de sa brusquerie. Vous pouvez marcher ?

— Oui. Mais mes escarpins sont fichus. Ne me proposez pas des bottes comme les vôtres : je refuserais d'en porter même sous la menace !

Elle désigna ses Roper poussiéreuses, patinées par le temps.

Il sourit.

— Allons dans la grange. Nous y serons plus au calme.

Et il fourra les mains dans ses poches pour résister à son désir de lui prendre le bras.

Lindsay marcha à son côté, silencieuse, le regard fixé sur le sol. Ils gagnèrent ainsi la grange où elle se jucha sur une balle de foin.

— Brian… Pourquoi votre acharnement à me retrouver ? Cette quête de vérité ?

— Parce que je veux savoir qui est le meurtrier de Gillian Cook. Parce que je veux que justice soit faite.

— Un avis que ne partagent pas les vôtres : je sens bien que ma présence au ranch n'est pas la bienvenue…

Brian hésita.

— Il y a quatre mois, mon père a eu une attaque et Lauren a été enlevée. Nous avons tous été traumatisés, surtout Alicia et John. Maintenant, John veut l'adopter et il a engagé une procédure pour cela.

Lindsay, silencieuse, s'adossa à une poutre.

— Et vous, Lindsay, vous êtes actuellement en danger, donc votre présence au ranch pourrait faire courir un danger aux miens. Et de là, mettre en péril la procédure d'adoption de Lauren… John veut mettre toutes les chances de son côté, vous comprenez ?

— Votre frère et sa femme désirent leur tranquillité et être irréprochables. Ils attendent de vous la même rigueur, mais vous avez l'âme d'un chevalier sans peur et sans reproche…

Sur ces mots, elle leva les yeux vers la charpente et soupira lourdement. Le mouvement tendit ses seins sous son chemisier de soie rouge. Brian en fut fasciné.

Avec effort, il détacha le regard et avisa des sacs de céréales de vingt kilos prêts à être stockés dans la remise attenante. Il en souleva un sur son épaule.

L'alchimie entre Lindsay et lui le ravissait en même temps qu'elle le sidérait.

Que ne pouvait-il y céder…

Pas encore.

Si jamais il y succombait immédiatement, la relation qui s'ébauchait entre eux n'aurait aucun avenir.

Il préféra ne pas s'appesantir sur le sujet.

— Brian ? Je peux vous aider ? demanda Lindsay.

Ses mains effleurèrent les siennes sur le sac en toile de jute.

Sa réponse fusa.

— Non. Je crois que vous feriez mieux de rentrer dans la maison.

— Mais… Vous ne m'avez encore pas raconté votre histoire.

— Avant, je dois ranger ces sacs de céréales. Je vous reconduirai en ville, à votre voiture de location, en fin de matinée. On aura tout le temps de parler.

— Brian, vous…

Elle posa sa main sur son épaule avec autorité.

— Pas maintenant, Lindsay.

En parlant, il fixait sa main.

Si petite et pourtant produisant en lui un effet détonant.

— Nous ne sortirons pas de cette grange tant que vous ne m'aurez pas raconté les motifs de votre quête de vérité ! martela-t-elle.

Non, Lindsay. Pas tant que je ne me serai pas ressaisi, rectifia-t-il en son for intérieur.

Sans doute plus par jeu que par agacement, elle donna, de l'index, un petit coup sur son torse qui l'obligea, elle à se rapprocher et lui à reculer.

Elle répéta son geste jusqu'à ce que, acculé, il soit obligé de s'asseoir sur une balle de foin et de déposer son sac de céréales. Il avait les yeux à hauteur de ses seins moulés dans son chemisier rouge de soie, élégant et déplacé dans cette modeste grange.

— D'accord, Lindsay, vous avez gagné…

Il leva les mains et ferma les yeux pour ne plus avoir à affronter ce spectacle tentateur.

Qu'elle cesse de m'assaillir avec cette sensualité.

Un silence tomba.

Lindsay plaqua sur son torse la paume de sa main. Une main forte.

Elle était toute proche, sa bouche exhalant des effluves de café.

Si jamais il rouvrait les yeux, il ne pourrait pas résister.

— Brian ! Regardez ! lui ordonna-t-elle.

— Non.

Si elle continue de me provoquer...

— Brian, par pitié, il faut que vous regardiez ! lâcha-t-elle, cette fois d'une voix plus sourde où perçait de la terreur.

— Regarder quoi ? demanda-t-il, en rogne.

Il ouvrit donc les yeux. Lindsay semblait complètement paniquée, et il inclina la tête pour scruter la grange.

— Je ne vois rien.

— Il y a un serpent ! Là !

— Il y en a souvent, dans la grange. Ce sont des couleuvres. Elles sont inoffensives.

Au même instant, elle poussa un cri perçant et bondit sur ses genoux. La couleuvre disparut instantanément.

— Elle est partie, Lindsay. Vous pouvez vous lever.

Et vite, avant que je ne perde mes moyens.

— C'est...

— Je vous répète qu'elle a disparu.

Alors il la souleva dans ses bras et sortit devant la grange où il la déposa. Mais Lindsay garda les bras autour de son cou et lui, les siens autour de sa taille.

Satin rouge de chemise contre polo humide de sueur. Ceinture haute couture contre boucle de ceinture de rodéo. Corsaire contre jean. Et ses escarpins sur la pointe de ses vieilles bottes...

Il était vaincu.

*
* *

Lindsay déglutit, consciente de la sensualité de l'instant. Debout sur la pointe des bottes western de Brian, pressée contre lui, elle n'avait pas envie de bouger. Elle détestait et redoutait les serpents, elle aimait les mains de Brian sur sa taille.

Elle attendait. Avec impatience. En silence.

Parce que si elle prenait la parole, bon sang, jamais il ne se déciderait à l'embrasser !

Il en mourait d'envie, c'était évident. Autant qu'elle.

Comme elle ne pouvait se rapprocher davantage, c'était à lui de baisser la tête et de prendre ses lèvres. Sans plus tergiverser ! La lueur incandescente dans ses yeux bruns était revenue. Une suite délectable s'annonçait. Et enfin, comme elle l'avait espéré, Brian inclina la tête et… l'embrassa.

Ce fut, aussitôt, un véritable tsunami.

Brian Sloane embrassait à la perfection et répondait à un désir profond qu'elle ne pouvait nommer.

Ses lèvres étaient fermes et divinement habiles. Il réussissait à trouver un équilibre parfait entre la timidité d'un premier baiser et la passion folle qui prélude à des ébats ardents. Il appuyait sa main contre son dos, juste assez, sans l'écraser.

Elle en voulait encore, plus.

Brian obtempéra à son ordre muet, l'étreignit plus étroitement et, même, la souleva.

Comblée, Lindsay enfouit ses mains dans ses cheveux, caressa sa nuque, ce qui fit tomber son Stetson. Qu'importe ! Enhardie, elle noua une jambe autour de ses reins. Brian posa, sans hésiter, les mains à plat sur son postérieur.

— Oncle Brian ?

Lindsay, dégrisée, s'écarta de Brian et posa un regard égaré sur Lauren, qui avait ramassé le Stetson et le tendait à son oncle.

La petite fille souriait comme si elle connaissait quelque secret ignoré d'eux. Le cœur de Lindsay battait à toute vitesse.

— Tu veux quelque chose, ma puce ? balbutia Brian.

— Grand-père a dit que je devais te rendre ton chapeau parce que ta tête va devenir trop chaude.

— Merci, ma puce.

Il remit son Stetson.

— Maintenant, file rejoindre ton grand-père !

Là-dessus, Brian prit Lindsay par la main et la reconduisit dans la grange.

Elle frémissait de désir, était impatiente qu'ils reprennent là où ils avaient été interrompus, mais Brian lui tourna le dos. La frustration et la déception la gagnèrent.

— Ton père a été bien inspiré d'envoyer Lauren, dit-elle avec un soupir résigné. Nous nous sommes donnés en spectacle… Je ne suis qu'une source d'ennuis et d'imprévus dont personne n'a besoin.

— Nous sommes surtout très différents.

— Parce que tu élèves des chevaux ? Parce que j'aime l'océan et les dunes, que je les préfère aux charmes de la campagne texane… Enfin bon, je te parle de l'ancienne Lindsay…

— L'ancienne Lindsay ? demanda-t-il, en levant un sourcil.

Elle haussa les épaules et se jucha sur une balle de foin.

— Laisse tomber, Brian. Raconte-moi plutôt ton histoire. Et ce que tu sais sur ma famille.

A son tour, il poussa un soupir.

— D'abord, ta famille. Un tueur en série a maquillé les meurtres de ses membres en accidents de la circulation ou en incendies. Il y a des intervalles réguliers ainsi que d'étonnantes similitudes entre ces « accidents » qui ne peuvent être dus au hasard. Le *modus operandi* de cet individu est toujours le même. C'est beaucoup et c'est peu… Parce que je n'ai pas de preuves. Je suis seulement un auxiliaire médical d'urgence et je manque d'expérience pour enquêter efficacement sur une affaire de meurtres dont le premier a eu lieu il y a vingt ans. Je me concentre essentiellement sur celui de Gillian Cook, qui me concerne directement et qui a changé le cours de mon destin. J'espère obliger la police à ouvrir une enquête…

— A démasquer cet individu. Ses mobiles.

— A découvrir la clé de l'énigme, Lindsay. Tout simplement.

Elle rassembla ses jambes sous son menton et les enlaça, continuant de fouiller les ombres qui couraient le long des murs pour vérifier si rien de suspect ne bougeait.

A la fin, elle n'y tint plus, bondit de la balle de foin et se précipita pour sortir.

Lorsqu'elle eut ouvert la porte, elle cilla face au soleil, leva la main au-dessus des yeux et finalement se cogna au frère de Brian.

— Lindsay ! Rentrez vite dans la grange ! lui intima John en passant devant elle. Un individu épie le ranch avec des jumelles.

Brian sortit aussitôt un trousseau de clés de sa poche et s'approcha d'un placard verrouillé.

— A moins que ce ne soit l'objectif d'un appareil photo, reflété par le soleil.

— Nous sommes en danger ? demanda Lindsay.

Elle tremblait de peur en son for intérieur, mais sa voix n'avait pas frémi.

Ni Brian ni John ne lui répondirent. Ils sortirent à la hâte deux carabines du placard. Qu'ils se déplacent en silence, d'un commun accord, chacun anticipant les gestes et les mouvements de l'autre dont il était le reflet, était sidérant. Ils prirent des cartouches, mais ne chargèrent pas leurs armes.

— Je suis pratiquement certain que l'individu à tes trousses a retrouvé ta trace ! lui confia Brian.

— Alors que faire ? intervint Lindsay.

— Pour l'instant, rien ! prononcèrent Brian et John d'une seule voix.

— Et tu ne bouges pas, surtout, ajouta Brian.

Bizarrement, ses injonctions la rassurèrent.

— Je n'aime pas qu'un inconnu observe le ranch, poursuivit John, alors que Brian gravissait l'échelle menant au grenier à foin, carabine à l'épaule.

Quelques ébrouements et hennissements trahissaient la nervosité des chevaux. L'agitation de Brian et de John, pourtant discrète, leur était perceptible.

— Tu vois quelque chose, Brian ?

La voix de John était remplie d'animosité. Il était soucieux et ses gestes, nerveux, remarqua Lindsay. Il s'inquiétait pour leur père, pour sa femme et sa fille.

A cause d'elle.

De son frère…

A l'évidence, il les jugeait responsables de cette nouvelle complication.

— John… écoutez, je n'ai jamais voulu faire courir de risques à votre famille, balbutia-t-elle.

John, qui fixait son frère, reporta les yeux sur elle avec cette expression infiniment séduisante chez Brian mais absolument pas chez lui. C'en était stupéfiant.

— C'est Brian qui nous a mis en danger, pas vous, Lindsay, répondit-il avec froideur.

Un murmure d'agacement s'éleva au-dessus de leurs têtes. Brian les avait entendus.

— Vous êtes furieux parce que Brian a pris mon parti, au lieu du vôtre, en s'obstinant dans sa quête de vérité ? continua Lindsay.

— Vous résumez mal une situation que vous ne pouvez pas comprendre ! répliqua John en secouant la tête.

Son regard était intimidant, Lindsay détourna les yeux.

— Je suis désolée, déclara-t-elle, honteuse et consternée.

John et Brian ne se ressemblaient que sur le plan physique. Pour le reste, ils étaient diamétralement opposés.

John commandait, Brian protégeait. John était Navy SEAL, et Brian avait une profession médicale. Leurs carrières professionnelles avaient-elles modelé leur personnalité ? se demanda Lindsay.

Ils semblaient se détester et, en même temps, s'adorer. Lindsay, elle aussi, avait eu des rapports conflictuels avec Jeremy, qu'elle aimait comme un frère, surtout quand il l'appelait à « sortir enfin de l'adulescence ».

— Vous avez raison et, en même temps, vous avez tort, reprit John sur un ton radouci. Mais la situation est trop compliquée pour qu'on puisse la démêler ou la résumer en quelques secondes.

Il soupira.

— Ecoutez, Lindsay, sans vouloir vous commander, je serais plus à mon aise si vous pouviez, pour votre sécurité, vous réfugier dans la sellerie.

— Non, je préfère rester ici, avec vous.

Elle redoutait de croiser des serpents.

John souffla de nouveau et s'approcha du bas de l'échelle.

— Tu vois quelque chose, Brian ?

— Oui, un homme avec un appareil photo. A priori, non armé. Un journaliste ?

— Redescends. On va échanger nos vêtements, et tu vas aller voir sur place de quoi il retourne.

Ainsi firent-ils.

Lindsay assista, médusée, à cet étrange et troublant spectacle de l'un devenant l'autre par le seul troc de leurs vêtements.

— Brian ! s'exclama-t-elle ensuite, frappée par une évidence. C'est à John, qui est Navy SEAL, d'y aller ! Tu ne peux pas affronter, seul, un individu peut-être dangereux.

— Ne te fais pas de souci, Lindsay, la rassura Brian.

— Pourquoi ne pas plutôt appeler la police ? insista-t-elle.

— John ? demanda Brian sans plus l'écouter, tout en arrachant son pansement sur son front. Tu me donnes tes clés de voiture ?

John les lui lança.

— Je te rappelle que c'est la voiture d'Alicia. Tu as donc intérêt à être prudent. Bonne chance !

— Est-ce que vous allez m'expliquer pourquoi vous n'appelez pas la police ? répéta Lindsay en élevant la voix.

— C'est justement l'histoire que je veux te raconter, Lindsay, et John va s'y employer. Mais attention, c'est un homme marié, même s'il me ressemble !

Sur ces mots, il lui effleura les lèvres et sortit.

Lindsay le suivit des yeux, troublée, stupéfaite et cependant terriblement émue par ce nouveau baiser fugitif et si prometteur.

8

— Lindsay ?

John avait parlé avec calme, mais son séduisant visage restait sombre.

— Allons dans le paddock ! Pour donner le change à l'individu qui nous épie. En réalité, je vais faire bouclier de mon corps. Si d'aventure il est armé, s'il vous tire dessus, je vous protégerai.

— Vous croyez qu'il pourrait…

— Je ne sais pas. Si c'est l'homme que Brian recherche, ce n'est pas son mode opératoire. En général, il planifie et contrôle ses actions dans les moindres détails, et surtout sans jamais se montrer.

Un bruit de moteur s'éleva et l'interrompit. Brian démarrait sur les chapeaux de roue. John se crispa et secoua la tête. Il semblait plus âgé que son frère, constata Lindsay.

Fascinée par la ressemblance des deux frères, elle ne parvenait pas à le quitter des yeux. John paraissait plus expérimenté. A cause de son visage qui semblait ne jamais se départir de cette expression soucieuse et un rien inquiétante ?

Sur ce, John la saisit par la taille et la conduisit dans le paddock. Il était aussi musclé que Brian, mais ce contact ne lui fit rien du tout.

Ni frisson ni le moindre picotement d'excitation.

Elle ne pensait qu'à Brian et tourna même la tête afin de suivre des yeux la voiture, qui s'engageait sur la grand-route.

— Bon sang, il devrait être plus discret, maugréa John. L'inconnu va prendre la fuite !

Il recula.

— Inutile de nous donner plus longtemps en spectacle. Rentrons maintenant !

— Vous n'allez pas rejoindre Brian ?

— Avec la vieille Ford de notre grand-père ? Vous plaisantez ?

— Je n'y comprends rien. Pourquoi avez-vous échangé vos personnalités au lieu d'appeler la police ?

— Parce que la police se méfierait et arrêterait immédiatement Brian !

— C'est complètement absurde !

— Non, Lindsay. Venez, je vais tout vous expliquer.

Une fois qu'ils furent revenus dans la cuisine, ils s'installèrent autour de la grande table. Alicia se joignit à eux.

John reprit alors la parole.

— Cette histoire a commencé il y a douze ans. Gillian Cook était notre professeur la plus cool, au lycée. Elle nous permettait d'organiser des soirées sur sa propriété. On y faisait des feux dans un brasero. Rien de fâcheux n'était jamais arrivé jusqu'à cette terrible nuit où elle a trouvé la mort.

Alicia noua ses doigts à ceux de son mari et poursuivit le récit.

— Le lendemain matin de cette fameuse soirée, John devait se rendre à Norfolk, en Virginie, pour rallier la base navale de Little Creek ; son rêve se réalisait, il entrait dans la Navy et allait devenir Navy SEAL. Mais ce soir-là, nous avons tous les deux eu une dispute assez vive concernant l'avenir de notre relation…

Elle s'interrompit un instant.

— Nous nous sommes quittés fâchés, et John, déjà énervé, s'est battu avec Brian pour une broutille, et ils se sont quittés, également fâchés. Ils ne se sont pas revus, ni parlé, pendant douze ans.

— Comme j'avais besoin de remettre de l'ordre dans mes pensées, je suis rentré à pied, reprit John. J'ai longtemps marché et j'ai passé la nuit seul avant de prendre la route tôt le matin pour me rendre à Norfolk. Brian, lui, est rentré avec des amis, il pensait que j'étais encore sur les lieux. A l'époque, on se partageait la vieille Ford de notre grand-père et on laissait les clés dessus. Cette nuit-là, des témoins ont vu la Ford quitter la propriété de Gillian Cook, à peu près au moment de l'incendie.

— Bien que ni l'un ni l'autre ne l'ait utilisée, n'est-ce pas ? compléta Lindsay.

— En effet. Pendant douze ans, j'ai pensé que Brian était rentré au ranch avec la Ford, et Brian a cru que c'était moi qui l'avais utilisée. En plus, comme c'était à mon tour d'éteindre le brasero… Ce que j'ai fait, et avec soin, mais le feu s'est étendu dans la grange attenante, où l'on a retrouvé le corps de Gillian Cook…

— Une cousine au second degré, précisa Lindsay.

John poursuivit :

— On a pensé que le brasero avait été mal éteint et que le feu avait gagné la grange, que Gillian Cook avait voulu éteindre l'incendie devenu hors de contrôle et que la grange en feu s'était écroulée sur elle. Telles ont été les conclusions de la police. Brian, convaincu de la culpabilité de John, a endossé la responsabilité de ce terrible accident pour que celui-ci puisse continuer sa formation dans la Navy et devenir Navy SEAL.

— La police refuserait donc d'aider Brian à cause de cette histoire ? conclut Lindsay. D'où cet échange d'identité, tout à l'heure ?

— Attendez, ce n'est pas fini, l'interrompit Alicia. Tout le monde à Aubrey a reproché à Brian d'être coupable de la mort de Gillian Cook, et pas seulement d'en être le responsable. Même si la police a considéré ce décès comme accidentel. De là à le traiter comme un criminel, il n'y a eu qu'un pas, qui a vite été franchi… En conséquence, Brian a perdu sa bourse d'études universitaires. Pis, chaque fois qu'il y a eu une bagarre, un vol ou une agression à Aubrey, la police l'a accusé et arrêté. On l'a même soupçonné d'avoir enlevé Lauren, il y a quatre mois. On l'a arrêté, on a tenté de lui arracher des aveux avant de le placer en détention provisoire.

Le regard de John s'était durci.

— Brian refuse toujours de me dire combien de fois la police l'a pris à partie, au cours de ces douze dernières années.

— Trop souvent…, souffla Alicia.

— Il est cependant devenu auxiliaire médical d'urgence ? demanda Lindsay.

— Oui, à Dallas-Fort Worth, confirma John. A Aubrey, personne ne le sait, sauf mon père et Alicia. Les gens d'ici pensent que Brian trempe dans des affaires louches.

— Mais il reste indifférent à l'opinion des habitants d'Aubrey, précisa Alicia.

— Il tient à retrouver le meurtrier de Gillian Cook depuis mon retour au Texas, depuis que nous nous sommes expliqués sur la nuit de l'incendie, ajouta John.

— Une conversation que je vous ai contraints à avoir ! intervint Alicia. Vous refusiez de vous adresser la parole !

— C'est juste. Quoi qu'il en soit, moi, je ne veux pas m'impliquer dans cette affaire, mais je lui permets d'emprunter mon identité. Et mes papiers. *John* Sloane attire en effet moins les foudres que *Brian* Sloane. Surtout de la part de la police d'Aubrey, qui l'a dans le collimateur. Toute notre enfance, on a joué de notre ressemblance. Comme le font tous les jumeaux, d'ailleurs.

Au même instant, la voix de Brian s'éleva.

— Merci de ton efficacité, Navy SEAL : n'importe qui aurait pu entrer sur notre propriété comme dans un moulin. Bref, j'ai rattrapé le photographe. C'est un paparazzi qui a affirmé avoir un scoop : les Sloane vont de nouveau défrayer la chronique ! La cause ? Un délit de fuite de Brian Sloane après un accident de la circulation. Tu sais ce que cela veut dire, John ?

— Qu'est-ce que cela signifie ? intervint Lindsay.

— Que Brian va de nouveau attirer l'attention de la police ! répondit John qui s'était assombri. En clair : arrestation et détention arbitraires !

— Donc Lindsay et moi devons quitter le ranch ! conclut Brian, en la prenant par le bras.

— C'est stupide ! s'exclama Alicia.

— Non, ça ne l'est pas ! riposta John. Il vaut mieux que vous filiez avant que la police intervienne, que la situation ne se complique et qu'un autre journaliste ou photographe ne s'approche du ranch ! Je ne veux plus que les Sloane soient au centre de l'attention des médias, comme lors de l'enlèvement de Lauren !

— Je n'arrive pas à croire que tu sois d'accord avec ton frère ! s'exclama Alicia.

— Je veux vous protéger, toi, Lauren et notre père ! Qui sait si le tueur des Cook n'a pas retrouvé la trace de Lindsay ? rétorqua John.

— Ne vous disputez pas, c'est inutile ! intervint Lindsay, consternée. C'est moi qui vais partir. De toute façon, je dois être au travail à 15 heures.

— Non, objecta Brian, tu t'exposerais inutilement. Et je ne te quitterai pas tant que nous n'aurons pas le fin mot de l'histoire.

— Mais je…

— Je vais faire mon sac, la coupa-t-il.

Il quitta la pièce.

— John ! Tu dois retenir ton frère ! reprit Alicia.

Comme ils avaient certainement besoin de discuter en privé, Lindsay se rendit dans le salon.

A sa vue, le père des deux hommes mit un doigt sur ses lèvres en lui montrant Lauren assoupie sur ses genoux.

— Brian a raison, Lindsay. Je vous garantis que vous êtes en sécurité avec lui, dit-il à voix basse. Il est un peu autoritaire, mais vous pouvez avoir confiance en lui. Entre nous, je pense que vous êtes la femme qu'il lui faut. Vous serez heureuse avec lui. Et lui avec vous.

— Pardon ?

Il sourit. Ses fils lui ressembleraient vraiment quand ils auraient son âge, se répéta Lindsay.

Séduisant et charmant.

— Vous formiez un joli couple tout à l'heure. Passionné…

Lindsay ne put s'empêcher de rougir. Non seulement le père de Brian les avait vus s'embrasser, mais il les considérait déjà comme un couple.

— C'était une impulsion…

— Ne vous offusquez pas, Lindsay. Je ne vous épiais pas, j'ai seulement regardé par hasard dans cette direction, et on ne peut pas dire que vous étiez discrets. Quant à la présence de ce paparazzi, si vous voulez mon avis, c'est un coup monté.

Il leva le menton vers le couloir qui conduisait à la chambre.

— Sans doute orchestré par l'homme à vos trousses qui sait désormais que vous êtes avec Brian.

— Par ma faute, tout le monde au ranch est en danger… Je suis désolée.

— Calmez-vous, l'enjoignit le père. Ce sinistre individu a fait de terribles dégâts dans ma famille, il y a douze ans, et je comprends la démarche de Brian. Je regrette seulement ne pas être assez solide pour intervenir.

Brian les rejoignit dans le salon, un sac de voyage à la main, suivi par John et Alicia.

— Lindsay ? Prête au départ ? demanda-t-il.

Son père déposa Lauren sur le canapé sans la réveiller et se leva. Brian l'étreignit d'un bras viril, embrassa sa nièce toujours endormie avec tendresse puis fit ses adieux à son frère et sa belle-sœur.

Lindsay, éperdue, se laissa étreindre par eux sans réagir.

— Vous savez où vous allez ? demanda John.

Puis il se ravisa.

— Je préfère ne pas le savoir.

— Soyez prudents, enchaîna son épouse.

— Prenez la voiture d'Alicia, murmura John. Nous, on se débrouillera avec la Ford.

Cette solidarité familiale, qui plus est après des désaccords, émut Lindsay. Même si la tension entre les deux frères restait perceptible, tous les deux n'en faisaient pas moins des efforts.

— Il faut que j'appelle Amy pour lui annoncer que je ne viendrai pas à la boutique aujourd'hui, murmura Lindsay.

— Appelez-la maintenant, proposa Alicia en lui tendant son portable.

Lindsay obtempéra et laissa un message à Amy : elle était souffrante et ne viendrait pas travailler pendant quelques jours.

— Sois prudent, mon garçon, conclut le père de Brian.

— Promis.

Personne ne les suivit quand ils sortirent de la maison et se dirigèrent vers la Camaro rouge d'Alicia. Brian y mit son sac de voyage dans le coffre, puis alla chercher la besace, restée dans la vieille Ford. Enfin, il ouvrit galamment la portière de la Camaro.

— Ça ira, Lindsay ? lui demanda-t-il, repoussant son Stetson sur son front.

— Tout va si vite… je ne comprends pas bien ce qui se passe.

Il lui donna, par la vitre de la portière, un baiser bref mais ardent, intime et complice.

Elle y répondit avec une joie secrète.

— Fais-moi confiance, Lindsay, nous allons débusquer l'individu qui a décimé ta famille et qui a failli détruire la mienne. Je te le jure.

9

Une fois qu'il fut entré dans son bureau, il appuya sur la touche ENREGISTRER de son magnétophone.

— Exposition des faits.

Il s'interrompit et secoua la tête avec agacement.

— Pensée, plutôt. La patience est la clé du succès.

Il se tut. Reprit.

— La clé de mon succès depuis vingt ans. Mais là, soudain, je perds patience. D'où le risque de devenir imprudent. Revenons aux fondamentaux.

Au plus vite et moyennant de la réflexion.

— A noter. Brian Sloane est, sans le moindre doute, un homme conscient de sa supériorité. De sa force. Qui se considère comme invincible. C'est un adversaire à ma taille. Méfiant. Habile. Beaucoup plus complexe que mes autres victimes.

Il se redressa : ces propos équivalaient à un aveu de faiblesse. Il pouvait les effacer et recommencer l'enregistrement, mais cela aurait été malhonnête.

— Je déteste la malhonnêteté !

Pour autant, il avait l'occasion de clarifier son exposé pour la postérité.

— Mais c'est ce qui rend ma mission plus exaltante, d'autant que Brian Sloane est déjà très attaché à ma prochaine victime. Je l'ai bien vu, au travers de mon objectif. Ce photographe n'était qu'un leurre ! Sa présence m'a permis de les examiner à mon aise, de prendre la mesure de la situation et de les faire fuir. Bénis soient ces journalistes et paparazzis ! Il suffit de leur lancer n'importe quelle information en pâture pour qu'ils entrent dans l'arène.

Il sourit. Puis s'empara de sa bouteille de vodka, impatient d'en avaler une gorgée et que sa gorge le brûle.

— Les sentiments de Brian Sloane pour Lindsay Cook serviront mes desseins. Et causeront leur perte.

De nouveau, son regard tomba sur la bouteille de vodka.

— Cette nouvelle mission m'amuse beaucoup. Brian Sloane me contraint à être plus créatif. N'empêche, je dois me montrer plus prudent. Plus patient. Attention, la partie est différente, cette fois !

Il se versa enfin un petit verre de vodka.

— Brian Sloane pense que je suis un homme patient et invisible qui attend son heure pour frapper. Il a raison. Mais la représentation a déjà commencé : surprise, surprise. J'ai hâte ! Mon but : prendre Lindsay Cook par surprise, frapper mortellement et rejeter la responsabilité sur Brian Sloane. Comme il y a douze ans. Faire d'une pierre deux coups.

Sur ces mots, il éteignit son magnétophone et fit tourner sa vodka dans son verre qu'il leva vers le micro caché dans le plafond.

Il devait en finir au plus vite.

— Surtout, ils ne verront rien venir.

10

Brian conduisait vite mais sans dépasser la limite autorisée, pour ne pas attirer l'attention de la police.

Ce n'était pas le moment.

Le destin l'avait malmené jusqu'à ce qu'il ait la chance inouïe de rencontrer l'homme qui était désormais son supérieur et dirigeait la société d'auxiliaires médicaux d'urgence. Pour une raison inexplicable, ce dernier l'avait considéré comme fiable et digne de respect : il l'avait formé à cette profession et ensuite embauché.

Endosser la responsabilité de la mort de Gillian Cook avait, au début, été un acte de défi envers la société en même temps qu'un geste héroïque destiné à protéger son frère.

Mais la réalité avait vite repris ses droits et l'avait frappé de plein fouet. Pour commencer, il avait perdu sa bourse d'études et, quand il avait eu besoin de gagner sa vie pour garder le ranch en perte de vitesse, toutes les portes, à Aubrey, s'étaient refermées devant lui.

La presse locale et les ragots avaient effectué un véritable travail de sape : personne ne voulait travailler ou collaborer avec un « pyromane », un « criminel ». S'il était devenu auxiliaire médical d'urgence à Fort Worth-Dallas et y était estimé, jamais il n'avait réussi à se départir de sa mauvaise réputation à Aubrey.

— J'espère que tu sais ce que tu fais, Brian, reprit Lindsay qui semblait toujours dubitative.

Non, justement. Comment retrouver un homme qui éliminait ses victimes méticuleusement et, surtout, impunément depuis vingt ans ? Dans ces conditions, comment bien protéger Lindsay ?

— Je suis un simple éleveur de chevaux et un auxiliaire médical d'urgence. Je peux traquer un lynx ou sauver une vie… mais retrouver un tueur ? T'en protéger ? Je ne sais pas. Hier encore je m'y refusais, je voulais rassembler des indices.

Il se tut et ajouta, amèrement.

— Mais tout s'est subitement accéléré…

Un silence tomba.

— Où allons-nous ? demanda Lindsay.

— Chez toi… Enfin chez ton cousin.

— Pourquoi ?

— As-tu toujours son ordinateur ?

— Oui. J'ai gardé tout ce qu'il possédait.

— J'aimerais que nous parcourions ses papiers. Ses documents officiels, éventuellement archivés sur son ordinateur. Peut-être que nous trouverons un indice qui permettra à la police de nous prendre au sérieux, d'ouvrir une enquête et, de surcroît, de te proposer une protection digne de ce nom.

Il s'engagea devant chez Jeremy.

— Je peux me garer dans le garage ?

— Oui. La télécommande est dans ma besace.

Elle la sortit, la dirigea vers le garage et appuya dessus.

Brian hésita avant de s'y engager. Et s'il mettait Lindsay en danger en revenant là ? Il l'avait contrainte à quitter ces lieux la veille, puis le ranch, sans avoir un plan précis. Et voilà qu'il revenait dans cette maison que le tueur avait fouillée la veille…

La mission qu'il s'était imposée était au-dessus de ses forces. Il ne pouvait pas, il ne devait pas assurer la protection de Lindsay. Cette tâche revenait à la police. Mais tant que la police ne le croirait pas…

Alors il s'engagea dans le garage désert. Avec de la chance, la maison le serait aussi.

— Mets-toi au volant pendant que je vais inspecter les lieux. Sois prête à démarrer en trombe. On ne sait jamais.

— Non, je viens avec toi, protesta Lindsay. Je ne supporte pas l'idée de rester seule dans la voiture et de t'attendre sans savoir si tu es en danger.

Brian sourit, amusé par son ton impérieux. Puis, le SIG de son frère à la main, il s'engagea dans la maison, Lindsay sur ses talons.

Une fois dans le couloir, il prêta l'oreille et, après une hésitation, alluma la lumière. Le silence était total, à l'exception du zonzonnement du réfrigérateur. Toujours suivi de près par Lindsay, il effectua une inspection du salon-salle à manger.

Rien.

Dans la chambre à coucher, rideaux et persiennes étaient fermés, mais une puissante odeur le frappa. Il l'aurait reconnue n'importe où. Il ne l'avait que trop rencontrée…

L'odeur du sang.

— Va m'attendre dans la cuisine ! ordonna-t-il à Lindsay.

— Pourquoi ? murmura-t-elle.

— Parce qu'il vaut mieux que tu ne voies pas ce qu'il y a dans cette chambre.

— Je reste avec toi, que tu le veuilles ou non !

— Alors je te conseille de fermer les yeux et de te couvrir le nez et la bouche. Quoi que tu voies, surtout, ne crie pas : je n'ai pas envie que le voisinage ameute la police.

Lindsay acquiesça en silence.

Brian posa les yeux sur le lit et le corps qui y était allongé. Malgré la semi-pénombre, l'odeur ne laissait aucun doute : l'individu était mort. Et pas depuis longtemps.

Lindsay, elle, poussa un cri d'horreur, comme il s'y attendait, mais il plaqua sa main sur sa bouche et la força à reculer, lui masquant la vue du corps sans vie. Après quoi, il l'obligea à se retrancher dans la salle de bains. Lindsay ne résista pas. Soulevée par un spasme, elle s'assit à côté des toilettes, et Brian revint dans la chambre à coucher.

De la pointe du coude, il alluma la lumière et put mieux juger l'étendue du drame. Il était auxiliaire médical d'urgence depuis huit ans et jamais il n'avait été confronté à un spectacle aussi épouvantable.

Il y avait du sang partout.

Les draps et le matelas en étaient imbibés. Les taches sur le mur étaient presque sèches.

S'il avait laissé Lindsay seule pour la nuit, elle aurait été la victime, et non cette malheureuse.

Cette dernière avait subi de terribles sévices, son corps n'était qu'une plaie…

Elle avait dû souffrir le martyre.

Chercher son pouls était inutile, mais il devait s'assurer qu'elle était morte. Il s'approcha prudemment d'elle, pour ne pas se tacher. La peur se lisait encore dans son regard écarquillé et fixe. Il posa l'index sur la carotide. L'inconnue était morte, mais pas encore froide.

Elle était blonde et avait des yeux bleu clair. Elle ressemblait étonnamment à Lindsay. L'homme à ses trousses ne pouvait les avoir confondues. Jamais il n'aurait commis l'erreur de tuer une autre que Lindsay Cook !

Alors Brian effectua les déductions qui s'imposaient. Le tueur avait supprimé cette malheureuse afin de laisser croire que Lindsay était morte.

Mais dans quel but ?

Un cri de Lindsay l'arracha à ses pensées et lui fit tourner la tête.

La jeune femme se tenait devant la salle de bains.

— Brian… Qui a pu commettre un crime aussi terrible ? Elle n'a… l'a-t-on entendue crier ? Il y a tellement de sang… Comment peut-on infliger…

Il revint auprès d'elle, l'entraîna dans le couloir et referma la porte de la chambre.

Puis il posa ses mains sur ses épaules.

— Lindsay ! Regarde-moi ! Tu ne vas pas t'écrouler. Pas

maintenant, tu m'entends ? Tu as une crise d'hyperventilation et tu dois ralentir le rythme de ta respiration.

Le regard de Lindsay, rivé au sien, était écarquillé par la panique. Il forma, avec les mains, une coque devant sa bouche et son nez. Rapidement, la respiration de Lindsay retrouva sa régularité. Elle se ressaisissait, il en fut soulagé.

— Ça va ? s'enquit-il. Tu la connaissais ?

Lindsay secoua la tête, l'air toujours incrédule et horrifié. Après une grande inspiration, elle parvint enfin à parler.

— Nous… devrions… avertir la police ?

— Non ! J'ai trop souvent été dans leur collimateur. Je connais le scénario : on va m'arrêter et seulement après, m'interroger. Dans le meilleur des cas.

— C'est ridicule ! Nous prouverons sans peine que tu n'as rien à voir avec ce meurtre ! En plus, il y a ce photographe… Il sait que tu étais au ranch, ce matin !

— Je ne connais pas son nom. Ni le journal où il travaille. Tout m'accuse, Lindsay.

Il avait effectué des recherches sur la famille Cook, suivi Lindsay et il l'avait rencontrée devant témoins, au snack, la veille. Dans la soirée, elle avait été victime d'un accident de la circulation et, enfin, des témoins les avaient vus quitter l'hôpital ensemble…

— Bon sang ! Comment ai-je pu être aussi stupide ! s'exclama-t-il, frappé par l'évidence. Cet individu est redoutablement intelligent ! Il te suit sans que tu le remarques. Et moi, je t'ai suivie sans l'avoir repéré. Il connaît ma démarche depuis le début. Et il l'utilise à son avantage.

— Explique-toi… Je n'y comprends rien !

— Le meurtrier des Cook m'utilise à ses fins, Lindsay. Il a voulu qu'on se sente menacés et il nous a incités à quitter le ranch, où l'on était finalement en sécurité, pour nous rendre vulnérables et nous attaquer. D'où la présence de ce photographe. Un complice ? Ou pas ? En tout cas, le tueur savait que l'on reviendrait chez Jeremy. D'où cette mise en scène cauchemardesque, macabre pour me faire accuser de meurtre. Ainsi, pendant que je croupirai en prison, il pourra te supprimer tranquillement. Eliminer la dernière des Cook…

Lindsay pâlit.

— C'est machiavélique… Comment peut-on avoir l'esprit aussi tordu ? D'un autre côté, tu n'as aucune certitude.

— Que j'aie tort ou non, il faut filer !

Là-dessus, il la prit par le bras.

— Parce que j'ai le sentiment que le meurtrier va alerter, anonymement, la police ! Si ça n'est déjà fait !

— C'est ridicule, Brian ! J'ai été avec toi tout le temps. Ta famille aussi ! Ce sera facile de te disculper !

— Possible, mais pendant que tu chercheras à prouver mon innocence, je serai en prison, et toi, plus vulnérable que jamais. Car qui te protégera ?

— La police justement !

— Non, Lindsay ! Moi arrêté pour meurtre, tu seras considérée comme étant en sécurité. Donc tu seras livrée à toi-même.

— J'irai chez Beth. Amy. Ou Craig. Je me cacherai chez eux !

— Non ! Ta présence les mettra en danger. Lindsay, il faut partir, nous perdons du temps !

Elle déglutit.

— Quel gâchis, mon Dieu, Brian…

Il l'attitra à lui et reprit la parole d'une voix plus douce.

— Ce n'est pas ta faute, Lindsay. C'est celle de ce psychopathe.

— As-tu pensé à ta famille ? Ton emploi ? Tu n'as pas besoin de te sacrifier pour moi… Je pourrais disparaître sans laisser de traces. Sur les plages de Californie. En Floride. A Key West ! Jamais cet individu ne me retrouvera !

Dans son regard bleu luisaient la peur et la confusion.

Il soupira. Et soudain, l'idée qu'elle sorte de sa vie pour toujours le frappa avec une douloureuse intensité. Mais une fuite stopperait-elle les efforts tenaces d'un individu qui sévissait depuis vingt ans ?

— Tu penses qu'il renoncerait *simplement* parce que tu prendrais la fuite ? Après ce que je viens de voir, j'en doute. Sincèrement.

Prononcer ces mots lui laissa un goût amer, mais il avait raison et le savait.

Lindsay s'affaissa contre lui. Leur temps était compté, mais il l'étreignit.

— Fais-moi confiance, Lindsay… Maintenant, il faut quitter la maison.

— Au fait, Jeremy a un coffre où il conserve des documents importants : il se trouve dans sa chambre à coucher.

Elle lui en donna la combinaison.

— Je m'en occupe.

— Et moi, je vais dans le dressing chercher des vêtements.

Brian opina et revint auprès de la victime. Il avait déjà pollué la scène de crime et y avait laissé des indices qui l'accuseraient. Les autorités l'identifieraient vite : ses empreintes digitales se trouvaient dans le fichier informatique de la police depuis qu'il avait confessé sa responsabilité dans l'incendie où Gillian Cook avait trouvé la mort.

Le coffre était vide. Là-dessus, il adressa un SMS à son frère, lui annonçant ses projets pour les heures à venir. Il lui adressa aussi une requête et effaça la réponse de John sitôt qu'il en eut pris connaissance.

Il avait trouvé un nouveau refuge, puis prévenu John. Il n'avait plus besoin de son portable, susceptible de le localiser. Donc il l'éteignit et en retira la carte SIM.

Il rejoignit Lindsay dans la cuisine. Elle avait un petit sac à dos fantaisie à ses pieds et se lavait les mains.

Ses gestes étaient frénétiques : elle était à l'évidence en état de choc.

*
* *

Pour la dixième fois, Lindsay se savonnait et se rinçait les mains. Le soleil de la fin d'après-midi qui passait par la fenêtre de la cuisine les éclairait crûment Il n'y avait aucune trace de sang dessus. D'ailleurs, elle n'avait pas touché la victime, elle ne s'en était même pas approchée. Mais c'était tout comme.

Brian s'approcha d'elle, et elle tressaillit.

Doucement, il noua ses mains aux siennes, sous l'eau qui coulait, resta ainsi un instant, puis ferma le robinet et récupéra son sac à dos.

— Lindsay, il faut partir.

Avant, elle attrapa une photo fixée sur le réfrigérateur et qui la représentait avec Jeremy.

Sitôt qu'elle fut revenue dans la Camero, elle la contempla, les mains toujours tremblantes.

— Dernière chose, annonça Brian en s'installant derrière le volant. Sors la batterie de ton Smartphone et mets-la dans la boîte à gants.

Elle obtempéra.

— Comment un homme peut-il commettre de telles atrocités ? murmura-t-elle.

— N'y pense plus. Pour commencer, nous allons nous réfugier dans un endroit sûr où nous pourrons dormir quelques heures.

— Dormir ? Impossible ! Où veux-tu que nous allions ? Au ranch ?

— Non. A Fort Worth. J'y partage un appartement avec mes collègues ambulanciers. Nous avons des services de douze heures suivis par douze heures de repos. Moi et mon équipier, comme les quatre autres, on ne fait qu'y dormir. Mon équipier n'est pas de service puisque je suis en repos imposé, donc c'est le début du service de mes collèges. Nous serons seuls.

— Tu as déjà pensé à tout.

— Ah ! si seulement, Lindsay…

— Attends !

Elle posa sa main sur la sienne au moment où il démarrait.

— L'ordinateur de Jeremy ! Il est dans le secrétaire, dans sa chambre.

— Ne bouge pas, j'y vais !

Cette fois, Lindsay n'insista pas pour le suivre. Elle patienta, mais la peur fut la plus forte et elle n'y tint plus. Elle revint dans la maison.

Tout était si calme qu'elle se mit à trembler comme une feuille.

C'était comme regarder un film d'horreur, avec la certitude que quelque événement épouvantable allait succéder à un éprouvant suspense.

Elle s'efforça de contenir son tremblement et prit une grande inspiration.

Ne pas paniquer !

Au même moment, la voix de Brian s'éleva de la chambre à coucher.

— Lindsay ! File ! Vite !

11

Le silence avait été de mauvais augure, songea Lindsay en frissonnant.

De la chambre à coucher s'élevaient des bruits continus de bagarre et des ahanements au fur et à mesure qu'elle se rapprochait, faisant fi de l'ordre de Brian.

Quand elle arriva, celui-ci se battait avec un homme vêtu d'une combinaison noire. Il para un coup et fonça, tête la première, dans l'estomac de son adversaire, qui riposta en étreignant ses jambes et en le mettant à genoux.

Après quoi, l'inconnu se baissa et ramassa un couteau.

— Attention, Brian !

— File, Lindsay ! hurla Brian.

Elle ne pouvait l'aider, elle aurait dû fuir, mais elle en était incapable. Elle devait faire quelque chose. Quoi ?

Elle n'eut pas le temps d'y réfléchir. L'homme en noir se jeta sur elle et la plaqua au sol.

Dans un cri de terreur, elle perdit l'équilibre, tandis que son assaillant était déjà à califourchon sur elle, le regard caché derrière des lunettes noires.

Il brandit le couteau et elle para le coup, mais trop tard… Une terrible douleur dans le bras gauche la fit hurler de nouveau.

Brian ! Où était Brian ?

Au même instant, son agresseur poussa lui aussi un cri et disparut de sa vue.

Lindsay, à moitié soulagée, roula sur le ventre et cilla,

de douleur et de peur. L'homme remontait le couloir, poursuivi par Brian.

Alors elle posa sa joue contre le plancher, ferma les yeux et reprit péniblement son souffle.

Une fois qu'elle se fut un peu ressaisie, elle se releva et, comme un automate, se rendit dans la salle de bains où elle s'enferma pour nettoyer sa blessure.

— Lindsay ?

Elle tremblait tant qu'elle ne réussit pas à tourner la clé dans la serrure et, d'ailleurs, se ravisa. Etaient-ils hors de danger ? Brian l'appelait-il sous la menace de son agresseur ?

— Ouvre, Lindsay ! Il est parti. Il a sauté dans sa voiture et a pris la fuite. Ça va ?

— Ça… va.

Elle ouvrit enfin et recula tandis que Brian se précipitait.

— Tu es blessée ?

Il examina sa blessure avec un calme étonnant.

— Il va te falloir des points de suture. Je vais la nettoyer et la désinfecter. Ensuite, je te conduirai aux urgences.

Sur ces mots, il ouvrit le robinet.

— Je te préviens, ça va piquer.

Mais elle se dégagea.

— Non ! Quittons cette maison. Tout de suite !

— Avant, il faut que je désinfecte ta blessure, Lindsay !

Elle contint un spasme et serra les dents.

Il nettoya longuement sa plaie sous le filet d'eau du lavabo. La vue du sang qui coulait lui était insupportable. Elle ferma les yeux.

Brian sortit la trousse de première urgence de l'armoire à pharmacie et lui fit un pansement de fortune.

— L'hôpital le plus proche est sur l'I-20. Nous y serons en une dizaine de minutes. Tu y seras soignée.

— Pas question !

— Ta blessure est profonde, Lindsay, tu as besoin de points de suture.

— Fais-les !

— Mais…

— Je refuse de me rendre à l'hôpital. Je refuse que la police t'arrête. Je refuse de me séparer de toi, ne serait-ce qu'une minute.

Il soupira.

— Nous ne nous quitterons plus jusqu'à ce que nous ayons retrouvé le tueur ! conclut-elle.

— Je te le promets, Lindsay.

12

— Choisis un lit, Boucle d'or ! lança Brian.

Lindsay lui sourit tandis qu'il posait leurs affaires dans l'entrée. Elle suivait ses mouvements des yeux, encore étourdie. Sa confusion était sans doute due à sa blessure et au choc, mais aussi à son attrait presque hypnotique pour Brian.

— Je vais chercher un kit de suture, annonça-t-il, disparaissant dans sa chambre. Je te préviens, je n'ai pas d'anesthésiant local…

Lindsay se promit de ne pas se plaindre, de peur qu'il ne lui impose de se rendre aux urgences. Ces considérations faites, elle poussa un gros soupir et, avec des gestes prudents, commença à défaire son pansement de fortune.

La voix de Brian s'éleva de la salle de bains.

— J'arrive, Lindsay. En attendant, mets-toi à l'aise.

Elle inspecta l'appartement. Il était petit mais lumineux, propre et remarquablement agencé. Elle avisa un futon convertible. Une pile de draps soigneusement repassés était empilée, au bout. Elle y prit place et rejeta sa tête en arrière, dans l'espoir de se détendre et de calmer sa nausée persistante.

— C'est agréable ici, et bien rangé. Tu es certain que vous êtes six hommes à partager ce trois-pièces ?

— Nous employons Debbie. Elle habite au même étage et fait le ménage, la lessive et le repassage.

— Je comprends mieux pourquoi c'est impeccable. C'est amusant un appartement où il n'y a que des lits…

— C'est surtout bien pratique, dit-il tandis qu'il revenait, en enfilant des gants en latex.

Il lui retira son pansement.

— Prête ? demanda-t-il à mi-voix.

Elle opina, trop angoissée pour parler. La blessure serait peut-être moins profonde qu'il ne l'avait affirmé. Fermant les yeux, elle revit aussitôt son agresseur brandir son couteau. Au même instant, Brian effleura sa plaie, et elle bondit.

— Je t'ai fait mal ?

— Non, non… C'est… juste la surprise, le contact des gants. Cela m'a rappelé… l'attaque.

Brian lui leva le menton et la força à le regarder.

— Cela va être très douloureux, Lindsay.

— C'est normal d'épouvanter un patient avant de lui donner des soins ? demanda-t-elle avec un sourire forcé.

Le regard de Brian s'adoucit. Il lui caressa la joue.

— Tu sais vraiment suturer les plaies ? insista-t-elle.

— Oui. J'ai appris en soignant mes chevaux. C'est moins cher que d'appeler le vétérinaire.

Il se leva et se rendit dans la cuisine.

— Tu veux dire…

— Que je sais ce que je fais ! acheva-t-il en revenant avec un verre rempli d'un liquide ambré.

Il le lui tendit.

— Bois. C'est du cognac.

— Si je bois du cognac l'estomac vide, je vais être ivre et malade !

Il lui tendit un cookie.

— J'y ai pensé. Tiens.

Il prit place en face d'elle. Lindsay mangea le cookie à contrecœur et prit le verre.

— Bois. Il le faut. Sinon, tu vas avoir très mal.

Elle se décida à boire, en fermant les paupières, et lui rendit le verre.

— Vas-y, souffla-t-elle.

— Ne crains rien. Je sais ce que je fais, répéta-t-il.

Après avoir soigneusement désinfecté la plaie, il la sutura. Tout le temps qu'il effectua cette opération, il ne cessa de lui parler d'une voix rassurante.

Une fois qu'il eut terminé, elle rouvrit les yeux : elle avait six points de suture bien nets.

Brian la pansa et lui banda soigneusement le bras.

— Ça va ? s'enquit-il.

Elle opina seulement. La tête lui tournait. Le cognac ? La douleur ? Le choc ? Tout à la fois ?

— Au premier signe d'infection, nous allons aux urgences, annonça Brian. Tu pourras avancer tous les arguments possibles et imaginables, je ne céderai pas. Compris ?

— Oui. Compris..., balbutia-elle, la bouche pâteuse. Merci pour tout... Merci... Brian.

Elle lui sourit et battit des cils.

Elle flirtait ? se demanda-t-elle. Encore un effet du cognac ? Dans un sens, pour elle, flirter était aussi naturel que de respirer. Elle avait eu la révélation de son talent depuis que, au lycée, Ronnie Willhite, empourpré par la timidité et l'audace, lui avait confié qu'elle était la plus jolie de toute la classe et qu'il rêvait de l'embrasser.

Elle sourit à ce souvenir lointain qui, justement, lui donna envie d'embrasser Brian. Mais au même instant, un spasme lui souleva l'estomac, et elle rejeta la tête sur le dossier du futon.

— Je vais te chercher un autre cookie, dit aussitôt Brian.

Cette fois, la pensée de manger lui donna la nausée.

— Non.

Il revenait déjà avec le paquet de cookies, qu'il lui tendit. Elle en prit un de mauvaise grâce.

— Maintenant, essaie de dormir.

— Comment veux-tu que je dorme après ce qui se passe depuis hier ?

— Alors essaie de te détendre. Ferme les yeux. Laisse-toi aller.

Il souriait. Elle sourit aussi et se remémora le délicieux

baiser qu'ils avaient échangé le matin même. Que ne pouvait-elle revenir à l'instant précis où elle avait noué sa jambe autour de sa taille. Se retrouver sur ses genoux, même avec un serpent tout proche…

Avoir un tueur en série obsédé à vos trousses relativisait considérablement certains dangers.

— Nous sommes vraiment en sécurité, ici ?

— Pour le moment, oui. On ne nous a pas suivis. En plus, un ancien Navy SEAL et un ancien Marine vont faire le guet, le temps de notre bref séjour dans cet appartement.

— Ah ?

— Oui, j'ai envoyé un SMS à mon frère, tout à l'heure, pour lui demander son aide. Il m'a promis d'appeler l'un de ses anciens amis. John viendra avec la voiture de Mabel qu'il nous laissera pour repartir avec la Camaro d'Alicia. Nous sommes actuellement en sécurité, assez, dans tous les cas, pour que tu puisses te reposer sans avoir peur.

Lindsay reprit son verre de cognac, le leva, et Brian trinqua avec sa bouteille de bière.

Après, il approcha de la fenêtre, qui était doublée par des rideaux opaques. Il en souleva un pan pour regarder dans la rue en contrebas.

— Que vont faire ton frère et son ami ? reprit Lindsay.

— Surveiller l'accès de l'immeuble et de l'appartement. Tu es plus en sécurité ici que sous la protection de la police, je te le garantis. Je vois déjà Mac. John ne doit pas être loin.

Il sortit du salon en continuant ses explications.

— John va nous donner un téléphone portable à carte prépayée. Bon, si tu veux surfer sur internet, tu trouveras le code d'accès sur la télévision. Je reviens.

Lindsay resta seule. Elle aurait pu être contrariée qu'il ait tout organisé sans lui en toucher mot, mais non. Parce qu'elle était détendue grâce à l'alcool qu'il lui avait fait ingurgiter ?

En tout cas, elle ne trouverait pas le sommeil de sitôt.

En attendant, elle pouvait toujours effectuer des recherches sur l'ordinateur de Jeremy. Elle l'alluma.

Elle avait beaucoup surfé sur internet, au cours de ces quatre derniers mois, mais essentiellement par le biais de son Smartphone. Elle avait perdu de nombreux clients après la mort de son cousin, d'une part parce qu'elle avait été obligée de régler les affaires de Jeremy, d'autre part parce qu'elle avait dû se consacrer à la gestion, rébarbative, de sa boutique de téléphonie mobile.

Le démarrage de l'ordinateur fut lent, car il essayait d'ouvrir des fichiers localisés sur une clé USB restée dans le port et à l'accès verrouillé. Lindsay l'en retira, et le bureau de l'ordinateur s'afficha.

Sur ce, Brian revint avec un verre d'eau qu'il lui tendit.

— Dois-je appeler Amy et mes autres collègues ? Les prévenir que je ne viendrai pas non plus travailler demain ? lui demanda-t-elle. Beth va sans doute passer chez Jeremy, ce soir, pour prendre de mes nouvelles…

— C'est inutile, Lindsay. La police préviendra tes proches qu'un homicide a eu lieu. La maison est désormais une scène de crime. Inaccessible.

— Les prévenir…, répéta-t-elle, perplexe. Oh mon Dieu ! La police va penser que la victime, c'est moi !

Elle reposa l'ordinateur et se leva si vite qu'elle faillit tomber.

— Pourquoi, Brian ?

Il ne répondit pas.

— Brian… Dis-moi… Cette femme me ressemblait ?

Il l'étreignit, et elle comprit la réponse avant qu'il ne la formule.

— Oui.

— C'est la raison pour laquelle son corps et son visage n'étaient qu'une plaie ? Pour qu'on ne la reconnaisse pas et qu'on puisse me confondre avec elle ?

Il opina et la serra plus fort dans ses bras.

— Il a même brûlé ses doigts pour rendre ses empreintes digitales illisibles…

— Cette femme est morte… à cause de moi ! C'est… c'est insupportable… Mais pourquoi ?

Lindsay ferma le poing.

— Personne n'a le droit de décider de la vie ou de la mort d'autrui !

— Personne, Lindsay. Et moi, je veux que tu vives. Je ne supporterais pas que…

Il l'embrassa sur le front, la serra ardemment dans ses bras. Lindsay sourit à part elle.

— Tu ne me connais même pas, Brian. Ou si peu…

Elle inclina la tête pour bien le dévisager.

— Mais cela va changer, Lindsay.

Il l'embrassa partout sur le visage et lui caressa les cheveux avec une tendresse qu'aucun homme ne lui avait jamais offerte.

Elle chercha vite sa bouche dont le contact provoqua, comme lors de leur premier baiser, un feu d'artifice. Leurs langues s'explorèrent mutuellement, et Brian glissa la main sous son chemisier.

Mais contre toute attente, il rompit brusquement le contact et recula. Une insupportable sensation de froid et de désespoir envahit Lindsay.

— J'aimerais continuer…, lui confia-t-il, l'embrassant sur la joue, mais je suis épuisé. J'ai besoin de repos. Et toi aussi, d'ailleurs.

Il soupira.

— Ne te méprends pas, Lindsay ; je ne t'invite pas dans mon lit, à moins que tu ne veuilles dormir dans mes bras. Nous passerons notre première nuit d'amour ensemble quand nous ne serons plus sous la protection d'un Navy SEAL et d'un Marine, quand nous serons vraiment seuls.

Il lui sourit.

— Alors bonne nuit ?

Lindsay le suivit des yeux, immobile, bouche bée.

Notre première nuit d'amour ? Si elle n'en avait eu autant envie d'explorer son corps musclé et de se laisser aimer, elle aurait été froissée par son arrogance. Mais au contraire, son attitude conquérante l'émoustillait.

Brian forçait l'admiration… Il ne laissait pas ses sentiments prendre le dessus sur sa raison. Il était réactif, rationnel et avait l'esprit d'initiative. En même temps, il était passionné, fougueux et ardent…

« Mais tant que nous serons sous la protection d'un Marine et d'un Navy SEAL »…

— Sous la protection d'un Navy SEAL et d'un Marine…, répéta-t-elle. On dirait le titre d'un livre !

Un livre.

Elle se figea. Pendant leur séjour sur l'île de Cozumel, Jeremy avait été plongé dans un livre dont le titre l'avait étonnée.

Elle reprit l'ordinateur et ouvrit le fichier contenant les livres numériques de son cousin. Elle en consulta la liste et retrouva l'ouvrage qui avait frappé son attention :

BIENS-FONDS ET TITRES MINIERS AU TEXAS.

Pourquoi Jeremy lisait-il un manuel aussi aride pendant ses vacances ?

Lindsay but une nouvelle gorgée d'eau, regrettant le cognac, puis bâilla et se frotta les yeux envahis par des larmes d'épuisement.

Le titre à lui seul lui donnait envie de dormir… Après une bonne nuit de sommeil, elle explorerait mieux cette piste… du moins, si c'en était une. Là-dessus, elle se coucha sur le futon et repensa aux mains de Brian autour de sa taille…

Si seulement ils s'étaient rencontrés dans des circonstances moins tragiques…

Bon sang, quel boucan ! Ses collègues auraient pu être plus discrets en rentrant ! songea Brian. Réveillé en sursaut, il donna un coup de poing dans la cloison de séparation entre sa chambre et le salon.

— C'est bon, les gars ! s'écria-t-il. Je m'en souviendrai la prochaine fois que je rentrerai de mon astreinte.

Là-dessus, il se ressaisit : il était seul avec Lindsay, ses collègues travaillaient.

Le bruit persistant, il se leva, prit le SIG de John et ouvrit la porte qui donnait sur le salon. Il passa sa tête par l'entrebâillement, sans se précipiter, comme son frère le lui avait appris.

Lindsay était en train de se débattre dans un cauchemar.

Les draps gisaient, en boule, à ses pieds. Son T-shirt remontait sur ses seins, dévoilant son ventre plat et bronzé.

Brian retourna dans la chambre pour mettre son arme sous le matelas et consulta le réveil. Il n'avait dormi que deux heures. Il revint tout de même auprès de Lindsay, puis la berça dans ses bras pour l'apaiser. Ainsi calmait-il Lauren, lorsque ses nuits étaient agitées par de mauvais rêves. Enfin il souleva Lindsay dans ses bras et la porta jusqu'à son lit.

Elle tremblait toujours. De froid. De peur ? Il remonta la couette sur elle, s'allongea à son côté et resta immobile, prêt à se rendormir.

Mais au même instant, Lindsay se blottit contre lui. Vaincu, il l'enlaça et roula sur le flanc pour épouser son corps et dormir en cuillère. Il n'avait jamais passé une nuit entière avec une femme. Pour une raison simple : il n'était jamais tombé amoureux…

Cette nuit-là était donc une première.

En dépit de sa fatigue, il ne put se rendormir. Il était bien trop troublé, par les seins de Lindsay que son souffle soulevait, par la beauté et la douceur de ses cheveux. Tout chez Lindsay l'attirait, mais il devait refouler son attirance. Il voulait que leur première fois soit parfaite et se déroule dans des circonstances harmonieuses.

La situation actuelle n'était pas propice à la sensualité, mais il ne pensait qu'à faire l'amour à la jeune femme pelotonnée dans ses bras. Puisqu'il ne retrouverait pas le sommeil dans ces conditions, il décida de se lever, à contrecœur.

Mais sitôt qu'il se fut assis au bord du lit, Lindsay se raidit et poussa un cri perçant, comme si elle était la proie d'un nouveau cauchemar.

Vaincu, Brian se recoucha. Il s'accouda et la contempla, puis lui caressa le front. Ce geste, qui lui venait de sa mère, finit par apaiser Lindsay. Alors il chercha à se rendormir.

Sous ses paupières, les yeux bleus de Lindsay brillaient comme des diamants sous le soleil.

Des diamants sous le soleil ?

Il devenait poète ?

Jamais une femme n'avait éveillé de telles pensées en lui…

13

— Remarque numéro 1. Je suis en forme pour un homme de mon âge, mais ma confrontation avec Sloane m'a épuisé !

Le panneau mural qui cachait ses archives et son matériel d'enregistrement s'ouvrit, dévoilant un coffre.

Il y plaça sa combinaison noire et le dossier cartonné qu'il avait trouvé chez Jeremy Cook, le tout dans des sachets bien étiquetés. Le but était de préserver l'ADN de Brian Sloane.

— Remarque numéro 2. Je refuse que l'on me reproche des crimes dont je ne suis pas responsable et que l'on m'innocente de crimes dont je suis vraiment l'auteur. C'est pourquoi j'ai conservé toutes les preuves de mes opérations précédentes et que je les ai soigneusement archivées et classées.

Il referma le coffre, pressa sur la touche destinée à faire coulisser le panneau sur le mur et replaça les lourds livres qui, sur l'étagère, en masquaient l'existence.

— Commentaire. Quelle journée ! Selon la police, Lindsay Cook a été tuée par Brian Sloane, lequel est recherché pour homicide volontaire avec préméditation. Quelle réussite !

Le temps était venu de boire une vodka bien méritée.

— Brian Sloane a agi conformément à mes attentes ! Jusqu'à son arrestation, qui ne saurait tarder, j'aurai le temps nécessaire pour planifier ma dernière opération à destination d'un membre de la famille Cook. Je déteste l'idée de devoir encore ajourner mes préparatifs pour la chasse…

Il but une longue gorgée de vodka.

— Mais quelle chasse ce sera ! Et surtout, quelle mise à mort… La satisfaction que j'y puiserai sera à la hauteur de mes plus grandes espérances.

14

— Voici mon plan, Brian : il est sûr, déclara John en posant une feuille de papier sur la table. Tout est écrit là. Donne-moi ta parole que tu suivras mes instructions à la lettre.

Il se renversa sur sa chaise et, l'air content, croisa ses doigts derrière sa nuque.

Brian connaissait ce regard dont son frère l'enveloppait. C'était celui d'un homme sûr de lui et de son bon droit. Lui-même avait eu semblable assurance, ou arrogance, plusieurs années plus tôt, avant que sa vie et son destin ne prennent une direction inattendue. Et de nouveau il se trouvait à un carrefour, à un nouvel aiguillage. De son choix dépendait tout son avenir.

John était venu le rejoindre dans l'appartement de Fort Worth. Ses propositions étaient les suivantes. Quitter Aubrey et le ranch pour s'installer dans les environs de Dallas, et se consacrer à son métier d'auxiliaire médical d'urgence. Ou tout recommencer de zéro. Ailleurs. Seul ou…

Les voies de son père et de John étaient déjà tracées. Son père vivait paisiblement l'hiver de sa vie avec Mabel. John, marié et futur père adoptif de Lauren, avait ses propres projets.

Ils avaient de la chance… Lui, il avait le vide devant et derrière lui. Un passé trouble, un avenir incertain.

Et un présent précaire.

Il parcourut la liste de son frère. Elle comprenait les points suivants :

1) Te rendre à la police.

2) Laisser la police retrouver le meurtrier et lui confier la protection de Lindsay, qui sera installée par ses soins dans un lieu sécurisé.

— Tu plaisantes ? s'exclama Brian.

Contrarié, il rejeta la liste.

— Il n'est pas question que je suive ton plan, John. J'ai donné ma parole à Lindsay que je ne l'abandonnerai pas à son sort, et je tiendrai ma promesse. Je ne suis pas à tes ordres, tu n'es pas mon supérieur : tu es mon frère. Je ne comprends pas que tu puisses m'ordonner de me livrer et d'attendre en cellule pendant que le destin de Lindsay se jouera !

Son frère agissait et pensait en militaire : avec la raison. Lui, au contraire, n'écoutait que son cœur et son instinct qui lui dictaient de ne pas quitter Lindsay aussi longtemps qu'elle serait en danger.

— Tu n'es pas sérieux, Brian ! s'exclama John, l'air outragé.

Brian se frotta le visage, essayant de rassembler ses idées, mais son geste réveilla seulement la douleur de sa plaie mal suturée à l'arcade sourcilière.

— Il faut que tu me soutiennes, John !

— Justement, j'ai l'habitude des missions de sauvetage et des opérations ciblées. Il y a quatre mois, j'ai organisé un plan qui a fonctionné.

— Mais cette fois, tes instructions équivalent à une condamnation à mort pour Lindsay, s'entêta Brian. Si nous adoptons ton plan, le tueur des Cook va un instant disparaître, afin de brouiller les pistes. Comme j'aurais été arrêté à sa place, la police pensera que le danger est écarté et Lindsay en sécurité. Le tueur pourra réapparaître et la tuer.

John poussa un soupir.

— Nous n'avons pas d'autre choix que d'adopter mon plan. D'autant que tu es coincé : la police a retrouvé les traces de ton passage chez Jeremy Cook, elle t'a identifié et a diffusé ton nom et ton signalement partout. Ton arrestation est imminente, Brian. Bon sang, pourquoi es-tu retourné chez lui ?

— Toi aussi, John, tu étais coincé, il y a quatre mois ! Mais rien ni personne ne t'aurait empêché d'aider Alicia !

John se leva si vite que sa chaise tomba à la renverse.

— Ecoute-moi pour une fois ! La police est à tes trousses pour le meurtre de l'inconnue, identifiée comme étant Lindsay Cook. Et la police fait du zèle, parce que tu es un Sloane, parce que Lindsay a eu un accident de la circulation la veille. Un accident qui n'était peut-être pas dû au hasard et que la police n'a pas pris au sérieux !

— Et alors ?

— Mais tu ne comprends pas ? La police veut ta tête sur un plateau médiatique !

Frustré, Brian frappa du poing sur la table, essayant de nouveau de rassembler ses pensées. Son frère aurait dû comprendre son désir d'aider Lindsay et sa quête de vérité sur la mort de Gillian Cook.

Mais John n'en avait jamais été solidaire. Parce que ça n'était pas lui qui avait vécu, après la mort de Gillian Cook, douze années infernales à Aubrey. John voulait tourner la page et, durement éprouvé par l'enlèvement de Lauren, aller de l'avant avec Alicia.

Aussi, Brian abattit son dernier atout.

— Même si j'étais d'accord, Lindsay ne le serait pas.

— Tu n'en sais rien ! Tu ne lui as même pas posé la question !

Brian tapa une fois de plus sur la table.

— Cesse de te comporter comme un tyran ! Je ne me livrerai pas à la police, un point c'est tout !

Un silence tomba.

— Rien n'est perdu, reprit finalement Brian. Nous avons récupéré l'ordinateur de Jeremy, et comme Lindsay créait des sites Web, je parie qu'elle…

— Que Lindsay est un hacker ? Une informaticienne

chevronnée qui trouvera une piste et des indices ? Tu te crois dans un roman policier ? d'espionnage ? Tu as perdu la tête, Brian ! Vous êtes deux amateurs ! Des inconscients.

Face à ce jugement sans appel, Brian serra les dents.

Autrefois, il s'était sacrifié pour son frère. Sans l'arrogance de John, douze années de silence et de malentendus leur auraient été épargnées. Certes, ils avaient renoué le dialogue, mais c'était un dialogue de sourds.

Cette conclusion le rendit amer.

— Cesse de crier, je ne suis pas sourd. En plus, tu vas réveiller Lindsay. Voici mon plan : trouver un refuge sûr et faire profil bas jusqu'à ce que la police cesse de me considérer comme suspect.

— En clair : tu seras en cavale !

— Jusqu'à ce que la police découvre que la victime n'est pas Lindsay !

— Et alors ? Ce serait plus simple si la police rencontrait Lindsay dès maintenant. Cela lui prouvera qu'elle est vivante et tu seras au moins blanchi de son meurtre.

— Mais pas de celui de l'inconnue.

— Tu seras vite innocenté par nos témoignages. En revanche, si tu fuis, si tu choisis la cavale, la police te retrouvera et t'abattra sans sommation !

Brian déglutit. Son frère était-il vraiment inquiet pour lui ? Exprimait-il son inquiétude par un abus d'autorité ? Par cette arrogance ?

— John ? Vous ne devriez pas être au ranch, justement, en train de vous entretenir avec la police pour couvrir votre frère ? intervint soudain Lindsay. Peut-être pourriez-vous certifier aux autorités que je suis vivante. Que la malheureuse dont le corps a été retrouvé chez Jeremy, ce n'est pas moi.

— Vous pensez que la police va me croire alors que Brian aura disparu avec vous ?

— Ça va mieux, Lindsay ? le coupa Brian.

Les cheveux de la jeune femme étaient emmêlés, son regard, cerné, un peu charbonneux car son mascara avait légèrement coulé. Mais elle était toujours aussi belle et, surtout, attendrissante.

— Ça peut aller.

Mais, en voulant croiser les bras, elle fit une grimace.

— J'ai consulté l'ordinateur de mon cousin, reprit-elle. Je n'ai pas pu consulter les fichiers conservés sur la clé USB, qui est verrouillée, en revanche, j'ai passé en revue ses livres numériques. Je crois avoir trouvé une piste !

Brian se tourna vers son frère, lui intimant en silence de prendre congé. Il n'avait plus envie de discuter avec lui, seulement de rester seul avec Lindsay.

— Vous êtes blessée ? s'enquit John en regardant son bras.

Il était calme. En apparence seulement, devina Brian.

Il essaya de capter le regard de Lindsay avant qu'elle ne relate à John leur confrontation de la veille avec le meurtrier. En vain.

— Un sinistre individu m'a donné un coup de couteau après avoir tué une malheureuse innocente chez Jeremy, expliqua Lindsay d'un trait. Une inconnue qui, manifestement, me ressemblait beaucoup.

John soupira.

— La police vous croit effectivement morte, Lindsay.

— C'était certainement le but du tueur, renchérit-elle.

John se leva d'un bond.

— Mais mon frère a négligé de me préciser que vous aviez été attaquée et blessée. Vous avez consulté un médecin ?

— Non, je m'en suis occupé, intervint Brian avec impatience.

John semblait lui aussi proche de l'explosion.

— Brian a désinfecté et suturé la plaie, précisa Lindsay. Je ne douterai plus jamais du pouvoir du cognac, désormais ! ajouta-t-elle pour plaisanter.

— Tu es inconscient, Brian ! la coupa John. Lindsay doit aller à l'hôpital. Prendre des antibiotiques !

Lindsay secoua la tête et pinça les lèvres.

— C'est fini, John, n'en parlons plus. Admettez que

vous avez perdu la bataille. En ce qui me concerne, je m'en remets entièrement à Brian. Et si vous refusez de nous aider, on ne vous retient pas.

Lindsay défia John du regard, sans ciller.

Alors John se rassit en murmurant quelques paroles où il était question de femmes têtues et de frères inconséquents. Sur ces entrefaites, Lindsay traversa le salon d'un pas ferme et énergique puis alluma l'ordinateur portable de son cousin. Brian la suivit des yeux, ému et troublé.

Fier d'elle.

— Dans combien de temps partons-nous ? demanda Lindsay, soulignant sa question par un lever de sourcil éloquent.

— Dans une petite heure, répondit-il tant à son intention qu'à celle de son frère.

— Alors je vais vous montrer ce que j'ai découvert avant que je ne m'écroule, enivrée par Brian.

— Brian vous a enivrée ? s'exclama John.

Pour seule explication, Brian lui montra le bras blessé de Lindsay.

John comprit et sembla se calmer.

— Je me suis souvenue d'un détail qui m'avait frappée lors de notre séjour sur l'île de Cozumel, poursuivit Lindsay. J'avais taquiné mon cousin parce qu'il lisait un livre, plutôt un manuel, sur les titres miniers et les biens-fonds au Texas. Il en surlignait même des passages.

— Ton cousin s'intéressait au droit de la propriété et au Code minier ? s'étonna Brian.

— Exact ! Qui lit des bouquins aussi rébarbatifs, en vacances, de surcroît après avoir acheté une maison ? J'ai retrouvé ce manuel dans ses livres numériques.

— Tu as repéré d'autres dossiers ou fichiers insolites ? demanda Brian, évitant de regarder John.

Il ne connaissait rien aux ordinateurs. Il était éleveur de chevaux, cavalier émérite et auxiliaire médical d'urgence, il n'avait jamais eu le temps de s'initier aux mystères de l'informatique.

— Il y a des fichiers sur la clé USB, mais leur accès est verrouillé.

— J'ai des amis informaticiens, intervint John.

— Je me débrouille en informatique, rétorqua Lindsay. Mais merci pour votre offre.

John leva les yeux au ciel.

— Je peux te parler en privé ? lança-t-il à son frère.

Brian soupira. Une fois qu'ils seraient en tête à tête, John passerait ses nerfs sur lui, cela ne faisait aucun doute.

Au cours de ces douze dernières années, il avait souvent été la cible de la colère et de provocations, mais il avait appris à se maîtriser et ne s'était jamais battu avec les adolescents d'Aubrey qui le défiaient par plaisir.

Seul John avait le don de le mettre hors de lui.

Sitôt qu'ils ne furent que tous les deux, ils se jaugèrent. C'était comme de se voir dans un miroir. Même visage. Même crispation et même expression belliqueuse.

John s'avança. D'instinct, Brian leva les poings.

— Arrête, Brian ! Je n'ai pas l'intention de me battre ! Laisse-moi seulement résumer la situation. Car une fois que j'aurai quitté cet appartement, je ne pourrai plus t'aider. Tu ne pourras pas non plus revenir au ranch, que la police locale va surveiller. Tu ne seras nulle part en sécurité !

A ces mots, un frisson parcourut Brian.

— Ne te fais pas de soucis, John, lâcha-t-il avec amertume. Je ne mettrai pas les membres de notre famille en danger. Je garderai mes distances.

— Tu m'as mal compris.

John soupira. Il avait l'air sincèrement inquiet.

— Ce serait plus facile si nous faisions un échange d'identité, comme à notre habitude en cas de coup dur : tu restes au ranch et moi, pendant ce temps, je protège Lindsay. J'ai été formé à l'armée et j'ai une endurance que tu n'as pas.

— Je suis aussi coriace que toi !

John lui posa les mains sur les épaules. C'était l'un de ses rares gestes d'affection fraternelle.

— Je sais, mais cet individu ira jusqu'au bout, Brian. Quelle sera ta stratégie, quand tu auras mis la main sur lui ?

Je ne sais pas encore, mais je serai mieux préparé que lors de notre première confrontation ! se dit Brian portant d'instinct la main à sa ceinture, où se trouvait le SIG de son frère.

— Tu serais prêt à tuer un homme ? insista ce dernier.

— S'il le faut !

A quoi bon continuer d'en débattre ! conclut-il *in petto* avec agacement. Il défendrait Lindsay au péril de sa vie.

— Vous risquez tous les deux la mort ! s'exclama John. Je veux t'aider. Comme toi tu m'as aidé autrefois !

— Je sais, mais c'est ma mission, John.

Son frère, l'air vaincu, soupira, puis lui serra virilement la main.

— J'ai compris. J'ai bien remarqué la façon dont tu regardais Lindsay. Comme j'étais dès le début certain que tu refuserais mon plan et l'échange d'identité, j'ai demandé à Mac de vous prêter sa maison pendant quelques jours, histoire de faire profil bas. Après, on avisera.

Une fois que Brian et John se furent retirés dans la chambre, Lindsay fut tentée de les suivre et d'épier leur échange, mais elle y renonça. Autant demander à Brian de le lui relater.

Si John et Brian se ressemblaient comme deux gouttes d'eau, ils étaient dissemblables sur le plan de la personnalité. John avait de l'assurance à revendre et, parfois, une rigidité intimidante tandis que Brian était plus réservé et, dans tous les cas, moins autoritaire.

Mais de toute évidence, les deux frères s'aimaient et, en dépit de leurs altercations et divergences d'opinion, ils avaient une complicité qu'elle leur enviait.

Elle décida de profiter du calme relatif pour continuer ses recherches sur l'ordinateur de Jeremy, mais presque chaque mouvement la faisait souffrir. Sa blessure au bras restait douloureuse.

Cependant, elle se garderait bien de se plaindre, car elle avait trop peur que Brian ne la conduise aux urgences. Il y serait sûrement arrêté, et dès lors elle ferait face seule à son destin. Si la police n'avait jamais soupçonné que les décès dans sa famille étaient en fait des meurtres, elle ne changerait pas soudain d'avis, même à la lumière des récents événements.

La voix de Brian qui revenait avec John la tira de ses réflexions :

— Lindsay ? Tu as vu mon dossier cartonné avec des informations sur ta famille ?

— De quoi parles-tu ?

— Du dossier que j'avais apporté hier chez Jeremy et qui contient le résultat de mes recherches sur les Cook. Je l'avais posé quelque part dans le salon. Mais nous avons quitté les lieux dès que tu as signalé que l'aquarium avait été déplacé.

Il se figea.

— Je l'ai sans doute oublié chez Jeremy.

Lindsay réfléchit.

— Je ne me souviens pas l'avoir vu cet après-midi, quand nous y sommes retournés.

— Donc *il* s'en est emparé, en conséquence de quoi *il* sait exactement ce que nous savons, déclara Brian.

Il s'approcha de la fenêtre et jeta un regard rapide dans la rue.

— Comment peut-il l'utiliser contre nous ? demanda Lindsay. La perte de ces informations est surtout ennuyeuse pour nous qui cherchons à comprendre ses motivations.

— Et s'il n'en avait pas ? intervint John. Et s'il était malade ? Ou fou ?

Lindsay en doutait. Le tueur était méticuleux, très patient et discret. Acharné.

Et sur le point d'éliminer la dernière des Cook.

— Ça va ? s'enquit Brian. Tu es toute pâle, Lindsay.

— Sa blessure s'est infectée, et elle devrait sans doute aller à l'hôpital. Mac va l'y conduire ! déclara John précipitamment.

— Non ! Je vais bien ! répliqua-t-elle.

La nausée qui la soulevait n'était pas liée à sa blessure, mais plutôt à la peur d'être traquée jusqu'à la fin de sa vie, sans savoir par qui et pourquoi.

— Il faut que je parte, déclara John en consultant sa montre, et je serais plus rassuré si vous partiez aussi.

— John a raison, Lindsay.

— Partir ? Pour aller où ?

— Nous allons séjourner quelques jours chez Mac, le temps de nous retourner et de trouver un plan.

— Je suis certaine que le manuel que lisait Jeremy est une piste, ainsi que les fichiers conservés sur la clé USB. Il me faut un peu de temps pour accéder à son contenu.

Lindsay referma l'ordinateur et tendit la main à John.

— Je suis désolée de vous avoir mis, vous et votre famille, en danger. D'un autre côté, je suis soulagée du soutien inconditionnel que vous apportez à votre frère.

— Mon frère qui a bouleversé le cours de votre vie, précisa John, en l'étreignant à la hâte.

Puis il murmura ces mots à son oreille :

— Soyez plus raisonnable que lui.

— Promis.

John adressa un petit signe à Brian et prit congé.

— Tu es certain que nous avons choisi la bonne solution, Brian ? John semble contrarié par notre obstination à agir seuls.

Sur ces mots, elle rangea l'ordinateur dans sa sacoche et mit celle-ci en bandoulière.

— L'idée d'être livrés à nous-mêmes est effrayante.

— Tu doutes de moi, Lindsay ?

— Non !

Elle lui faisait d'autant plus confiance qu'il mettait sa propre vie entre parenthèses pour elle, une quasi-inconnue.

Il entrelaça ses doigts aux siens et l'attira à lui avec un sourire. Elle en eut le feu aux joues.

Il caressa sa joue empourprée.

— Je te jure que ce type ne te touchera pas, Lindsay !

— Je te crois.

Brian prit ses lèvres comme pour sceller sa promesse, tandis qu'elle posait sa main sur son torse. Elle savoura la dureté de ses muscles, sous lesquels son cœur battait bien vite. Il était fort, viril. Sexy. Elle se revit nouer sa jambe autour de ses reins, soulevée dans ses bras, et de nouveau eut envie de répéter cette étreinte fougueuse et pleine de promesses.

Qu'il laisse libre cours à sa passion et à sa fougue ! Que ne pouvait-elle se débarrasser de ses escarpins à la hâte, lui retirer sa chemise et le conduire dans sa chambre !

Elle se serra donc contre lui avec insistance, mais Brian recula, avec douceur, et lâcha ses lèvres.

— J'aimerais céder à la tentation, commença-t-il.

Elle poussa un soupir de dépit et lui passa un doigt sur la bouche. Il essaya de le happer et de le mordiller, mais elle le retira aussitôt.

— Tu m'as promis une première nuit parfaite..., acheva-t-elle. Et pourtant, tu ne m'as même pas encore invitée à dîner pour me faire une cour en règle ! le taquina-t-elle.

— Je rattraperai le temps perdu dès que la police m'aura disculpé, Lindsay. Dès que cette histoire sera terminée. Nous aurons notre *happy end*.

— J'espère !

15

Lindsay roulait avec Brian dans la voiture de Mabel. Mabel, la voisine des Sloane, l'amie de cœur du père de Brian et de John. Mabel, Alicia, Lauren… La famille Sloane semblait s'agrandir sans cesse alors que la sienne s'était réduite au fil des années.

La voix de Brian l'arracha à ses tristes pensées.

— Surf, informatique… tu as de nombreuses cordes à ton arc ?

— Dans mon autre vie, j'avais deux passions : le surf et la fréquentation des meilleurs spots de Floride, de Californie ou d'Hawaii ainsi que la conception de sites internet. J'ai délaissé l'un et l'autre par obligation, sitôt que je me suis installée au Texas. Quand tu m'as contactée pour que je crée un site pour ton ranch, j'ai eu un sursaut de nostalgie et c'est pourquoi j'ai accepté de te rencontrer.

— Pourquoi ?

— Pourquoi quoi ?

— Pourquoi vends-tu des téléphones portables ?

Parce que Jeremy lui avait arraché la promesse de prendre sa vie en main et d'assumer ses responsabilités. De ne plus vivre selon sa fantaisie, travailler par à-coups. De sortir de l'adulescence.

Elle le lui avait promis lors de leurs vacances à Cozumel.

A l'époque, bien sûr, ç'avait été une promesse en l'air sur laquelle elle avait eu l'intention de revenir, sous un quelconque prétexte, dès leur retour de Cozumel. Mais la mort de Jeremy l'avait frappée et l'avait fait réfléchir.

Mûrir.

Depuis, elle n'était plus remontée sur une planche de surf et elle avait pratiquement abandonné la conception de sites internet, une activité aléatoire. Elle avait repris la direction de la boutique de téléphonie mobile de Jeremy.

— Tu es bien éleveur de chevaux par passion et auxiliaire médical d'urgence par obligation, rétorqua-t-elle.

— Touché.

Elle soupira :

— La mer me manque. C'est mon élément. Je faisais du surf tous les jours si possible.

Que ne pouvait-elle revoir les vagues, ses spots préférés !

Fuir le tueur.

— Je ne suis pas certain que ça me plairait…, reconnut Brian. Les requins pullulent dans les océans. Sinon, la conception de sites internet était lucrative ?

Il conduisait sans hâte, comme s'ils avaient tout leur temps et pas comme s'ils fuyaient devant un tueur en série et désormais la police.

— C'est un secteur où l'on peut s'enrichir, répondit Lindsay. Mais je travaillais essentiellement pour des amis et par intermittence, précisément quand j'avais besoin d'argent. Ou quand j'en avais envie… En fait, je ne pouvais guère passer de temps sur ordinateur car l'accès internet était limité sur les plages où je vivais. Et j'aimais trop le surf pour m'y consacrer entièrement et faire fortune.

Brian fronça les sourcils.

Elle sourit et poursuivit.

— L'été, pour gagner ma vie, je louais surtout des planches de surf aux touristes. Je suivais la côte au petit bonheur et travaillais partout où c'était possible. Je vivais chez des amis ou chez des amis d'amis. J'étais sur la plage du matin au soir. Maillot de bain, paréo ou combinaison Néoprène et pieds nus dans le sable. Toute l'année. Du moins, jusqu'à ce qu'il fasse trop froid pour ouvrir les boutiques de location de planches de surf. Concevoir des sites internet m'assurait des revenus le reste de l'année.

— Cette vie-là te manque ?

— Oui. Et pourtant, c'était une vie instable… Je ne prévoyais rien, ce que Jeremy ne cessait de me reprocher. Et maintenant ? J'ai ma vie en main mais c'est une illusion, car un tueur en série veut m'éliminer. Pourquoi ? Comment ?

Un rire faux, épuisé et triste jaillit de ses lèvres.

Le silence tomba dans l'habitacle.

Lindsay avait de nouveau peur. Elle était perdue au milieu de nulle part, et même la présence de Brian ne parvenait plus à la rassurer.

Quand il s'arrêta à un STOP, son angoisse décupla. Elle se souvenait en effet de la collision de la veille. Elle agrippa son siège et, simultanément, la main de Brian prit la sienne.

— Ça va aller, Lindsay.

La pression de ses doigts et le son de sa voix chaleureuse la réconfortèrent instantanément. Elle parvint à refouler le souvenir de son accident pour se concentrer sur celui de leurs baisers. De nouveau, elle rêvait d'en retrouver les sensations et, surtout, l'extraordinaire euphorie qui l'avait transportée.

Les lumières du tableau de bord adoucissaient le visage de Brian tandis qu'il regardait les deux côtés de la rue déserte avant de redémarrer. Il garda ses doigts entrecroisés aux siens. Elle s'y accrocha.

— La maison de Mac n'est plus très loin, l'informa-t-il.

— Tu y as déjà été ?

— Non, mais j'ai un très bon sens de l'orientation.

Mac était-il digne de confiance ? se demanda Lindsay. Sans doute oui… Il leur avait prouvé sa fiabilité en surveillant l'immeuble où ils avaient passé ces dernières heures.

Elle soupira et, incapable de parler des événements qui les forçaient à fuir et à se cacher, savoura le silence et la pression de la main de Brian.

Si, deux jours plus tôt, Beth ou Amy lui avait prédit

qu'elle se retrouverait dans pareille situation, elle aurait éclaté de rire. Là, elle était émue d'être soutenue par cet homme, encore un inconnu la veille.

En l'espace de vingt-quatre heures, elle était devenue une victime, traquée. Paradoxalement, grâce à cette tragédie, elle avait rencontré un homme attirant, qu'elle désirait et dont les caresses, les baisers et la seule présence l'électrisaient.

Comme quoi, à quelque chose malheur est bon..., conclut-elle, songeant avec impatience au moment où ils feraient enfin l'amour.

Peut-être chez Mac…

Cette pensée la réchauffa d'un coup.

Mais comment pouvait-elle déjà aimer un homme qu'elle venait de rencontrer ? Dont elle s'était tant méfiée, au début ?

Si autrefois elle était impulsive et suivait ses instincts, depuis la mort de Jeremy, elle était plus raisonnable.

Et céder à Brian Sloane, même si elle le désirait, était déraisonnable. Tous deux devaient garder la tête froide, se concentrer sur la traque de l'individu qui avait éliminé les autres membres de sa famille.

— Nous y voilà, dit enfin Brian la lâchant.

Il tourna dans un chemin poussiéreux bordé d'arbres. Lindsay croisa les mains sur ses genoux pour résister au désir de reprendre celle de Brian.

La maison de Mac se dressait au bout du chemin.

— Ça va ? s'enquit Brian.

— Ça va. Cesse de me le demander, par pitié.

Il se gara derrière la maison.

— Excuse-moi.

— Ne t'excuse pas, Brian. Seulement, j'ai envie de me réveiller de ce cauchemar.

Un cauchemar ? Lui ?

Brian n'en revenait pas.

Il venait de se faire qualifier de « cauchemar » ?

Non, il se fourvoyait. Le cauchemar, ce n'était pas lui, c'était l'autre. L'inconnu. Le tueur des Cook.

Lui, il n'était animé, envers Lindsay, que d'intentions… comment dire, honorables ? Non, plutôt… licencieuses…

— Un jour, le cauchemar sera terminé, prononça-t-il avec effort. Nous allons retrouver et démasquer ce…

— … ce sale type !

Elle se mit à rire et rejeta sur ses épaules sa natte qu'elle tripotait nerveusement.

— Ce devrait être notre mantra !

— Pour une aventure inoubliable ! renchérit-il, riant lui aussi.

Le rire de Lindsay était plaisant, détendu et contagieux.

— Prête à découvrir si Mac a l'eau courante et l'électricité ? reprit-il.

— Où sommes-nous, au juste ? demanda-t-elle, tandis qu'ils entraient dans la maison.

— Au nord de Fort Worth. En pleine campagne.

— Si près de Fort Worth ?

— Oui. L'autoroute est à cinq minutes. Nous pourrions revenir très vite à Arlington.

Il alluma la lumière.

— Bon, il a l'électricité. C'est déjà ça.

— Et l'eau courante ? J'aimerais prendre une douche.

— Je parie que la salle de bains est là, dit-il, lui montrant une porte. A toi l'honneur.

Lindsay l'ouvrit, fit couler l'eau, lui adressa le signe de victoire et s'y enferma.

La maison de Mac était isolée, et il avait pris toutes les précautions pour y accéder. Ils étaient donc en sécurité, se rassura-t-il. Ce qui était, pour le moment, son principal objectif.

Dans la salle de bains, l'eau se mit à couler, et Lindsay poussa un soupir d'aise. La cloison était bien fine, et il soupira lui aussi, mais de frustration.

Il ouvrit le réfrigérateur à la hâte, dans l'espoir de trouver des bières. Par chance, Mac en était amateur. Il sortit une bouteille qu'il but au goulot.

Cela fait, il ferma toutes les portes et fenêtres, prit une couverture et des oreillers pour se préparer un lit de fortune sur le canapé du salon. Mais il ne cessait de songer à Lindsay nue sous la douche, en train de se savonner, l'eau mousseuse coulant sur sa peau bronzée…

Il l'aurait volontiers rejointe.

— Ressaisis-toi ! s'intima-t-il à mi-voix.

L'eau s'arrêta soudain de couler. Il alla prendre une autre bière dans le réfrigérateur.

La voix de Lindsay s'éleva soudain derrière lui.

— Rien de tel qu'une bonne douche pour retrouver sa bonne humeur !

Il fit volte-face. Lindsay sortait de la salle de bains, vêtue seulement d'une petite culotte et d'un T-shirt en Stretch. Elle avait noué sa serviette en turban sur ses cheveux, ce qui lui donnait un air à la fois royal et sexy.

Brian but le reste de sa bière, immobile. Comme pétrifié.

Lindsay s'approcha, ses pieds nus encore humides marquant délicatement le plancher.

Allait-il sortir faire le tour de la maison pour procéder à une ultime vérification et ainsi s'éloigner de la tentation ?

Elle le devança :

— Comment enquête-t-on sur un inconnu ?

Elle retira la serviette autour de ses cheveux, secoua la tête et se coiffa, les doigts en peigne.

— Par où commencer ?

Brian pria pour pouvoir se maîtriser, même si Lindsay battait des cils et le fixait de son regard bleu et si brillant, mais soudain, sans qu'il comprenne comment et pourquoi, elle fut toute proche, et il fut hors de lui.

Sous l'impulsion de son désir, il lui prit la main et l'attira dans ses bras. C'était un geste pour le moins cavalier, tant pis, il ne pouvait y résister.

— Et si on oubliait cette affaire un instant ? murmura-t-il.

Lindsay ne répondit pas, mais lui caressa le contour des lèvres. Puis elle ferma les yeux, inclina la tête et s'offrit à lui sans la moindre ambiguïté.

Brian sourit, comblé. Ils étaient seuls. Loin de sa famille. Loin de tout. Et pour l'instant, à l'écart du danger. Rien ni personne ne s'opposait à des ébats qui s'annonçaient délicieux et qu'il appelait de tout son être depuis qu'il avait rencontré Lindsay.

Il la contempla, si longtemps qu'elle finit par ouvrir les yeux. Ses prunelles bleu clair et ses lèvres qu'elle humecta avec gourmandise l'hypnotisaient.

Il s'inclina sur elle, huma son souffle et, pour autant, ne se hâta pas, afin de faire durer le plaisir. Il caressa sa taille, descendit sa main le long de ses reins. Mais Lindsay se pressa avec élan contre lui et lui prit les lèvres d'autorité.

Il n'était plus temps de tergiverser, seulement de lui prouver sa virilité.

La force de sa passion.

De son amour.

Pour que, à son tour, elle s'éprenne de lui sans espoir de retour.

Car il l'aimait.

Sans espoir de retour…

16

Lindsay déglutit. Les lèvres de Brian évoquaient la fraîcheur de l'eau, suscitaient une montée d'adrénaline irrésistible. C'était comme de se trouver à Mavericks, au sommet d'une vague de sept mètres de haut et au bord d'un plaisir sans équivoque.

Le crescendo des émotions et du désir était absolument parfait.

Elle l'attira fermement dans ses bras. Tant de lenteur de sa part l'impatientait ! Et cependant, l'excitation de Brian, sans ambiguïté, était aussi intense que la sienne. Il caressait, de la pointe de la langue, son cou, sa gorge et des zones dont elle découvrait, avec stupéfaction, l'extraordinaire sensibilité, ce qui la transporta davantage.

Elle ferma les paupières. Son sang bouillonnait dans ses veines tandis que les mains audacieuses de Brian couraient sous son T-shirt, sur sa taille et ses hanches.

Quand elle était sortie de la douche, un instant plus tôt, elle ne s'était pas imaginé que leur intimité serait si rapide. Elle voulait rester focalisée sur le tueur des Cook et non sur son désir de faire l'amour avec lui. Pour autant, elle ne s'était pas non plus exhibée en petite culotte sans arrière-pensée. De toute façon, ils avaient su dès le début que, très vite, ils succomberaient l'un à l'autre. S'intimer à la raison avait seulement réussi à exacerber leur désir, elle n'en avait jamais douté.

Elle lui retira sa chemise, l'enlaça de nouveau.

Elle avait décidé d'entreprendre de plus sensuelles explorations quand il prit un mamelon entre ses lèvres et ses seins en coupe. Au contact de sa langue et de sa paume un peu calleuse sur sa peau devenue comme par enchantement si sensible, elle s'offrit mieux.

C'était inimaginable, son désir grandissait encore et promettait un plaisir sans égal. Elle aurait voulu à son tour le tourmenter, le caresser jusqu'à le faire gémir et crier, mais elle jouissait égoïstement du plaisir qu'il lui dispensait et auquel elle était de toute façon soumise.

Ne courait-elle pas le risque de perdre son cœur dans cette aventure sensuelle ? Sans doute. Tant pis. Ils n'avaient peut-être aucun avenir, mais jamais elle n'avait autant désiré un homme et en même temps vivre l'instant présent.

Comme autrefois.

Alors pourquoi songer à l'échec ? Penser à demain ?

Et pourtant, ils étaient diamétralement opposés.

Il aimait son ranch texan, elle vouait une passion à l'océan.

Il avait une famille heureuse, elle n'avait plus personne...

Les pensées les plus extravagantes lui traversaient ainsi l'esprit, exacerbées par le désir qui affûtait ses sens.

Brian l'avait attirée sitôt qu'elle avait posé les yeux sur lui et pourtant, ou justement à cause de cette attirance encore inconsciente, elle avait eu peur de lui et s'était méfiée. Désormais, c'était comme si elle le connaissait depuis toujours. C'en était déconcertant. Et bouleversant.

Haletante, elle posa les doigts sur sa ceinture, tandis qu'il continuait de mordiller son mamelon. Elle avait l'habitude des hommes portant maillot de bain et jean baggy, mais depuis qu'elle avait rencontré Brian, elle appréciait les jeans, surtout quand ils moulaient si bien cuisses et postérieur. Elle défaisait la braguette de son jean quand il sa serra plus fort dans ses bras.

— Tu es certaine que tu en as envie ? lui murmura-t-il d'une voix pressante à l'oreille.

Son souffle brûlant lui arracha un frisson.

— Parce qu'une fois que nous serons dans la chambre, je ne pourrai pas reculer.

— Je suis sûre que je le veux ! Elle avait parlé sans plus réfléchir aux inquiétudes sur leur relation. Parce que son corps tendu demandait l'apaisement.

Brian lui sourit et, pour seule réponse, l'embrassa. La certitude qu'il la désirait autant la transportait. De nouveau, il fit courir ses mains sur son corps.

Il passa les doigts sous l'élastique de sa petite culotte, puis la souleva dans ses bras et la porta dans la chambre, jusqu'au lit.

Arrivés là, ils rirent d'aise et s'embrassèrent encore.

Elle lui arracha, littéralement, sa chemise. Dans son impatience, elle lui fit perdre l'équilibre, et il tomba sur le lit, à côté d'elle.

Il éclata de rire. Il était la fois sexy, délicieux et sincère, songea Lindsay.

Elle avait toujours rêvé d'une telle rencontre.

Son rêve se réalisait…

Lors de ces fragments d'éternité, baisers, sourires et rires pouvaient changer toute une vie.

Sa vie entière basculait…

Cette pensée dut se lire avec intensité sur son visage, car Brian se figea et roula sur le flanc. Son expression, mélange de gravité et de sensualité, la frappa si bien qu'elle grava instantanément ses traits dans sa mémoire.

Il la regardait comme si elle était la seule femme au monde.

C'était… exaltant.

Plus tard, peut-être se reprocherait-elle de s'être illusionnée, mais pour le moment elle avait envie d'y croire.

Parce qu'elle n'avait plus rien, ni personne, à quoi se raccrocher.

Le sérieux se peignit sur le beau visage de Lindsay, et Brian faillit se lever : voulait-elle en rester là ? Il hésitait toujours quand elle sourit comme si elle venait de découvrir quelque secret et entrouvrit les lèvres. Elle attendait qu'il continue, jusqu'au bout du plaisir, leur joute sensuelle.

Arriva alors l'instant des caresses les plus folles et les plus audacieuses qui les firent rouler sur le grand lit, emmêlant et rejetant les draps.

Il reprit dans ses paumes ses seins parfaits et de nouveau caressa, entre le pouce et l'index, les mamelons d'un tendre rose, déjà dressés.

Lindsay finit de déboutonner sa braguette, la pointe de sa langue entre ses lèvres roses sous l'effort, ce qui le fit sourire et fermer les yeux de volupté. Enfin, il lui retira sa petite culotte.

— Tu as toujours tes bottes, tu sais..., murmura-t-elle alors avec un petit soupir en se cambrant sous ses caresses, sans cesser de l'explorer.

Il parvint à les ôter d'une habile contorsion, tout en l'embrassant. Pour son jean, ce fut différent. Il devait se lever et interrompre leur étreinte.

D'un autre côté, comme il n'avait pas prévu qu'ils en arriveraient si vite là, il décida de le garder. Mais Lindsay rejeta sa tête en arrière et ouvrit les yeux.

— Tu veux garder ton jean ?

— Sans préservatif, nous ne ferons rien, Lindsay.

— Quoi !

Elle se ravisa.

— Ah ! je vois...

Elle prit une grande inspiration.

— Je crois en avoir vu, dans la salle de bains.

— Lindsay ! Nous ne pouvons tout de même pas...

— Oh si ! Retire ton jean. Tout de suite. Je reviens.

Elle bondit et courut dans la salle de bains.

Il ne perdit pas une seconde et se déshabilla. A peine avait-il terminé que Lindsay revenait en ouvrant un emballage carré argenté.

A sa vue, elle se figea. Elle semblait admirative.

Puis, comme électrisée, elle se jeta dans ses bras avec un tel élan qu'il chancela et tomba sur le lit.

Les mains posées sur ses épaules, elle le chevaucha. Il l'attira à lui et l'embrassa à en perdre la tête, excité par le rythme affolé de son pouls. Mais elle se redressa pour enfiler, avec une lenteur délibérée, le préservatif sur son sexe dressé. Dès lors, il n'y tint plus, posa ses mains sur ses fesses et souleva ses hanches jusqu'à ce qu'elle se penche sur lui.

Hors d'haleine, elle prit son visage en coupe et l'embrassa profondément, longuement. Ses cheveux retombèrent autour d'elle, et il y plongea les doigts.

Il fouilla longuement son regard bleu, si proche, où dansaient des paillettes indigo. Il parvint même à compter les taches de rousseur qui constellaient le bout de son nez.

Il ne se maîtrisait plus. Il ne maîtrisait plus rien... Il était au bord d'un plaisir intense et inédit. Il était fou amoureux...

Et elle ?

Il ne le savait pas et, perdu dans la spirale du désir, avait perdu la raison. Enfin, il la posséda.

Leurs corps en sueur s'épousèrent, épousèrent un même rythme et une même harmonie...

Ce fut à la fois doux, très tendre et extrêmement sexy jusqu'à ce que Lindsay pousse un long cri rauque qui le fit jouir à son tour.

Alors ils s'embrassèrent. Longtemps. Euphoriques. Et comblés.

Enfin, Brian hors d'haleine roula à côté d'elle et offrit son visage en sueur au souffle du ventilateur au plafond.

Et cependant, très vite, la main de Lindsay revint sur son torse puis plus bas, et le désir réapparut en un éclair.

17

Les heures et les jours suivants, Lindsay dormit à peine, tant Brian était insatiable. Ils ne cessèrent de s'aimer, sans parvenir à épuiser et à assouvir le désir qui les poussait sans cesse l'un vers l'autre.

Lindsay était épuisée mais follement heureuse. Jamais elle n'avait été si satisfaite par un homme.

— Brian, nous allons malheureusement devoir revenir dans le monde réel…, dit-elle, en lui montrant la boîte de préservatifs dont le contenu était épuisé.

— Après avoir passé deux jours au lit, acheva-t-il.

Il l'embrassa sur l'épaule.

— En plus, nous n'avons presque plus rien à manger, fit-elle remarquer.

— Et pourtant, nous avons vécu d'amour et d'eau fraîche… d'où de sérieuses économies sur nos maigres provisions. Puisqu'il le faut, revenons sur terre. Nous avons du travail !

Sur ces mots, Lindsay reprit l'ordinateur de Jeremy pour feuilleter le livre numérique sur les biens-fonds et titres miniers. « Biens-fonds » ? Un terme du cadastre, lut-elle. En clair, le terrain, ou fonds, et les immeubles s'y élevant. Ainsi que le sous-sol desdits terrains.

En résumé, le bien-fonds concernait la propriété du sol et du sous-sol.

Bon sang, pourquoi Jeremy s'était-il intéressé à un sujet aussi rébarbatif ?

La veille, elle avait commencé la lecture de cet ouvrage ennuyeux pour l'abandonner lorsque Brian l'avait réveillée et, d'un baiser, lui avait donné envie de faire de nouveau l'amour.

D'ailleurs, il lui caressait déjà la taille.

— Je crois que je suis sur une piste, dit-elle, concentrée, et refusant de se laisser distraire.

— C'est déjà ce que tu affirmais hier, objecta Brian.

Lindsay referma l'ordinateur et le posa.

— Je ne perds pas espoir.

Elle se tut.

— Mais si je faisais fausse route ? Si nous ne trouvions rien ?

— Alors on continuera à fuir et à se cacher. A s'aimer ! Joli programme ! s'exclama-t-il.

Il la reprit dans ses bras. Elle se dégagea.

— Je ne plaisante pas, Brian. Le meurtrier rôde toujours. Notre sécurité actuelle est illusoire. On ne peut pas perpétuellement être en fuite.

Elle rejeta les draps, prête à se lever.

— Qui va gérer ton ranch si ton absence se prolonge ?

— Ses futurs propriétaires…, lâcha-t-il.

Lindsay soupira, contrariée. Ils s'étaient beaucoup aimés, au cours de ces deux derniers jours, mais ils avaient aussi longuement parlé. Elle connaissait désormais ses problèmes financiers ainsi que la longue et douloureuse histoire de sa vie. Et surtout, sa passion pour les chevaux. Quand il en parlait, son visage s'illuminait.

— Malheureusement, la banque n'acceptera jamais de m'accorder un crédit ou un prêt, Lindsay.

Elle l'enlaça et enfouit son visage dans son épaule.

— Tu n'en sais rien. Tu n'as pas essayé.

— Je ne veux plus en parler !

Sur ces mots, il l'embrassa impérieusement.

— Fuir ne résoudra pas tes problèmes actuels, insista-t-elle en se dégageant. Tu affirmes que tu es pragmatique, mais tu refuses d'affronter la réalité.

— Parce que la réalité, c'est toi.

Il l'embrassa, elle capitula.

Faire l'amour avec Brian était sa réalité, un plaisir auquel elle n'avait ni l'intention ni l'envie de renoncer.

Brian buvait à même la brique de lait, nu et éclairé seulement par la lumière du réfrigérateur dont il avait laissé la porte ouverte. C'était un moment qu'il avait souvent savouré, au cours de ces deux derniers jours.

— Explique-moi pourquoi cela te plaît autant ? demanda Lindsay, qui avait enfilé sa chemise.

Le vêtement lui arrivait en dessous des fesses, ce qui aiguillonnait sa curiosité et son désir, qu'il avait pourtant étanchés à plusieurs reprises.

— Parce que je peux rarement m'offrir ce genre de plaisir : au ranch, je vis en famille !

Il se remit à boire. Après quoi, il s'essuya la bouche du tranchant de la main.

Elle lui enlaça la taille pour mieux se pencher et sortir du réfrigérateur une bouteille d'eau. Ses seins, si doux, effleurèrent ses cuisses, mais elle se redressa trop vite et s'adossa au comptoir. Elle croisa les bras et contint mal un sourire alors qu'elle buvait à son tour.

— Qu'est-ce qu'il y a ?

— Je crois que j'ai trouvé ! répondit-elle.

— Trouvé quoi ? Un lien entre les lectures de Jeremy et le tueur ? Tu plaisantes ?

Il se tut pour la contempler. Il mourait d'envie de l'enlacer, de fêter la nouvelle à sa façon, mais face à son sérieux il se ravisa et resta immobile, la brique de lait vide à la main.

— Je voulais savoir pourquoi Jeremy s'intéressait autant aux biens-fonds au Texas, donc j'ai passé ses fichiers au crible. Ainsi que le contenu de la clé USB dont j'ai réussi à déverrouiller l'accès. J'y ai trouvé de nombreux dossiers et fichiers, certains relatifs à des e-mails liés eux aussi aux biens-fonds. C'est un terme qui désigne à la fois le terrain et le bâti — ou les bâtiments construits sur le terrain. Jeremy s'est intéressé au cas d'une propriété dont la maison seule a été vendue, et non le terrain avec le sous-sol. C'était il y a environ vingt ans. Jeremy a pris contact avec l'ancienne propriétaire.

— Peux-tu m'expliquer pourquoi cette information est pertinente ?

Il fouilla du regard le réfrigérateur, toujours pour éviter de s'appesantir sur les jambes si longues et si sexy de Lindsay. S'il l'embrassait alors qu'elle lui faisait part de ses découvertes, il n'aurait pas la patience d'attendre la fin de ses explications.

— Parce que ce bien-fonds appartenait à un certain Joel Cook ! poursuivit-elle. Un lointain cousin. Mort il y a vingt ans. Jeremy a retrouvé sa veuve. On doit interroger cette femme.

— Sonner à sa porte et lui annoncer de but en blanc le but de notre enquête ?

— Mais non ! J'ai pensé que…

— Moi, j'ai pensé à une occupation beaucoup plus intéressante pour passer le temps, l'interrompit Brian qui, vaincu par le désir, l'enlaça.

Il avait envie de rester dans ce nid douillet où, isolés du monde, ils continueraient de s'aimer jusqu'à ce que la police retrouve le tueur.

C'était sans doute illusoire, mais son amour pour Lindsay l'exaltait.

Son amour pour elle.

Il la fixa droit dans les yeux, prêt à prononcer les trois mots fatidiques que jamais il n'avait adressés à une femme.

— Lindsay, je…

— La veuve de Joel Cook habite non loin de l'Interstate 35.

Il reprit son courage à deux mains.

— Lindsay ? Tu m'écoutes ? J'aimerais…

De nouveau, il se ravisa.

Plus tard. Il parlerait plus tard. Dans un endroit plus romantique. A un meilleur moment.

— Ah oui ? la veuve de Joel Cook ? reprit-il donc sans conviction et avec un temps de retard.

— Exactement ! J'ai trouvé son adresse, continua-t-elle, l'air ravi.

— Magnifique.

— J'ai l'impression que tu n'es pas convaincu.

— Oh si !

— Alors pourquoi ce manque d'enthousiasme ?

— C'est parce que… je suis étonné… que tu ais trouvé un indice, prononça-t-il avec effort.

— Etonné ? Tu doutais de moi ? Tu doutais que je trouve une piste ?

— Mais non ! la rassura-t-il.

— C'est pour ça que nous avons pris la fuite ! Pour nous donner le temps de découvrir des indices.

— Et pour te protéger du meurtrier à tes trousses.

— Tu devrais donc être content que nous ayons enfin un indice, non ?

— Je le suis !

— Eh bien… ta joie fait plaisir à voir ! ironisa-t-elle.

Il soupira.

— C'est parce que tu n'as aucune certitude, Lindsay ! Ce ne sont que des suppositions. Ces e-mails ne signifient peut-être rien.

— En tous les cas, c'est mieux que *rien*.

Elle secoua la tête.

— Je suis certaine qu'on tient quelque chose. Doris Davis est la veuve d'un lointain cousin. De Joel Cook.

— Mais elle vit toujours alors que c'est une Cook ? releva Brian.

Pour seule réponse, Lindsay lui décocha un regard noir et courut s'enfermer dans la salle de bains dont elle claqua la porte.

Stupéfait, il s'en approcha. Lindsay proférait des paroles

incompréhensibles qui, manifestement, appartenaient au lexique des surfeurs.

Reef break. Point break. Pipeline. Goofy.

Enfin, l'eau de la douche coula, couvrant mal ses sanglots.

Brian déglutit, mal à l'aise. Devait-il s'excuser ? Mais de quoi au juste ? Il ne comprenait pas le sens de la conversation qui venait de se dérouler et avait déclenché la fureur de Lindsay.

Il se la repassa à la mémoire et, enfin, comprit. Il avait été prêt à lui parler d'amour, elle ne l'avait pas écouté. Il en avait été vexé et l'avait blessée à son tour.

Alors explique-le lui !

Il frappa à la porte de la salle de bains.

— Lindsay ?

— Fiche-moi la paix !

— C'est un malentendu.

La porte de la salle de bains s'ouvrit. Le regard bleu de Lindsay étincelait de colère et avait des nuances turquoise qu'il n'y avait jamais remarquées.

— Au cours de ces deux derniers jours, tu ne t'es pas donné la peine de chercher des indices ! commença-t-elle, accusatrice.

— Lindsay… calme-toi. Tes révélations m'ont surpris, parce que…

Il hésita, se tut.

— Tu veux savoir ce que je pense ? le coupa-t-elle. Tout ce que tu voulais, c'était fuir le ranch et tes problèmes !

Il se raidit.

— Si telle est l'opinion que tu as de moi, on en reste là !

Elle le dévisagea, consternée.

— Mais je…

— Laisse-moi parler, Lindsay ! Tu penses que je manque d'enthousiasme à l'idée de pourchasser un meurtrier ? Tu n'as pas tort. Qui se réjouirait de se trouver dans une situation pareille ? Et je ne suis pas non plus fou de joie d'être le suspect dans une affaire de meurtre, de *ton* prétendu meurtre… J'ai été surpris par les informations que tu m'as révélées, parce que je ne m'y attendais pas, parce qu'elles restent sujettes à caution, quoi que tu en penses, même si je reconnais le nom de Joel Cook. Et puis, évite de m'asséner de prétendues vérités sur ce que je suis ou sur ce que je ressens. Que sais-tu de moi, en fin de compte ? Ce que j'ai bien voulu te raconter. Sinon, rien.

Elle l'avait écouté, les yeux écarquillés par la confusion. Il tourna les talons et gagna la cuisine.

Il avait l'habitude que les gens se fassent des idées préconçues sur sa personne et le jugent d'emblée. Mais que Lindsay Cook en fasse autant, ça, non !

Après tout, il ne la connaissait pas, conclut-il. Il ne connaissait que la femme née de son imagination.

Peu importait, au fond.

Il avait l'habitude d'être seul.

Il l'était pratiquement depuis douze ans.

18

— Question numéro 1. Où se cachent Lindsay Cook et Brian Sloane ?

Il arpentait la pièce, enregistrant un résumé des derniers événements.

La frustration le rendait mauvais et pouvait le trahir. Il ne devait pas laisser ses soucis prendre le dessus.

Il cherchait Lindsay Cook et Brian Sloane partout depuis déjà deux jours.

Sloane et Cook n'avaient contacté personne. Sloane et Cook s'étaient volatilisés.

D'un autre côté, la lecture du dossier que Brian Sloane avait oublié chez Jeremy Cook lui avait procuré un plaisir inattendu. Sloane y avait en effet rassemblé une somme impressionnante d'informations sur la famille Cook et les accidents dont elle avait été victime. Sloane avait donc découvert le nom de ses victimes, confronté les dates de leurs accidents, mortels, évalué les circonstances et, enfin, effectué des parallèles. Il avait dessiné un arbre généalogique où les noms et les dates avaient été soigneusement reportés.

Certes, il y avait de nombreux points d'interrogation, notamment sur les articles de journaux qui relataient des tragédies, mais Sloane tenait une piste.

Il avait placé ce dossier avec ses autres trésors. Dans ses archives.

Il se versa un verre de vodka. Il en avait perdu le compte depuis qu'il avait intimé à sa secrétaire de rentrer chez elle. La bouteille était presque vide, la colère l'envahissait.

Il ne respectait pas les règles qu'il s'imposait. C'était regrettable.

Le couple était en fuite, et des heures, voire des jours seraient nécessaires pour retrouver sa trace. Et lui, il avait eu tellement hâte d'en finir avec la dernière des Cook… Il avait été si près du but…

Et voilà qu'il devait trouver un nouveau plan, de nouvelles victimes ainsi que de nouvelles récompenses.

— Où se cachent-ils ?

La police avait découvert que la victime retrouvée chez Jeremy n'était pas Lindsay Cook et ainsi dédouané Brian du meurtre de cette dernière, d'autant que John Sloane et son ami de la Navy avaient certifié sur l'honneur que Lindsay Cook était vivante.

Mais la police n'en recherchait pas moins Brian Sloane pour le meurtre de l'inconnue.

Quelle chance il avait d'être déjà dans la place et ainsi de suivre les pérégrinations de la police minute par minute !

En définitive, si Sloane et Cook étaient restés dans la région, ils referaient bientôt surface. Dans ces conditions, à quoi bon les chercher ?

A malin, malin et demi.

— Les gens qui se cachent finissent toujours par sortir de leur cachette afin de vérifier si on les pourchasse toujours.

Il n'avait plus de dossiers urgents sur son bureau, seulement un peu de paperasserie qui attendrait la fin du mois. Il avait donc le temps de se consacrer à la dernière phase de son opération.

Qui clôturerait vingt ans de succès.

Il vida sa bouteille de vodka.

— Que le meilleur gagne ! Rideau !

19

Lindsay descendit de voiture un instant après Brian, mais déjà celui-ci s'agaçait.

— Alors tu viens ? demanda-t-il.

Il consulta sa montre comme s'ils avaient un rendez-vous qui ne souffrirait aucun retard.

Sur la route, il était resté crispé, silencieux. Il avait branché la radio et monté le son au moment où elle avait de nouveau mentionné l'échange d'e-mails entre son lointain cousin et Doris Davis.

Celle-ci habitait à une heure au nord de chez Mac, dans une maison assez isolée. Le trajet avait été d'autant plus long que Brian avait refusé de communiquer, sauf quand c'était indispensable. Et avec une courtoisie exagérée.

Leurs rapports avaient changé…, conclut-elle.

Brian semblait s'être désintéressé de la situation et agissait comme s'il était contraint de rester avec elle.

C'était injuste, n'avait-elle pas trouvé une piste ? Et Brian connaissait le nom de Joel Cook ! Jeremy avait sûrement découvert quelque fait déroutant en effectuant des recherches sur leur famille. Mais elle n'en aurait la certitude que lorsqu'ils se seraient entretenus avec cette parente par alliance.

Elle était donc impatiente de la rencontrer, mais également bouleversée : sa liaison avec Brian était peut-être déjà terminée. Elle aurait dû mieux s'expliquer, lui avouer qu'elle redoutait de passer le reste de sa vie à fuir un danger inconnu.

Mais elle avait été maladroite et avait tout gâché… Brian avait raison sur un point : elle n'aurait jamais dû extrapoler et interpréter ses réactions. Décidément, elle manquait de psychologie. Elle était d'autant plus consternée qu'elle l'aimait.

Elle était amoureuse pour la première fois de sa vie…

— Lindsay ?

Brian lui tendait la main. Elle la lui prit, et la seule pression de ses doigts la rasséréna. Cependant, des larmes lui montèrent aux yeux : peut-être que tous les deux…

Stop.

Elle devait cesser de se lamenter sur son sort et se préparer à leur entrevue avec Doris Davis.

Peut-être faire la paix avec Brian ?

— C'est grâce à toi si je suis encore en vie, commença-t-elle donc, en regardant par terre. Je ne souhaite rien tant que découvrir l'identité de cet individu, pourquoi il nous poursuit de sa haine et…

Elle se tut. Sans mot dire, Brian la serra contre lui. Elle enfouit son visage dans son épaule.

— Moi aussi, Lindsay. Mais c'est une mission difficile. Cet individu est invisible et redoutable. Il agit impunément depuis des années…

— Si j'avais été plus attentive et plus à l'écoute, Jeremy serait toujours en vie…

— Ou pas. Tu pourrais aussi être morte…

Il lui releva le menton.

— C'est pourquoi j'ai si peur pour ta vie, Lindsay.

A cet instant, Doris Davis ouvrit sa porte.

Elle semblait ravie de recevoir, nota Lindsay. Elle avait sorti un très joli service à thé et préparé des triangles de pain de mie au concombre et aux œufs durs, ainsi que des scones avec de la *clotted cream* et de la confiture de fraise. Cette réception dans les règles de l'art semblait surréaliste dans cette demeure d'allure modeste, isolée et entourée principalement par des pâturages où paissait du bétail, songea Lindsay.

Elle n'aimait guère le thé, sauf aromatisé et glacé. Le thé chaud avec un nuage de lait ? Des triangles de pain de mie ? Quelles mœurs étranges ! Pour autant, les scones, moelleux, étaient exquis.

Brian avait pris place à côté d'elle, tant bien que mal, dans une bergère trop étroite où il se tenait voûté. Il avait posé sur ses genoux la délicate tasse en porcelaine de chine avec sa soucoupe. Son jean moulant dessinait les muscles de ses cuisses. Il ne semblait pas à son aise et avait l'air d'assister à un thé pour enfants.

Doris était une petite dame d'un mètre cinquante-cinq à peine qui, dans un premier temps, refusa de parler de son ex-mari pour se consacrer aux plaisirs du thé et d'une conversation courtoise.

— Depuis combien de temps êtes-vous ensemble ? leur demanda-t-elle.

Brian secoua la tête et fit un geste dans la direction de Lindsay qui sourit.

Il refusait de répondre ? songea-t-elle.

Qu'à cela ne tienne.

Il devrait accepter sa version des événements.

— Brian m'a poursuivie de ses discrètes assiduités pendant plusieurs mois avant de réunir son courage et de m'aborder, récemment.

Brian protesta de façon inintelligible.

— Il est très timide, continua Lindsay, paterne, en lui tapotant le dos. Ne lui en voulez pas, Doris. Il n'ose même pas vous parler.

Cette fois, Brian fronça les sourcils. Doris ne le remarqua pas, car elle posait sa tasse sur la table basse.

— Ne vous inquiétez pas, mon petit. Mon troisième mari était exactement comme votre fiancé. J'aime les hommes silencieux et timides. Enfin, pas tout le temps, si vous voyez ce que je veux dire. L'audace a du bon… surtout quand la passion vous enflamme le sang, certains soirs. Vous me suivez ?

Lindsay rit de bon cœur. Brian s'étrangla de nouveau et avala précipitamment une gorgée de thé.

— Vous voulez donc en savoir davantage sur votre lointain cousin, qui fut aussi mon premier mari. Joel Cook… Un homme très silencieux et terriblement ennuyeux. Sa mort remonte à une vingtaine d'années.

— Savez-vous pourquoi Jeremy s'intéressait à Joel ? demanda Lindsay.

— Il ne me l'a pas expliqué. Les e-mails et coups de téléphone de votre cousin ont subitement cessé… Je m'en suis étonnée, puis je me suis résignée… Mais votre appel m'a intriguée, d'où mon invitation. Rien ne vaut une bonne discussion autour d'un thé.

— Vous avez raison ! renchérit Lindsay. C'est plus civilisé. De nos jours, les gens n'ont plus de manières et vous abordent n'importe où pour vous annoncer, par exemple, que vous êtes la cible d'un tueur et vous prophétiser votre mort prochaine.

A ce coup bas, Brian posa sa tasse aussi délicatement que possible et se leva. Lindsay avait été injuste et le savait, car Brian lui avait sauvé la vie, mais elle restait en colère et s'accordait cette petite vengeance.

— Vous cherchez les toilettes, Brian ? demanda Doris, se méprenant sur son trémoussement.

— Non, madame, j'ai juste une petite crampe.

— Quelles sont les questions que Jeremy vous a posées ? reprit Lindsay.

— Il m'a interrogée sur la propriété texane que Joel a vendue quand nous nous sommes mariés. Par la suite, nous avons déménagé ici. La maison ne valait pas grand-chose, c'était une vieille bâtisse que le futur propriétaire envisageait même de détruire. Par chance, la mère de Joel n'était plus de ce monde et n'a donc pas été témoin de ce qui aurait été à ses yeux une terrible trahison. Quoi qu'il en soit, Jeremy a voulu savoir si je possédais la copie de l'acte de vente. Il a aussi évoqué une société fiduciaire.

Lindsay était sûre de suivre la bonne piste et allait relancer Doris quand Brian intervint :

— C'était très intéressant. Merci de nous avoir reçus.

— Attendez, monsieur Sloane.

Doris lui fit un geste pour qu'il reprenne sa place. Il obéit.

— Ce n'est pas tout.

Lindsay se pencha, impatiente. Ce travail de détective la passionnait, et elle avait envie, dans sa joie, de serrer la main de Brian.

— Jeremy s'intéressait en particulier au titre minier de cette propriété que Joel a vendue il y a vingt ans. Je vais vous faire un parallèle : je suis propriétaire de cette maison et de ce terrain. J'en mets en location le sol et le sous-sol, pour des durées assez longues. Car vous savez que, dans notre pays, le propriétaire du sol détient aussi le sous-sol.

— Oui, oui, marmonna Brian.

— Par conséquent, poursuivit Doris, le propriétaire d'un terrain en détient aussi les ressources minières, les droits ou titres miniers qui lui permettent d'exploiter le sous-sol, quoi qu'il recèle.

— Les propriétaires fonciers ont en effet la maîtrise de l'exploitation de leur sous-sol s'il contient des richesses minières, renchérit Lindsay. Mais quel est le lien avec le meurtre de Jeremy ?

— Jeremy a été tué ? s'étonna Doris. Mais j'ai lu dans la presse qu'il s'était noyé à Cozumel.

— Il s'agit d'un tragique accident qui a si durement frappé Lindsay qu'elle le considère comme un meurtre, intervint Brian.

Du regard, il lui intimait de se taire. Lindsay lui donna un petit coup de coude.

— Doris ? Pourquoi nous divulguez-vous ces informations ? Je ne comprends pas.

— Joel avait vendu la propriété de sa mère, du moins il en avait vendu le sol, et non le sous-sol ou ses ressources minières. Le titre minier, si vous voulez.

— Je parie que cette propriété se trouve dans les schistes de Barnett, n'est-ce pas ? s'exclama Brian. L'une des plus grandes réserves exploitables de gaz de schiste des Etats-Unis.

— Absolument ! confirma Doris, visiblement ravie.

— Je n'y comprends rien, balbutia Lindsay.

— Il y a du gaz naturel piégé dans la roche, précisa Doris. Pour l'exploiter, il faut avoir recours à l'extraction par fracturation hydraulique, ma chère petite. Le sous-sol, dans ces régions, vaut de l'or !

— Le titre minier aussi : voilà le mobile ! compléta Brian.

La révélation semblait d'importance, mais Lindsay restait plongée dans la plus grande confusion.

— Merci de nous avoir accordé de votre temps, Doris ! conclut Brian.

Après avoir pris congé, il conduisit Lindsay à la hâte vers leur véhicule.

— J'avais encore des questions à lui poser ! protesta-t-elle.

— Moins nous en révélerons à Doris, mieux ce sera.

— Pourquoi ?

— Parce que cela la mettrait aussi en danger.

— Et où allons-nous ?

— Chercher des réponses !

— Je suis perdue : je pensais que Doris nous les avait données.

— Nous avons besoin d'informations qu'elle ne peut pas nous fournir : il nous faut la liste des propriétaires fonciers et immobiliers du Texas, et elle se trouve au County Tax Office. Il suffit de remplir un formulaire pour y avoir accès.

— Mais tu es recherché par la police, et ton signalement est diffusé partout ! La police va t'arrêter si nous nous y rendons.

— Ou pas. C'est un risque à prendre. Juste au cas où,

j'ai les papiers d'identité militaires de John. Au pis, je me ferai passer pour lui.

Il avait retrouvé son sourire, remarqua Lindsay.

Elle reprit aussitôt confiance.

Brian réussirait à mettre un terme aux crimes de cet individu.

Ce n'était qu'une question de temps.

Ensuite, quand tout serait fini, elle lui exprimerait sa reconnaissance.

Son amour.

20

— Qu'est-ce qu'on s'ennuie chez vous ! s'écria Lindsay. Et puis, c'est d'une laideur !

Brian n'en revenait pas. Ils étaient en garde à vue et menottés, mais Lindsay faisait comme si de rien n'était. Pis, elle semblait flirter avec le policier qui les surveillait.

Il n'était pas le moins du monde jaloux, plutôt déconcerté. Lindsay agissait comme si elle était complètement ivre. Or, elle n'avait pas bu une goutte d'alcool, seulement le thé de Doris Davis. Ainsi qu'un gobelet de soda servi par un officier de police, à leur arrivée au poste.

Dans ces conditions, pourquoi son visage était-il empourpré ? Et son regard, aussi brillant. Fiévreux ? Quelque chose lui échappait.

Au County Tax Office, il s'était fait passer pour John, mais le fonctionnaire s'était méfié. La police était intervenue, avait procédé à une vérification en règle et l'avait démasqué. Lindsay, considérée comme sa complice, avait aussi été arrêtée.

Il enrageait.

Trois heures s'étaient écoulées depuis leur arrestation au County Tax Office. Il regrettait amèrement de s'y être rendu, de surcroît avec Lindsay et, pis, avec cet aplomb dû à l'orgueil et à la précipitation.

Qu'allait-il se passer ? s'alarma-t-il.

Il était accusé du meurtre d'une inconnue. Personne n'avait jamais cru sa théorie selon laquelle un individu décimait la famille Cook depuis ces vingt dernières années.

Et pour couronner le tout, le comportement de Lindsay, erratique, prêtait à confusion et rendait ses thèses encore moins plausibles.

— Vous avez arrêté monsieur Sloane pour homicide ! Erreur ! s'exclama Lindsay à l'intention du policier.

Celui-ci restait imperturbable, mais Lindsay poursuivit de la même voix éraillée :

— Erreur, car je suis vivante ! Je ne suis pas non plus sa complice ! Encore moins sa victime ! Mais une victime en état d'arrestation ! La dernière victime ! La dernière des Cook ! Cookies !

De nouveau, elle éclata de rire.

Ses pupilles étaient dilatées et ses propos de plus en plus incohérents.

Brian en était mal à l'aise. Elle se pencha vers lui :

— Toi, tu collabores avec la justice. En catimini. En secret. C'est tout à ton honneur ! Tu as toujours voulu me protéger. Et tu serais le meurtrier de cette pauvre fille ? Impossible ! Nous sommes inséparables depuis plusieurs jours. Fusionnels ! Passionnels ! Au lit et dans la vie.

Brian lui lança un regard sévère pour lui intimer le silence. En vain.

— Je jure qu'il n'a rien fait, monsieur ! continua-t-elle en direction du policier. Brian Sloane a *toujours* été de mon côté. Et moi dans ses bras !

Elle rit et donna un petit coup de pied taquin dans le mollet du policier.

— S'il vous plaît, madame, dit ce dernier en reculant. Avez-vous pris des substances illicites ? Avez-vous bu ?

— Un peu de soda servi par vous. Du thé avec un nuage de lait. Infect ! Qui met des *nuages* dans un thé appelé Earl Grey ?

Un rire hystérique jaillit de sa gorge.

Elle avait eu le même, se souvint Brian, quand il lui avait fait boire du cognac pour suturer sa plaie.

— Donnez-lui de l'eau ou du café, demanda-t-il au policier. Vous voyez bien qu'elle n'est pas dans son état normal.

Ce dernier opina en lui lançant un regard désapprobateur et sortit dans le couloir.

— Que se passe-t-il, Lindsay ? demanda Brian.

Elle le dévisagea en cillant, comme si elle avait les paupières lourdes de sommeil.

Il donna un coup de pied dans le bureau pour attirer l'attention des policiers dans le couloir.

— Lindsay a un malaise ! Vite ! s'écria-t-il.

— Calmez-vous, lança le policer qui revenait. Votre avocat est arrivé.

Lindsay se redressa un peu.

— Ça va, Brian. Enfin, je veux dire, John… Je suis fatiguée, c'est tout. Oh ! si fatiguée…

— Votre avocat va s'occuper d'elle, lâcha le policier. Et vous, Brian Sloane, vous allez être mis en détention.

— Mais je vous assure qu'il y a un problème ! insista Brian. Lindsay a été blessée au bras. Je n'ai pas vérifié sa blessure aujourd'hui, mais peut-être s'est-elle infectée. D'où son comportement. Sa fébrilité. Vous voyez bien qu'elle délire ! Il faut appeler un médecin ! Je vous jure qu'elle n'a pas bu une seule goutte d'alcool au cours de ces dernières heures. Il se passe quelque chose d'anormal. Elle a besoin de votre aide !

Il se leva, furieux et frustré. Le policier le fusilla d'un regard noir.

— Rien ne lui arrivera dans ce poste de police, je vous le garantis. Maintenant, suivez-moi.

Brian garda les yeux sur Lindsay aussi longtemps qu'il le put. Sitôt qu'il fut dans le couloir, il croisa le regard d'un homme qui se déroba au sien.

— On conduit votre client en salle des interrogatoires : c'est bientôt à vous, Maître, dit le policier à ce dernier.

— Maître ? répéta Brian.

— Oui. Vous avez de la chance, votre avocat est arrivé

dès qu'il a appris votre arrestation, le renseigna le policier d'une voix froide.

Son avocat ?

Il n'en avait pas !

Aussi, il garda un silence prudent, intrigué par l'attitude dudit avocat. Il ne l'avait jamais rencontré, mais ce dernier agissait comme s'il le connaissait. Et la façon dont il avait esquivé son regard n'avait rien de rassurant.

Le policier le conduisit dans une petite pièce aveugle, avec une caméra dans un coin du plafond. De plus en plus frustré, Brian secoua ses menottes avec impatience. Ce n'était pas la première fois qu'il était en état d'arrestation de façon arbitraire, et il connaissait la procédure.

Il était inutile de lutter, de clamer son innocence.

Désespéré, il posa sa tête sur ses mains menottées. Il ne pouvait rien faire, alors que Lindsay courait un vrai danger et qu'ils étaient sur le point de découvrir l'identité du tueur. Cet individu qui avait décimé la famille Cook et détruit sa vie, douze ans plus tôt.

Il avait traversé toutes ces années dans la solitude. Il s'était refusé à tout engagement amoureux, car il n'avait eu ni la force ni l'envie d'expliquer à une femme pourquoi son existence avait sombré dans le chaos. Alors qu'il était amoureux pour la première fois de sa vie, il allait perdre Lindsay parce qu'il avait mal évalué le danger.

Soudain, la porte s'ouvrit. L'homme qu'il avait remarqué dans le couloir entra et posa sa sacoche sur la table métallique.

Puis il recula et se logea dans un coin de la pièce. Brian comprit pourquoi : le nouvel arrivant ne tenait pas à se trouver dans l'angle de la caméra et à être filmé.

Intéressant.

L'homme fourra les mains dans ses poches et resta silencieux. Brian continua de le dévisager tandis que le malaise l'envahissait. Le regard de cet inconnu étincelait et semblait le défier…

Et si c'était lui, le responsable ?

Un frisson d'effroi parcourut Brian.

— C'est donc vous…, lâcha-t-il.

L'homme fronça les sourcils et l'observa comme un chasseur sa proie.

— Vous avez enfin compris, Brian Sloane. Bravo ! Vous avez été mon adversaire le plus redoutable.

— Vous êtes le tueur des Cook. Vous avez tué cette inconnue sans raison… Enfin, seulement parce qu'elle ressemblait à Lindsay Cook.

— C'est exact. Une réussite.

Brian ravala sa rage. Perdre son sang-froid ne l'avancerait à rien, car tel était l'objectif de cet individu. Il se devait d'être plus malin et de l'obliger à se trahir.

— Garde ? demanda Brian en tournant les yeux vers la caméra de surveillance.

Sans doute les observait-on. Mais évidemment, personne ne se doutait que se déroulait l'entrevue d'un meurtrier en série prétendument avocat avec un innocent.

— Je vous comprends : vous voudriez me voir au diable, reprit l'homme. Au fait, cette conversation n'est pas enregistrée. La raison ? Confidentialité, etc.

— Qu'est-ce que vous voulez ? demanda Brian entre ses dents.

Jamais il n'avait autant haï quelqu'un.

— Un dernier affrontement, Sloane. Un ultime défi.

Brian asséna ses poignets menottés sur la table.

— Pourquoi aurais-je envie de me battre contre vous ? Et puis, n'avez-vous pas fui, lorsque nous nous sommes rencontrés chez Jeremy Cook ?

— Parce que j'ai été surpris.

— Cessez de tergiverser et dites-moi où vous voulez en venir, le coupa Brian.

Il bouillonnait de colère.

— Je conçois que vous vous posiez des questions, mon cher Brian. Pour commencer, il est inutile d'appeler à l'aide. De plus, si quelqu'un vient, on ne vous croira pas. Je suis en effet un avocat respecté et sincèrement désolé de vos problèmes actuels.

— La police finira par découvrir la vérité ! Je sais que vous cherchez à acquérir, illégalement, des titres miniers par le biais d'une société en fiducie. Vous voulez exploiter du gaz de schiste, précisément dans les schistes de Barnett. Vous cherchez à obtenir les droits sur les minéraux des terres cédées. Mais pourquoi décimer les Cook ?

— Je m'empare effectivement des droits d'accès aux minéraux, mon cher Brian. Un titre minier vous donne le droit d'entrer sur la surface d'un bien-fonds, de l'utiliser et de l'occuper dans le but de faire de la prospection ou de l'exploration, ou d'exploiter et produire des minéraux. Dans ce cas, du gaz naturel, bien entendu… Une manne ! Vous avez parfaitement compris la situation, mon cher. Que c'est drôle !

Il partit d'un rire affecté et sortit une main de sa poche pour essuyer le coin de son œil, comme s'il en avait les larmes aux yeux.

— Vous êtes accusé du meurtre de l'inconnue retrouvée chez Jeremy Cook, Sloane. Vous avez en effet eu l'imprudence de laisser des empreintes, des traces de votre ADN sur la scène de crime. De plus, la police trouvera bientôt, dans votre grange, le couteau que vous avez utilisé pour tuer cette malheureuse que j'ai fait passer pour Lindsay Cook.

Brian ferma les poings et, de nouveau, secoua énergiquement ses menottes. Ce geste lui permit d'évacuer, partiellement, sa colère.

— Votre avenir est déjà tracé, Sloane : la prison pour de longues années.

Il rit.

— Mais je reviens au marché que je veux vous proposer. Vous aimez vous battre : êtes-vous prêt à m'affronter ? En volant au secours d'une demoiselle en détresse ?

— Vous en savez beaucoup sur moi. Ne devriez-vous pas vous présenter ? biaisa Brian, s'intimant au calme.

— Le moment venu, répondit l'homme d'un air pensif. Oui, le moment venu.

— Pour m'affronter de nouveau, vous devrez me faire recouvrer la liberté.

— Justement, j'en ai l'intention.

— Je n'en veux pas, protesta Brian.

— Oh si ! Car j'ai un moyen de pression sur vous : Lindsay Cook. A propos, j'ai versé une substance dans son soda. Mais vous l'aviez déjà compris, n'est-ce pas ?

— Pourquoi me dire ça ? demanda Brian.

Les battements de son cœur s'accéléraient. De colère ? D'épuisement ? Pas seulement…

Il prit une grande inspiration pour essayer de se calmer.

En vain.

Au cours des ans, il avait appris à se dominer face aux injustices dont il avait si souvent été la victime.

Il n'avait jamais répondu aux provocations des adolescents, des policiers et des ivrognes. Seul son frère parvenait à le faire sortir de ses gonds. Mais la pensée de Lindsay seule et victime de cet individu le mettait dans un état de colère paroxystique.

Ses pensées lui échappaient et s'embrouillaient, son cœur battait vraiment à une vitesse affolante.

— Parce que je vois votre état se dégrader, mon cher.

— Vous… m'avez aussi drogué, n'est-ce pas ?

— Oui. En augmentant la dose prescrite. Vous ne vous sentez pas un peu anxieux ? La poitrine serrée comme dans un étau ?

— Vous êtes… fou ! cria Brian.

Il faisait une crise d'hyperventilation. Pour essayer de ralentir les battements de son cœur, il ferma la bouche et respira par le nez.

— Pourquoi… ? parvint-il à prononcer.

L'avocat ouvrit sa sacoche et en sortit une carte.

— Vous aurez peut-être un arrêt cardiaque, il n'est pas certain que vous puissiez être réanimé. Ce serait regrettable, et je m'en voudrais parce que j'attends le point culminant de notre histoire. L'un de ses couronnements : un affrontement.

Brian déglutit péniblement. Son pouls martelait affreusement dans sa tête. Les veines de son bras saillaient.

L'avocat se pencha sur lui et glissa sa carte dans la poche de sa chemise.

— Ne me décevez pas, Brian. Tenez bon. Vous avez été assez maladroit pour vous faire arrêter, je suis assez habile pour vous faire libérer.

Il referma sa sacoche.

— Du moins, si vous êtes prêt à l'aventure, à délivrer votre chère petite Lindsay.

Brian aurait voulu appeler à l'aide, il n'y réussit pas. Il essaya de respirer, en vain aussi. Sa bouche était trop sèche. Quoi que ce maniaque lui ait fait ingurgiter, son action était rapide.

Fatale.

— Garde…, balbutia-t-il d'une voix enrouée.

— Nous en avons terminé pour le moment, conclut son interlocuteur d'un air satisfait. Je vais maintenant enclencher la dernière phase de mon opération… Ensuite, je passerai à tout autre chose.

Brian étouffait, la douleur croissait dans sa poitrine.

— Ecoutez-moi bien, mon cher Brian. La voiture de Mabel vous attendra dans le parking des urgences, où vous allez être transporté sous peu. Moi, je vais aller chercher Lindsay : qu'elle soit, aux yeux de la police, votre victime ou complice, ne suis-je pas son avocat ? Je vais donc convaincre la police de la conduire chez un médecin. Je sais être très convaincant. Lindsay et moi allons ensuite vous attendre dans un lieu secret. Mais le verso de la carte que je vous ai donnée vous le révélera. Vous vous souviendrez de mes instructions, n'est-ce pas ? Ne me privez pas de la joie de nos prochaines retrouvailles.

Puis il frappa à la porte.

— Garde !

Brian réunit ses dernières forces. Il tremblait. Il allait exploser.

— Espèce d'ordure… si jamais… vous touchez… un seul cheveu…

— Oh ! justement j'en ai bien l'intention, Brian ! Vous n'imaginez même pas le supplice que je lui réserve. Alors faites vite avant que la chevelure de votre Boucle d'or n'y résiste pas.

21

Brian n'avait jamais eu aussi mal et, pourtant, il avait été désarçonné plus de fois qu'il ne pouvait se le rappeler.

— Lindsay…, murmura-t-il.

Lindsay. Lui sauver la vie.

Il se trouvait aux urgences du Denton Regional Medical Center. Sa vue était encore trouble, mais il reconnaissait le cadre, les bruits et les odeurs caractéristiques des hôpitaux. Il y avait souvent déposé Alicia, qui y travaillait. Pourquoi était-il…

Il leva le bras : il était en chemise d'hôpital et menotté.

Comme il sortait lentement de sa torpeur, il se rappela.

Lindsay. La prison. Drogué. Meurtrier en série. Douleur intense…

Soit ces souvenirs étaient basés sur des faits réels, soit il était tombé de cheval, sur la tête, et avait déliré… A moins qu'il n'ait fait un long rêve particulièrement réaliste…

Non, sa mémoire ne le trompait pas.

Il se souvint du goût de la peau de Lindsay, de sa grimace amusante et discrète quand elle avait bu le thé, chez Doris. Il revit surtout, avec une extraordinaire netteté, les jours et les nuits qu'il avait passés avec elle.

Sur ces entrefaites, Alicia entra dans la chambre. Elle posa un doigt sur ses lèvres, lui montrant le policier en faction devant la porte.

— Tu as eu un malaise pendant que tu étais au poste de police. Par chance, je possède toujours mes anciens papiers d'identité sur lesquels je porte mon nom de jeune fille. Sinon, je doute que la police aurait laissé ta belle-sœur entrer et s'occuper de toi, murmura-t-elle.

— Je t'en supplie, Alicia, ne me dis pas que tu m'as vu nu. Si c'est le cas, mens-moi !

— Du calme, mon cher beau-frère. Tu t'énerves pour rien. Non, je ne t'ai pas vu dans le plus simple appareil… Encore que je voie John, ton jumeau, nu tous les jours. Je viens de prendre mon service. John est dans le parking.

Alicia lui prit sa tension et regarda dans la direction de la porte.

— Tu as eu des nouvelles de Lindsay ? s'enquit Brian à voix basse. Cette ordure a réussi à mettre la main sur elle. Je dois sortir d'ici au plus vite !

Il essaya de se redresser, mais sa tête tourna et il retomba. De toute façon, ses efforts étaient vains, puisqu'il était retenu à la barrière du lit par ses menottes.

— Tu n'iras nulle part. Tu es mal en point, Brian.

— Il m'a drogué.

— C'est un fait ou une question ? Et de qui parles-tu ?

Alicia consulta son dossier.

— On t'a fait un lavage d'estomac. C'est Juanita qui nous a contactés et nous a appris que tu étais hospitalisé. Elle nous a expliqué que ta situation était critique. Tu as frôlé l'arrêt cardiaque, Brian.

Un lavage d'estomac. Voilà qui expliquait sa voix rauque.

— Demande à John de venir immédiatement. Il va tuer Lindsay.

— Tu délires, John ne va tuer personne, soupira Alicia en lui mettant un thermomètre dans la bouche.

— Je suis sérieux. J'ai besoin de John. Ce malade ne m'a pas dit son nom. Mais je sais qu'il est avocat ou feint de l'être. C'est un escroc qui s'approprie des titres miniers d'honnêtes propriétaires texans pour exploiter le gaz des schistes de Barnett. Il nous a drogués, Lindsay et moi, au poste de police !

Alicia retira le thermomètre et tira le drap.

— Du calme. Je n’y comprends rien.

— Appelle John, c’est tout. J’ai besoin de lui.

— Pourquoi ? Pour qu’il prenne ta place dans ce lit et te remplace en prison ? Pour que tu retrouves cet individu ?

Brian se contint, songeant à l’étendue du sacrifice qu’il avait accompli au nom de son frère autrefois. Mais il garda le silence tandis que sa belle-sœur sortait finalement son portable pour appeler John. Cela fait, elle raccrocha et lui retira l’intraveineuse.

— Il arrive. Je te préviens, tu vas avoir un terrible mal de tête. Tu vois trouble ?

— Non, de mieux en mieux.

— J’imagine que tu as besoin de mes clés de voiture, reprit Alicia, l’air défaitiste.

— Inutile : la voiture de Mabel est là.

— Comment le sais-tu ? Oh mon Dieu ! je ne veux même pas le savoir ! Comment vas-tu retrouver cet individu si tu ne connais pas son nom ?

Brian se souvint des dernières paroles de l’avocat. Ses instructions.

— Où sont mes affaires ? Il m’a laissé une carte de visite.

Alicia lui tendit ses vêtements. Son T-shirt avait été découpé et son jean n’était pas en meilleur état. Ses Roper, elles, n’avaient pas été abîmées. C’était l’essentiel. Pour le reste, il mettrait les vêtements de John, qui le remplacerait dans ce lit.

Alicia retourna l’une de ses Roper. Une carte en tomba.

— Victor D. Simmons. Avocat, lut-elle. Tu ne l’as donc pas imaginé, et cependant je doute qu’il t’ait drogué. C’est peut-être cette femme chez qui vous vous êtes rendus et qui vous a offert le thé.

Brian la fixa sans comprendre. Elle souffla de nouveau.

— Tu nous as téléphoné, après votre visite chez Doris Davis. John et moi, nous avons aussitôt essayé de te dissuader de te rendre au County Tax Office, mais tu n’as rien voulu entendre, tu t’es précipité. Tu es aussi têtu que ton frère !

— Alicia… Je suis désolé…

Soudain, le portable d'Alicia vibra.

— C'est John ! Fais semblant de dormir : je vais trouver un prétexte pour éloigner le policier. John en profitera pour entrer. Ensuite, débrouillez-vous.

Alicia lui adressa un petit signe, il ferma les yeux. Le bruit d'un chariot dont le contenu se renversait lui parvint peu après.

Le policier accourut.

— Un problème ?

— Vous pouvez m'aider, s'il vous plaît ? demanda Alicia. Les roues de ce chariot se sont coincées… Ne vous faites pas de souci pour lui, il dort profondément, et dormira à poings fermés pendant encore plusieurs heures. Nous avons dû le sédater.

La porte se referma doucement. Brian garda les yeux fermés. Lorsqu'il les rouvrit, John était à son chevet.

— Alicia m'a tout raconté, commença-t-il sans préambules. Pourquoi ce prétendu avocat aurait pris le risque de droguer deux personnes dans un poste de police ?

Il lui retirait déjà ses menottes.

— Cela n'a aucun sens… Et ensuite te donner une carte de visite ? C'est évidemment un faux.

— La police ne semble pas douter qu'il soit avocat. Il l'est certainement. En tout cas, il a affirmé être le mien. Ce qui lui a permis de sortir du poste de police avec Lindsay. Quoi qu'il en soit, il avait déjà préparé mon évasion ! Il a même annoncé que la voiture de Mabel serait garée devant les urgences.

— Il t'a donc drogué afin que l'on te conduise aux urgences, au lieu de te transférer à Arlington pour t'interroger.

— Une manœuvre habile destinée à servir ses desseins. Quoi qu'il en soit, Lindsay est sa prisonnière. Je dois la retrouver.

— Tu en es capable ? Tu ne t'es même pas rendu compte que j'entrais dans ta chambre !

John n'en retira pas moins son T-shirt.

— Tu es certain qu'il a enlevé Lindsay ?

— Oui !

— Alors retrouve-le avant qu'on me boucle, d'accord ? dit John, lui tendant son arme de service.

Puis il enfila la chemise d'hôpital et se coucha à sa place.

— Tu vas devoir me faire une intraveineuse, lâcha-t-il à contrecœur.

Brian obtempéra et régla le débit du goutte à goutte au minimum.

— Pas mal. Tu n'as jamais songé à devenir médecin, Brian ?

— Non. Mon rêve, c'est d'élever des chevaux.

Le cri du cœur.

— Nous en reparlerons quand cette histoire sera terminée, maugréa John.

— Il faudra bien… Pour le moment, je dois retrouver Lindsay.

— J'aurais pu le faire à ta place, déclara son frère en lui tapotant l'épaule.

— Non ! C'est à moi de lui sauver la vie.

— J'ai bien compris que tu voulais être son héros ! Quel est ton plan ?

En premier lieu, peaufiner leur échange d'identité.

Brian pansa donc le front de son frère et le menotta. Après quoi, John lui ressemblait totalement, à une exception près.

— Tu as les cheveux plus courts que les miens.

— A peine plus courts. Personne ne remarquera rien. En plus, c'est Alicia qui va s'occuper de moi. Elle vient de prendre son service et sera notre complice. Mais ne me laisse pas moisir, mon vieux. Tu sais où se trouve cet individu ?

— Je crois, oui.

Il retourna la carte de visite.

— Il m'a laissé un itinéraire.

— Tu es sûr de toi ?

— Certain.

— Alors bonne chance.

Lindsay était groggy.

Elle se souvenait vaguement de son état de déliquescence au poste de police, de Brian, d'éclats de voix. Elle fit un effort pour réfléchir, recouvrer sa lucidité.

Où était-elle ? Comment était-elle sortie du poste de police ? Brian y était-il toujours ?

On lui avait bandé les yeux, et elle n'y voyait rien.

Mais un souffle lui parvenait.

Quelqu'un était proche.

Le meurtrier ? Comment était-elle tombée entre ses mains ?

Puis ce fut un bruit d'ailes qui attira son attention.

Des oiseaux qui s'envolaient ?

Elle avait, à ses poignets, des anneaux ou bracelets de plastique qui les lui serraient et la blessaient. Elle avait les bras levés. Ses pieds n'avaient pas été ligotés.

A priori, elle était seule.

Aux mains d'un tueur.

Personne ne viendrait…

A elle de se débrouiller. Comment ?

Elle tâtonna, et ses doigts se nouèrent autour d'une corde qui s'élançait de ses bracelets en plastique. Elle avança un pied : dessous, c'était le vide, et la corde à ses poignets subitement se tendit. L'image d'un poisson au bout d'une ligne surgit immédiatement dans son esprit.

Ces conclusions faites, elle resta immobile.

Un rire s'éleva. *Il* la regardait ? *Il* s'amusait à ses dépens ?

— Vous voulez me tuer, mais personne ne croira à un accident !

Il resta silencieux.

Elle se raidit et, de nouveau, chercha à localiser l'endroit où elle se trouvait.

Des oiseaux… Le vide sous ses pieds… Etait-elle dans un grenier ? Sur une poutre sous une charpente ?

Cette fois, ce fut la vision d'ouvriers marchant sur des poutrelles, à des hauteurs infernales, qui envahit ses pensées.

Le sang lui rugissait dans les oreilles. Et parfois, le rire du tueur, non loin.

Combien de temps durerait son supplice ?

Quel que soit le lieu où elle était séquestrée, comment se libérer ? Fuir ?

— Qu'est-ce que vous voulez ? Pourquoi avez-vous supprimé les membres de ma famille ?

— Patience… Votre prince charmant sera bientôt là. Enfin, s'il a survécu… Sinon, je serais le premier déçu de sa défection. Je suis si impatient de l'affronter dans un ultime combat.

De qui parlait-il ? De Brian ? Mais Brian était en prison.

Mon Dieu, comment avait-elle quitté le poste de police ? Elle avait perdu le souvenir de ces dernières heures…

En revanche, elle se remémorait parfaitement sa peur chez Jeremy, à la vue de la malheureuse défigurée par ce criminel.

Brian lui avait alors sauvé la vie mais, cette fois, elle était seule.

Et ne pouvait compter que sur elle.

Personne ne savait où elle se trouvait. Personne n'avait dû découvrir sa disparition.

Une folle panique l'envahit.

Je vais mourir…

Elle venait de faire la connaissance de Brian Sloane, l'homme de sa vie, mais son bonheur tout neuf lui glissait comme du sable entre les doigts.

Ses bras et jambes tremblaient, à cause du stress et des substances que cet individu l'avait sans doute obligée à ingurgiter. Mais elle devait trouver un moyen de se libérer.

Comment ?

Impossible, sous les yeux de son bourreau qui se moquait d'elle.

Un craquement résonna, et elle tourna la tête. Son ravisseur était silencieux depuis déjà plusieurs minutes, mais il était là.

Elle percevait ses ondes maléfiques.

Au prix de quelques contorsions, elle réussit à écarter le bandeau de ses yeux. Aussitôt, elle étouffa un cri.

Elle était au bord d'une plate-forme sous une charpente. Il s'agissait d'une vieille bâtisse désaffectée, haute de plusieurs étages et dont l'accès s'effectuait par trois escaliers. Dessous s'étendait une plate-forme à peu près identique, traversée par des poutres de bois et des tuyaux en métal, et également encadrée par plusieurs escaliers.

Si elle tombait, à moins de se rattraper à la plate-forme inférieure, elle pourrait mourir.

La tête lui tourna, non parce qu'elle avait peur du vide, mais parce qu'elle avait été droguée à son insu et qu'elle était restée longtemps plongée dans l'obscurité. Elle n'était pas sujette au vertige et avait même surfé sur les vagues de Mavericks, son spot préféré de Californie, qui atteignaient des hauteurs de quinze mètres par forte houle.

Bras levés, mains ligotées, debout et obligée de garder un équilibre précaire, elle soumettait ses muscles à une tension toujours plus pénible et douloureuse. Les points de suture sur son bras tiraient. La sueur coulait dans son dos, ce qui lui occasionnait des démangeaisons.

— C'est distrayant de vous voir découvrir votre environnement et d'observer vos efforts pour garder votre équilibre. Bravo ! Lindsay.

— C'est un test ?

— Disons que nous nous amusons un peu, en attendant l'arrivée de Brian.

Elle tourna les yeux vers lui : il était juché en haut de l'escalier qui donnait sur la plate-forme de ce grenier.

Cet homme la tuerait. Tôt ou tard. En supprimant la

dernière des Cook, il aurait atteint ses objectifs, quels qu'ils soient, et se débrouillerait pour que ce meurtre, comme les autres, reste impuni.

Personne ne savait qui il était.

Personne ne découvrirait ses crimes. Ainsi en avait-il été pendant des années.

Vingt ans.

— Brian a été arrêté, lui rappela-t-elle. Je doute qu'il vienne.

— Détrompez-vous, ma chère. J'ai pris des risques pour m'assurer de sa présence, qui est imminente. Il viendra. S'il est à la hauteur de mes attentes, il ne me décevra pas. Alors vous devriez vous réjouir !

Elle frémit plutôt. Cet homme avait-il à ce point humilié et manipulé ses autres victimes, avant de maquiller leurs meurtres en accident ? Avait-il lancé un défi à Brian par goût du risque, conscient de sa toute-puissance après tant d'années d'impunité ?

— C'est vous qui avez tué Jeremy. Joel. Gillian. Mes parents. Pourquoi ? Pourquoi avez-vous décimé les Cook ?

Il posa le pied sur la plate-forme. C'était le même craquement que quelques instants plus tôt.

— Je suis navré, mais je n'ai pas l'intention de vous dévoiler mes raisons. Et malheureusement pour vous, vous serez morte quand le récit de mes exploits parviendra aux médias. Ils en feront le meilleur usage.

— Qui êtes-vous à la fin ?

Le soleil se couchait derrière les fenêtres, les ombres s'allongeaient. Et si elle appelait à l'aide ?

— Inutile de crier, Lindsay, lâcha-t-il comme s'il avait lu dans ses pensées.

Il posa un doigt sur ses lèvres.

— Si jamais vous vouliez attirer l'attention et si jamais on s'aventurait dans cette bâtisse, je n'aurais aucun scrupule à éliminer l'intrus.

Cet homme n'avait peur de rien ni de personne…

— Vous affirmez que je serai morte au moment où vous adresserez vos révélations à la presse, alors qu'importe si je les entends, même imparfaites ?

— Vous laisser dans l'ignorance est un supplice plaisant. Une façon d'assurer ma supériorité sur vous.

Etait-il le seul responsable de ces crimes en série ? Ou travaillait-il pour le compte d'un autre individu ? Etait-ce lui qui avait torturé la malheureuse, chez Jeremy ?

Sans doute oui. Mais une idée lui vint et, après une hésitation, elle reprit.

— Vos réticences à me parler de vous prouvent que vous n'êtes pas le cerveau, seulement un petit exécutant. Ce n'est donc pas vous qui avez décimé ma famille. Je ne suis pas surprise. Vous manquez de charisme.

Comme elle l'avait prévu, il sembla ne pas apprécier ces propos et s'approcha pour la regarder droit dans les yeux.

— Très bien. Je vais vous révéler qui je suis. Je m'appelle Victor D. Simmons. Avocat. A propos, votre bras vous fait-il toujours souffrir, après notre rencontre, tumultueuse, chez Jeremy ?

— Cela ne prouve rien ! Le vrai meurtrier a pu vous raconter mon agression dans les moindres détails. Ou orchestrer l'opération qu'il vous a confiée.

Il éclata de rire.

— Vous ne réussirez pas à me provoquer, Lindsay. Et puis de toute façon, je n'ai rien à vous prouver.

— L'assassin des Cook n'est donc qu'un horrible petit homme. Détachez-moi ! Donnez-moi une chance de me battre ! De vous affronter.

Il rejeta la tête en arrière en riant et applaudit.

— Bravo Lindsay Cook pour cette démonstration de pugnacité ! Je le regrette pour vous, mais je n'affronterai que Brian Sloane. Pour pimenter le grand final. En ce qui me concerne, je vais plutôt me faire un plaisir de vous expliquer la façon dont vous allez mourir.

22

Brian connaissait parfaitement Aubrey.

Lindsay se trouvait dans un vieil entrepôt désaffecté et fermé au public depuis une vingtaine d'années. Les enfants adoraient y jouer, en dépit des dangers et de l'interdiction formelle de s'y introduire. La bâtisse s'élevait au centre d'Aubrey, à proximité de la caserne des pompiers volontaires.

L'image de Lindsay et de sa beauté radieuse se mêla malencontreusement à la vision du corps retrouvé chez Jeremy. Puis ce furent les derniers mots de l'avocat qui résonnèrent dans son esprit. Que Simmons puisse porter la main sur Lindsay et attenter à sa vie le remplissait de rage.

Il se gara non loin de l'entrepôt et gagna celui-ci au pas de course.

Comment procéder ?

Essayer de comprendre la logique de Simmons était vain. Il devait agir, et vite. Il sortit donc son arme et hâta le pas.

La raison lui soufflait de demander des renforts. L'aide des SEAL. Par le truchement de son frère.

Eux seraient capables de prendre l'entrepôt d'assaut, de neutraliser Simmons et de libérer Lindsay. Au lieu de jouer les héros, il aurait dû ravaler sa fierté et laisser John partir à la rescousse de Lindsay. Mais il était trop tard pour nourrir des regrets.

Il devait aller de l'avant, compter sur son instinct, et la chance, pour sauver Lindsay des griffes de Simmons.

Et enfin mettre un terme à ses crimes.

*
* *

Lindsay était épuisée. Cela faisait plusieurs heures qu'elle était debout, bras levés, sur cette plate-forme à trois étages au-dessus du sol. Plusieurs heures qu'elle s'efforçait de garder son équilibre.

Elle luttait contre l'épuisement. Mais, elle le savait, à un moment ou un autre, elle perdrait l'équilibre et dès lors incapable de regagner son perchoir, elle resterait suspendue dans les airs, au bout de cette corde. Son supplice deviendrait plus terrible.

Elle commençait à perdre tout espoir…

Pourtant, le tueur semblait avoir la certitude que Brian allait arriver pour lui « faire l'honneur » d'un ultime combat, comme il le lui avait dit avant de disparaître.

Un honneur !

Lindsay s'intima l'ordre de sortir de sa torpeur, chancela, reprit son équilibre et de nouveau chercha une position à peine plus confortable que la précédente.

Mais ses doigts étaient engourdis et ses poignets, à vif à la suite d'efforts constants pour se retenir à la corde, afin que les bracelets de plastique ne lui entaillent pas plus profondément la chair. Son bras suturé était encore plus douloureux.

Cette fois, elle avait bien failli tomber, mais étonnamment le rire moqueur de Simmons n'avait pas salué cette nouvelle manifestation de faiblesse. L'aurait-il abandonnée à son sort ? Elle avait du mal à y croire.

Aurait-elle pu se libérer qu'elle n'aurait pas réussi à descendre l'escalier et fuir : elle était si faible… La peur, la douleur et la fatigue conjuguées la faisaient trembler.

Au loin s'éleva soudain le sifflement d'un train. De nouveau des oiseaux s'envolèrent puis il y eut le craquement, désormais familier, du bois. Simmons se trouvait à droite. Il était revenu ? A moins qu'il n'ait toujours été là, tapi dans l'ombre.

— Combien de temps encore allez-vous me séquestrer ? Pourquoi n'en finissez-vous pas… maintenant ? balbutia-t-elle dans un murmure rauque et las. Cela n'a pas de sens…

— Toutes mes actions ont un sens !

Il sortit de la pénombre. Sa silhouette se dessina.

— Faux, maugréa-t-elle. Vous refusez de me répondre, parce que vous n'avez aucun plan. Parce que vous allez échouer !

— Vous continuez de me provoquer, Lindsay, mais vos piques me laissent froid. Vous êtes si prévisible, en définitive.

— Je ne vous provoque pas. A quoi bon ? Je vous méprise trop pour me donner cette peine. Je sais que Brian Sloane ne viendra pas… Il est en prison. Ce que je veux savoir, c'est pendant combien de temps encore je vais subir vos menaces.

— Je ne vous menace pas, Lindsay. Je savoure simplement l'instant. Le grand final. Ma réussite.

— Mais enfin, quelle réussite !

Elle avait crié ses mots pour se faire entendre par-dessus le fracas du train qui s'approchait. Un peu de poussière tomba de la charpente, l'obligeant à fermer les yeux.

Son ravisseur était proche. Que ne pouvait-elle le pousser dans le vide !

— Ma toute-puissance, Lindsay. Mon talent à modifier les destins. De votre famille. De Brian Sloane. J'ai agi de telle façon que Sloane ne puisse résister à la tentation de venir à votre rescousse. Seul. Par orgueil. Mon Dieu, que la nature humaine est prévisible… Je sais que Sloane vous aime assez pour relever le défi et se lancer dans une aventure dont la fin sera tragique.

— Brian est trop intelligent pour foncer tête la première ! Son frère a des amis chez les Navy SEAL et les Marines. Il les appellera à la rescousse !

Au moment où le train passa devant l'entrepôt, ses lueurs s'infiltrèrent entre les cloisons. Lindsay inclina la tête : son agresseur apparut dans cet éclairage déroutant et formidable. Son regard semblait prendre toute la place dans son visage.

Il frappa du poing sur le bois.

— Brian Sloane viendra !

Lindsay décida de changer de tactique.

— Vous vous illusionnez. Parce que je le connais à peine. D'ailleurs, notre liaison est déjà terminée. Je doute qu'il désire se commettre avec une femme qui a autant de problèmes.

De nouveau, il tapa du poing.

— Et en admettant qu'il vienne à mon aide, pourquoi vous ferait-il « l'honneur » de vous affronter ? insista-t-elle. Vous ne valez pas la peine qu'on vous fasse l'honneur de quoi que ce soit.

Elle se tut et poursuivit, d'une voix tremblante.

— Vous êtes arrogant. Méprisable.

— Taisez-vous ! J'ai tout planifié. Mes plans n'échouent jamais.

Cette fois, elle avait réussi à le mettre hors de lui, conclut-elle. A moins que l'attente de Brian ne finisse par le déstabiliser. Tant mieux.

Quand le train se fut éloigné, il y eut encore les craquements du bois, l'envol des oiseaux et le bruit de ses pas.

Il se rapprochait.

Pour en finir… ?

Elle était si lasse qu'elle ne daigna pas lever les yeux, argumenter ou protester. Elle avait besoin de ses dernières forces pour garder son équilibre. Des fragments de bois et de la poussière tombèrent de nouveau sur son visage en sueur, sans qu'elle trouve la force de secouer la tête pour s'en débarrasser.

Concentre-toi pour rester immobile. Et surtout, ne pas tomber.

Mais à son corps défendant, elle ouvrit les yeux, tourna la tête et cilla.

— Oh ! Bri…

… *an*, acheva-t-elle en pensée, se taisant tandis qu'il posait un doigt sur ses lèvres.

Comment avait-il échappé à la police ?

Peu importait, il était là et allait la libérer. Son supplice allait prendre fin… Mais comment allait-il procéder ?

L'émotion lui fit perdre son équilibre et chanceler, mais elle se ressaisit et riva son regard à celui de Brian, y puisant tout le courage dont elle avait besoin.

Puis elle lui fit signe de s'éloigner.

Avant de la libérer, il devait en effet neutraliser Simmons. Mais Brian ne saisit pas son message muet et au contraire s'avança vers elle.

Avec insistance, elle secoua la tête négativement. Il se figea, sourcils froncés, puis comprit et lui sourit.

Il leva même l'index et le majeur en signe de victoire.

Elle opina, et des larmes jaillirent de ses yeux. Alors, il forma un cœur avec ses deux mains.

Elle voulut lui sourire, mais perdit de nouveau l'équilibre et cette fois se foula la cheville. En dépit de la douleur, elle se redressa, agrippa mieux la corde de la main gauche, essayant de ne plus bouger, tremblant sous l'effort.

Brian devait agir vite, ses forces déclinaient à vue d'œil.

23

Brian recula, le cœur serré, et obsédé par l'image de Lindsay ligotée et en danger.

Jamais il n'avait eu décision plus difficile à prendre.

Le fracas causé par le passage du train lui avait permis de s'introduire dans l'entrepôt sans se faire remarquer. De là, il avait entendu l'échange entre Lindsay et Simmons et en avait profité pour gravir l'escalier quatre à quatre. Quand le silence était retombé, il s'était pressé contre la paroi, pendant que Simmons était retourné sur le toit où, manifestement, il guettait son arrivée.

Après son échange muet avec Lindsay, il monta l'escalier qui y accédait.

Simmons le repéra aussitôt et se mit à courir dans sa direction, non pour l'affronter, mais pour prendre l'escalier, s'accrochant à sa rampe pour le dévaler plus vite. Brian, surpris par cette volte-face, réagit avec un temps de retard et descendit derrière lui.

A peine eut-il rejoint Simmons que celui-ci se retourna à la vitesse de l'éclair et lui donna un coup de pied au menton. Brian, désarçonné, recula. Simmons reprit alors sa course, mais Brian se ressaisit vite et le suivit.

Il réussit à lui saisir le pied pour l'empêcher de s'engager dans l'escalier et ainsi gagner les étages inférieurs. Simmons chancela, se débattit puis riposta.

Brian para ses coups en roulant sur le flanc, mais Simmons chargea de nouveau. Son adversaire était plus âgé que lui, mais il était en pleine forme, contrairement à lui…

Ils roulèrent sur la plate-forme, jusqu'à son extrémité. De là, Simmons se releva d'un mouvement souple pour revenir auprès de Lindsay. Il eut le temps de couper la corde qui la retenait, mais Brian se jeta sur lui au moment où il allait la pousser dans le vide. Tous deux tombèrent, roulèrent dans l'escalier et atteignirent la plate-forme inférieure.

Restée seule, Lindsay ferma les yeux. Elle connaissait son sort.

Elle n'allait pas tarder à perdre l'équilibre, tomber… La corde qui la retenait lui avait promis une mort lente et cruelle.

C'était fini.

Sa chute était imminente, sa mort serait rapide.

L'épuisement aurait vite raison de ses dernières forces. Son pied et son bras la faisaient trop souffrir.

Elle mourrait sur le coup.

Une panique indescriptible l'envahit à cette pensée.

Elle connaissait pourtant ces poussées d'adrénaline quand elle faisait du surf, quand la puissance d'une vague de plus de sept mètres de haut pouvait littéralement la balayer et causer sa mort en quelques secondes.

Peut-être pour cette raison, elle décida de lâcher prise : elle avait encore assez de force et de lucidité pour diriger sa chute. Elle réussit ainsi à toucher la plate-forme inférieure, mais de justesse. Ses jambes pendaient dans le vide, il suffirait d'un rien pour qu'elle lâche prise.

Elle était incapable de se hisser et de ramener ses jambes sur la plate-forme. Elle avait toujours les mains ligotées, était sans force, malade d'angoisse et de douleur. Le mieux était donc de rester immobile, de se concentrer pour maintenir son équilibre encore précaire, sans perdre des yeux Brian et son adversaire qui continuaient de lutter.

— Brian, ton arme ! s'écria-t-elle.

Le pistolet qu'il avait à la taille venait de tomber et dégringola dans l'escalier en métal jusqu'en bas.

Simmons rit tandis qu'il sortait une arme d'un holster à sa cheville et la pointait sur lui.

— Ne bougez plus, Sloane ! C'est fini.

— Non, Simmons. Je sauverai la vie de Lindsay. La mienne.

— C'est moi qui décide !

— Si vous aviez voulu la mort de Lindsay Cook, vous l'auriez tuée dès votre arrivée ici.

— La supplicier était plus intéressant.

Brian ne répondit pas. Il s'approcha d'elle, noua sa main autour de son poignet et la hissa sur la plate-forme où elle resta à plat ventre, hors d'haleine.

— Bravo ! lâcha Simmons, sur un ton ironique. Je vous déclare officiellement le vainqueur de ce premier round. Je serai victorieux du deuxième. J'ai hâte d'en finir.

— Il est fou, Brian.

— Ne l'écoute pas, Lindsay. Concentre-toi sur moi. Ça va ?

— Ça va..., balbutia-t-elle. Mais... je crois... que je vais m'évanouir.

— Non, surtout pas ! Reste avec moi.

Elle serra les dents, pendant que Brian pressait ses mains entre les siennes. Son contact et sa proximité la rassuraient.

— Debout les amoureux ! Vous avez mis trop de temps pour arriver, Sloane. Je crains que le délai que je vous ai imparti n'ait expiré.

— Un délai ?

— Oui, il est temps de passer à la dernière phase de mon plan. Au grand final ! Levez-vous, Lindsay ! Nous quittons cet entrepôt.

Mais elle était trop mal en point pour obtempérer. Brian l'aida donc à se redresser.

Puis il dévisagea Simmons.

— Lindsay ne peut pas marcher : elle s'est foulé, ou cassé, le pied. Je vais devoir la porter, à moins que vous ne vouliez l'entendre hurler de douleur et attirer l'attention, quand nous serons sortis de l'entrepôt. Retirez-lui ses menottes, Simmons !

— Si ça peut vous faire plaisir... De toute façon, c'est

moi qui aurai le dernier mot. Reculez. Et si jamais vous tentez quoi que ce soit pendant que je les lui retire, Lindsay en subira les conséquences.

Brian obéit. Simmons coupa les bracelets en plastique avec son couteau, et Brian revint auprès d'elle.

Il observa sa blessure au bras : elle suintait. Aussi, il la souleva.

— Descendez ! ordonna Simmons.

Il obtempéra.

— Où allons-nous ? murmura Lindsay en essayant de nouer son bras valide autour de son cou, mais sans y réussir.

Elle posa donc la tête au creux de son épaule. Elle était au-delà de l'épuisement.

— Je ne sais pas, mais fais-moi confiance, murmura-t-il.

Il effleura ses lèvres et s'adressa à Simmons une fois qu'ils furent arrivés en bas.

— Et maintenant ?

— Nous allons prendre la voiture de Mabel. Ce qui va ensuite se passer fera le tour d'Aubrey et justifiera la haine de ses habitants à votre égard ! Ce sera le bouquet final de vingt années d'efforts ! Dédiées au crime parfait.

Lindsay ferma les yeux. A chaque pas, sa tête dodelinait et pulsait.

— La voiture de Mabel est garée devant la caserne de pompiers volontaires, précisa Brian.

— Allons-y.

Brian s'y dirigeait déjà. Avait-il un plan ? se demanda Lindsay. Il y avait tant de questions qu'elle aurait voulu lui poser… Il semblait si déterminé.

— Vous allez me faire endosser la mort de Lindsay, n'est-ce pas, Simmons ? lança-t-il.

En sortant elle remarqua les silhouettes des gens derrière les rideaux des fenêtres éclairées. Des voitures garées devant les garages. Des fleurs dans les vérandas. Mais personne ne voyait ni n'entendait rien.

Elle leva la tête et observa Simmons. Puis Brian.

Il trouverait un moyen de le neutraliser ! Elle avait confiance en lui.

— Vous n'êtes qu'un psychopathe, Simmons, murmura-t-elle.

— Non. Le maître de la situation, Lindsay.

Et sur ces mots, il pointa son arme sur la tempe de Brian.

— Si jamais vous appelez, si jamais vous éveillez la curiosité, je supprime l'un de vous deux sans sommation, compris ?

— Fais-moi confiance, Lindsay, répéta Brian, si doucement qu'elle douta d'avoir entendu ces mots qui résonnaient dans sa tête comme un mantra.

Brian reprit à voix plus haute :

— Pourquoi avoir choisi cet entrepôt et séquestrer Lindsay au lieu de tout de suite maquiller son meurtre en accident ? Pourquoi m'avoir fixé ce rendez-vous ?

— Parce que, après notre confrontation chez Jeremy, vous avez piqué ma curiosité.

— Curiosité ?

— Savoir qui de vous ou de moi était le meilleur ! Et j'ai songé à vous utiliser pour ma toute dernière opération.

— Qui êtes-vous vraiment, Victor D. Simmons ? intervint Lindsay. Quels buts poursuivez-vous depuis vingt ans ?

Le regard de Simmons était sombre, mais il y luisait une lueur sauvage. Il était fou, songea Lindsay. Il n'y avait aucune autre explication à son attitude erratique. Aucune explication rationnelle ne justifiait ses pulsions de meurtre.

— Vous volez, sous couvert d'une société en fiducie, les titres miniers de propriétaires afin d'exploiter le gaz de schiste dans les schistes de Barnett ! L'un des plus grands gisements de gaz de schiste des Etats-Unis ! répondit Brian.

— Bravo ! Je ne m'étais pas trompé : vous représentez mon plus important défi. Finissons-en, maintenant.

— Il faut passer par la caserne des pompiers volontaires, le coupa Brian, qui s'effaça devant la porte.

Etait-ce un piège ? pensa Lindsay, remplie d'espoir.

Simmons dut se poser la même question, car il hocha la tête négativement.

— Passez plutôt le premier, Sloane.

— Comme vous voulez.

Il la déposa à terre, garda une main autour de sa taille et la tint fermement, afin que son pied blessé ne touche pas le sol. Sur ces entrefaites, il ouvrit la porte en grand.

— Regardez, vous n'avez rien à redouter, Simmons. Il n'y a personne.

— Alors entrez ! Tout de suite ! ordonna Simmons.

Il les suivit et referma la porte derrière eux.

— Où est votre véhicule ? reprit-il en regardant par les fenêtres. Vous affirmiez l'avoir garé devant la caserne.

Brian reprit Lindsay dans ses bras et traversa la salle déserte. Après l'avoir déposée près du mur, où elle s'adossa, il alluma la lumière.

— J'ai menti.

— Vous continuez de me provoquer ! s'écria Simmons qui semblait désarçonné. Comment osez-vous ! Je tiens votre vie entre mes mains.

Il perdait son sang-froid, nota Lindsay. Il ne supportait plus qu'on lui tienne tête et l'humilie de quelque façon que ce soit. Brian l'avait compris et avait décidé de le pousser à bout. C'était un risque. Car Simmons était armé. Pas lui.

— Vous n'êtes rien du tout, Simmons, vous n'avez aucun droit de vie et de mort sur ma personne. Vous êtes un faible. Un lâche. Un parasite. Inutile…

Sous l'effet de la colère, Simmons s'empourprait et paraissait sur le point d'exploser.

Brian ne semblait pas s'en soucier et continuait de parler tranquillement, de le défier.

Lindsay gardait le silence. Profitant de ce que l'attention de Simmons était concentrée sur Brian, elle inspecta les alentours.

Son regard tomba sur le défibrillateur, en train de charger depuis que Brian avait allumé la lumière.

24

Brian retint son souffle. La batterie du défibrillateur avait commencé à charger sitôt qu'il avait allumé la lumière. Il devait agir vite, très vite, avant que Simmons n'entende et ne remarque le bip témoin de la batterie en charge et ne comprenne ses intentions.

— Vous êtes un lâche, Simmons ! martela-t-il de nouveau.

Simmons ne répondit pas, mais il semblait hors de lui. Il était de plus en plus agité. Sa main tremblait.

— Je n'ai rien à prouver ! Ni à expliquer.

— Vous êtes un escroc…, intervint Lindsay. Inapte au combat. Vous êtes le perdant de l'affrontement qui vous a opposés, dans l'entrepôt. Car si vous n'aviez pas coupé la corde, Brian aurait eu le dessus. Vous avez triché. Parce que vous êtes faible. Lâche.

Victor Simmons éclata de rire et, l'air soudain plus détendu, baissa son arme.

— Vos efforts pour me déconcentrer méritent plus mon admiration que ma colère, déclara-t-il d'une voix plaisante. Je sais que la batterie du défibrillateur est en charge. Vous pensez me manipuler et me neutraliser avec des décharges électriques ?

Brian déglutit et, dans un ultime élan, voulut bondir sur Simmons, mais celui-ci fut plus rapide et pointa son arme sur lui.

— Ça suffit ! C'est moi qui maîtrise la situation. Et je suis devenu un maître dans l'art du crime parfait après vingt ans d'une existence dévolue au meurtre.

Il éclata d'un rire sardonique.

— Vous, Brian Sloane, vous valez l'opinion que les bonnes gens d'Aubrey ont de vous. Et vous, Lindsay Cook, vous n'êtes qu'une note de bas de page sur le manuscrit qui relate mes exploits depuis ces vingt dernières années.

— Vous en avez fait un manuscrit ? s'exclama Lindsay. Vous êtes un monstre…

— Ne voyez rien de personnel dans mon intérêt envers la famille Cook, ma chère. C'est le destin qui a conduit Joel Cook à mon étude, autrefois. Tout a commencé par une grossière méprise. D'ordinaire, le propriétaire du sol l'est aussi du sous-sol : les droits d'exploitation du sous-sol, ou titres miniers, sont cédés automatiquement lors d'une vente, à moins qu'une clause ne l'infirmant ne figure dans le contrat. Or, Joel Cook refusait de céder l'exploitation du gaz de schiste sous ses terres, même en échange de généreuses *royalties*. Mais je me suis assuré que le contrat incluait ce sous-sol, pas seulement le sol. Joel Cook s'est rendu compte de l'escroquerie, nous avons eu des mots. Il est mort. Un tragique accident…

— Les treize autres membres de ma famille ne sont pas morts *accidentellement* ! hurla Lindsay.

— Il n'y a pas seulement eu les Cook, mais aussi des malheureuses qui ont croisé mes pas et ont servi mes desseins. Par exemple, cette femme que vous avez découverte chez votre cousin Jeremy. Une fugueuse. Une fille perdue…

Simmons sourit. Brian serra les poings.

— Je constate que votre colère monte, Sloane. Vous aimeriez me faire payer pour mes crimes !

Brian ouvrit les poings avec effort, pour donner le change.

— Ce n'est pas à moi d'en décider, mais à la justice.

— Trêve de palabres. Où est votre voiture ?

Brian lui tourna le dos et s'approcha de Lindsay. Simmons avait l'intention de les supprimer, ce n'était plus qu'une question de temps. Il devait agir vite. Il se plaça devant le défibrillateur désormais chargé et prêt à l'usage.

Là-dessus, il adressa un geste discret à Lindsay pour qu'elle s'empare des palettes. Une fois qu'elle les aurait appliquées sur Simmons, son cœur serait en fibrillation ou s'arrêterait. D'une façon ou d'une autre, ce serait leur seule chance de prendre la fuite.

Et de rester en vie.

Lindsay hocha la tête imperceptiblement. Il lui adressa, discrètement, le signe de la victoire.

— Allons-y, Sloane, reprit Simmons. Il est temps de partir. Je suis sûr que votre voiture n'est pas loin.

Brian l'ignora et fit le compte à rebours de sa main droite, 3, 2, 1, puis il fit volte-face et bondit sur Simmons qui, surpris, lâcha son arme. Tous les deux tombèrent sur le sol où ils roulèrent.

Brian réussit à se mettre à califourchon sur lui et leva le poing, prêt à frapper, mais Simmons se débattait avec rage. Il parvint à lui échapper et à rouler plus loin.

— Vous voulez votre revanche, Sloane. C'est de bonne guerre. Mais vous n'êtes qu'un amateur.

Simmons lui faisait signe de s'approcher. Brian le dévisagea, poings fermés.

Se battre avec Simmons, c'était exprimer douze ans de colère et de frustration.

Sans lui, il aurait pu travailler dans cette caserne de pompiers volontaires d'Aubrey.

Aubrey où il était honni et détesté.

A cause de ce psychopathe, qui avait systématiquement supprimé les membres de la famille de Lindsay et détruit tant d'autres vies.

— Vous avez peur, Sloane ? persifla Simmons, toujours provocateur et en position de combat.

Brian se jeta sur lui et le frappa dans le ventre, de façon à le diriger vers Lindsay.

*
* *

Lindsay était prête et espérait savoir utiliser le défibrillateur. Adossée au mur, elle tenait les palettes et ne quittait pas des yeux les deux hommes qui se rapprochaient.

Simmons, sur le ventre, tendit la main vers son arme.

Etait-ce le moment d'agir ? se demanda Lindsay. Malheureusement, elle ne pouvait se précipiter, à cause de son pied blessé. Se tenir debout était en soi une épreuve et serrer les palettes, une souffrance.

Brian, dans un dernier sursaut, frappa si violemment son adversaire que ce dernier tomba à la renverse et resta cette fois immobile.

— Brian ? Ça va ? s'enquit Lindsay à la hâte.

— Oui !

— Ramasse vite son arme ! lui intima-t-elle. Là, devant la porte !

Il obtempéra tandis que Lindsay s'agenouillait et brandissait ses palettes. Malheureusement, au même instant, Simmons noua son bras autour de son cou et pressa son couteau contre sa gorge. Il fit ensuite bouclier de son corps.

— Posez votre arme ! ordonna-t-il à Brian, qui venait de braquer son pistolet sur lui. Sinon, je lui tranche la gorge.

— Mais cela va sérieusement mettre à mal votre théorie sur les meurtres déguisés en accidents, Simmons, ironisa Brian.

— Il y a des contingences. Cela dit, je peux toujours laisser croire que vous êtes l'auteur de ce nouveau meurtre. Que vous l'avez enlevée et que vous nous avez séquestrés. On me croira sans difficulté. La parole d'un avocat contre celle d'un misérable ! Lâchez votre arme, Sloane.

Lindsay avait le regard rivé à celui de Brian.

Ses yeux marron luisaient de contrition…

Il lui demandait pardon ?

Non, Brian ne peut tout de même pas…

Il ne pouvait laisser Simmons remporter la victoire !

— Il ne gagnera pas ! Pas cette fois ! s'exclama-t-elle. Brian était son héros, le seul en qui elle avait confiance. Mais c'était à elle d'agir.

— Non ! hurla Brian.

Il lâcha son arme et se précipita. Elle leva les palettes et les appliqua sur Simmons, qui la tenait toujours contre lui. Elle lui envoya une décharge qui l'atteignit aussi.

25

Brian ne put retenir un cri d'horreur, alors que Lindsay tressaillait et lâchait les palettes.

Elle ne savait visiblement pas que la décharge se communiquerait à son propre corps…

Elle lui avait fait confiance pour mettre Simmons hors d'état de nuire, mais c'était elle qui venait de prendre un risque et s'était mise en danger.

Elle s'écroula, Simmons également.

Brian se précipita, fouilla dans la mallette de premiers secours près du défibrillateur.

Sans ménagement, il fit rouler Simmons sur le côté et se concentra sur Lindsay.

La femme la plus courageuse que j'ai jamais connue.

La femme que j'aime et avec qui je veux passer le reste de ma vie.

Lindsay était face contre le sol. Il l'allongea sur le dos. Ensuite, son expérience d'auxiliaire médical d'urgence reprit le dessus.

Pouls. Respiration. Voies respiratoires. Moniteur. Fibrillation auriculaire. Charger. Palettes. Choc. Stop. Prier…

Prier pour que Lindsay garde la vie sauve.

Enfin il détecta un pouls, nota un rythme sinusal et se releva, prêt à prévenir les secours, mais il ne trouva pas son téléphone à carte prépayée. Perdu sans doute… Il cassa la fenêtre du bureau et décrocha le téléphone au mur pour composer le 911.

— Envoyez des véhicules d'urgence à Aubrey Fire

Station ! La caserne des pompiers volontaires, s'écria-t-il. Police et ambulance !

— Brian ? appela soudain Lindsay d'une voix faible, en dodelinant de la tête.

Il lâcha le téléphone et s'agenouilla entre Lindsay et Simmons.

Il prit ses mains et les porta avec ferveur à ses lèvres, soulagé comme jamais.

— Je suis si fatiguée..., balbutia-t-elle. Est-ce qu'il...

— S'il est mort ? Oui. Chut ! tu ne devrais pas parler.

— On va m'accuser... je l'ai tué ?

— C'était un meurtrier, Lindsay. C'était une question de légitime défense.

— Tu m'as sauvé la vie...

Il serra plus fort ses mains entre les siennes, contenant son envie de l'embrasser et de lui promettre un avenir radieux. De peur que, de nouveau, le bonheur lui échappe...

Simmons était certes mort, mais Lindsay restait en danger.

— Chut ! Lindsay... J'ai appelé les secours.

— Vendre la maison de Jeremy... Revenir sur ma plage en Floride... Tu aimes les plages ?

— Je préfère mon ranch.

— Tu n'aimes... pas les bateaux ? Les plages de sable... et... les coquillages ? J'ai envie de dormir...

— Lindsay ! Reste avec moi !

Brian lui tapota la joue. Elle rouvrit ses grands yeux bleus et lui adressa un maigre sourire.

— J'entends la police arriver ! Reste avec moi, Lindsay ! Parle-moi !

— Embrasse-moi...

Il posa ses lèvres sur sa joue, elle tourna la tête et leurs lèvres se rencontrèrent. Il l'aimait. Et le drame qu'ils venaient de vivre avait fortifié cet amour tout neuf.

Soudain, un crissement de pneus s'éleva dehors. Brian se redressa.

— Sloane ! Recule immédiatement ! ordonna Ronnie Dean, que, malheureusement, il ne connaissait que trop bien.

Ronnie braqua son arme vers lui.

— Cindy ? Je les ai ! annonça-t-il ensuite dans sa radio. L'ambulance arrive ?

— Brian Sloane ! Le fugitif ! s'exclama son collègue. Il l'a tuée, elle aussi ?

— Recule, Sloane ! répéta Ronnie Dean.

Brian ignora les deux policiers.

Au même instant, Lindsay ferma les yeux. Sa tête retomba lourdement.

— Lindsay ! s'écria-t-il.

Il procéda aussitôt à un massage cardiaque.

— Réveille-toi !

Il lui prit son pouls : il était erratique.

— Non, Lindsay ! Je ne veux pas te perdre !

D'après le moniteur, son cœur était de nouveau en fibrillation auriculaire.

— Je t'ai dit de reculer, Sloane ! répéta Ronnie.

— Si je recule, elle va mourir ! Laissez-moi faire mon boulot, Dean !

Après une brève hésitation, Ronnie opina et leva la main pour arrêter l'autre policier qui se précipitait.

— Elle est en fibrillation auriculaire, il me faut un battement de cœur régulier !

Sur ces mots, Brian appliqua les palettes sur son cœur une nouvelle fois.

— Tu n'es pas médecin, Sloane. On ne devrait pas te laisser faire.

— Tu veux la réanimer ? Tu sais comment fonctionne cette machine ? rétorqua Ronnie à son collègue. Contacte de nouveau Cindy. Demande-lui où sont les secours.

Lorsque le cœur se Lindsay se remit à battre régulièrement, Brian prit sa tête entre ses mains, contenant son émotion devant les policiers.

Une fois que son jeune collègue se fut éloigné, Ronnie Dean s'agenouilla et chercha le pouls de Simmons.

— Il est mort.

— Oui. Combien de temps avant que les renforts arrivent sur les lieux ?

Ronnie haussa les épaules.

— Ils ne vont plus tarder. Qui est la victime que tu réanimais, Sloane ?

— Lindsay Cook.

— Elle a disparu du poste de police. C'est toi qui l'as kidnappée ?

— Non. C'est lui, répondit Brian, en montrant Simmons.

— Tu l'as tué ?

— Non, c'est elle : Lindsay Cook. Légitime défense.

Le plus jeune policier entra.

— Les urgences seront là dans cinq minutes. Que faisons-nous, maintenant ?

Brian se pencha sur le cœur de Lindsay qui battait à un rythme normal.

— On les attend, déclara Ronnie. En espérant que l'état de Lindsay Cook ne s'aggravera pas. Ensuite, on embarque Sloane.

Un silence tomba. Tous regardaient Lindsay.

Elle devait vivre. Ils s'aimaient…

Caressant sa main, Brian remarqua les entailles provoquées par les bracelets de plastique et les effleura, refoulant son émotion. Du dos de la main, il essuya discrètement ses yeux embués.

Lorsque l'ambulance arriva, il informa les urgentistes de son état. Puis l'ambulance, très vite, partit au Denton Régional Medical Center.

Indifférent à son propre sort, Brian, menotté, monta dans la voiture de patrouille.

Lindsay était désormais entre les mains des médecins, en sécurité. Lui pardonnerait-elle ?

Allait-elle mourir ?

Il ne put se contenir plus longtemps. Il baissa la tête et laissa les larmes couler, étouffant ses sanglots.

Lindsay avait souhaité revoir l'océan…

Il se promit d'exaucer son souhait.

Si elle vit.

26

Brian dormait. Du moins, il sommeillait sur le canapé de son salon. Chez lui.

Dans sa maison.

Dont il ne serait bientôt plus le propriétaire… car la banque allait saisir son ranch. Ses chevaux.

Il se frotta le menton et effleura sa récente blessure sur le front. Toute sa vie, sa cicatrice lui rappellerait le souvenir de l'un des pires tueurs du Texas, bien que ce ne soit pas ce dernier qui la lui ait infligée.

Une voiture de patrouille l'avait reconduit à la maison, après sa remise en liberté sans condition au milieu de la nuit, avec les excuses de la police.

Il n'y avait eu aucun déchaînement des médias. Aucun journaliste pour reconnaître et clamer son innocence. Aucun quotidien pour lui consacrer sa première page.

Peu importait. Lindsay était sauvée. Il n'avait plus aucune raison d'assurer sa sécurité jour et nuit.

Mais il avait une raison d'être jour et nuit à ses côtés.

L'odeur de tartines grillées, de pancakes, de café et de bacon lui chatouilla les narines. Il était temps de se lever, d'affronter sa famille et de lui faire part de ses projets. Des bribes de discussion lui parvinrent, il y prêta l'oreille.

— Les journaux affirment qu'il a tout archivé et décrit ses crimes dans les moindres détails, expliquait sa belle-sœur. Au début, il voulait s'emparer du titre minier de Joel Cook pour le gaz de schiste dans le sous-sol. Il a escroqué Joel Cook, qui l'a découvert. C'est son premier meurtre... De là, il est devenu un meurtrier en série. C'est devenu une obsession. Il y aurait trouvé du plaisir, il aimait défier la police et tuait au hasard des inconnues. On ne sait pas combien sont mortes... La police effectue des recherches.

La voix de son père s'éleva.

— Ce malade a confessé le meurtre de Gillian Cook, celui de la femme dont le corps a été retrouvé chez Jeremy Cook ainsi que son intention d'éliminer Lindsay Cook : nous devrions donc porter plainte pour la détention arbitraire de Brian et demander réparation pour ce qu'il a subi pendant douze ans !

— Simmons a confessé ses meurtres, dictant ses opérations sur un magnétophone qu'il cachait dans un coffre, précisa Alicia. Nous ne poursuivrons personne en justice... Nous avons déjà de la chance qu'on n'ait pas arrêté John parce qu'il a aidé son frère à quitter l'hôpital.

— A quoi bon revenir sur le passé ? intervint celui-ci. Il faut avancer, regarder vers l'avenir. Penser au ranch.

Brian bondit de son canapé.

— John ? Papa ? Il faut que je vous parle.

Il entra dans la cuisine. Alicia s'essuyait les mains dans un torchon, John et son père étaient attablés. Tous le regardèrent.

— Ça va ? s'enquit son frère.

Brian s'assit et posa les coudes sur ses genoux. Il soupira, épuisé après ses quatre jours de détention préventive.

— Il faut que je vous fasse une annonce, alors ne m'interrompez pas, d'accord ?

Tous acquiescèrent.

— Pour commencer, je suis désolé de vous avoir entraîné dans cette histoire.

— Tu penses qu'on va te reprocher d'avoir découvert le pire meurtrier du Texas ? le coupa Alicia qui prit place à côté de son mari.

— Il a demandé qu'on ne l'interrompe pas, déclara John en la prenant par la taille.

— Nous regrettons de ne pas t'avoir mieux soutenu, lui confia son père.

— Il s'agit du ranch, reprit Brian. Nous avons évité d'en parler pendant trop longtemps… Toi papa, tu vas emménager chez Mabel. Ne le nie pas, tu vis déjà pratiquement chez elle. John et Alicia ont leurs propres projets d'avenir. Et moi, je vais quitter le Texas… Il n'y a donc plus aucune raison de trouver un financement pour le ranch.

— Où vas-tu ? l'interrompit John.

— En Floride, avec Lindsay. Si elle veut bien de moi…

Tous les trois se mirent à parler en même temps. Indignés, en colère et blessés.

Soudain, une autre voix se joignit aux leurs.

Celle de Lindsay.

— Qu'est-ce que tu racontes ? Brian !

Un silence tomba sur la tablée, stupéfaite de son arrivée.

— Le ranch, c'est toute ta vie ! poursuivit-elle.

— Exactement, renchérit John.

— Lindsay ? fit Brian, incrédule.

Il se leva, l'attira à lui et l'embrassa.

— Tu vas bien ?

— Oui. Et toi ?

— Oui. Brian, je ne te comprends pas, dit-elle doucement. Je pensais que tu n'avais d'autre désir que d'élever et d'entraîner des chevaux ?

— En effet, mais…

Il se tourna vers son père et son frère.

— Lindsay… pourrions-nous parler en privé ?

— Nous vivons tous dans ce ranch, objecta John. Alors ce que tu as à dire nous concerne.

Mais Brian prit la main de Lindsay et l'entraîna dehors sans autre forme de procès.

Le rire de son frère le rattrapa.

— Pas si vite, ma cheville est encore douloureuse, le prévint Lindsay.

Le souvenir de ses récentes blessures lui fit aussitôt ralentir le pas. Il la souleva dans ses bras et ne la déposa que lorsqu'ils furent dans la grange dont il referma la porte.

Puis il la dévisagea, pensif. Lindsay détestait ce ranch. Elle aspirait à vivre au bord de l'océan, et non dans cette vieille baraque qui tombait en ruine.

— Suis-moi.

Il la conduisit jusqu'à une autre porte qu'il ouvrit. Le soleil se levait sur les chênes qui délimitaient le ranch.

— Comme c'est joli…, murmura Lindsay.

— Oui. Le matin, j'aime venir là admirer le lever du soleil. Quand mon père a eu son attaque, c'était la seule consolation de la journée. J'aime l'odeur du foin, le travail au ranch. J'avais toujours un sentiment de victoire quand une jument mettait bas.

— Moi, je ne sais pas distinguer un cheval d'un autre, intervint-elle en riant doucement.

Il lui sourit.

— Ce ranch est dans ma famille depuis environ cent ans. Je voulais en faire le premier de la région… mais je lui dis adieu aujourd'hui, avec toi, devant ce paysage de rêve.

— Non, Brian ! Parce que c'est ton rêve justement. Et je connais quelqu'un qui pourrait le financer…

Elle se tut. Il cherchait à comprendre et attendit avec impatience qu'elle continue.

— Je vais vendre la maison de Jeremy, et nous pourrons emprunter.

Il resta silencieux et la détailla de la tête aux pieds. Elle portait des bottes western.

— Pourquoi me regardes-tu comme ça ? demanda-t-elle.

— Je te regarde parce que…

Il n'en revenait pas.

— Ce sont des Justin ! s'exclama-t-il, ébahi. Des Justin très *roses*.

— Oui ! Elles sont magnifiques, n'est-ce pas ? s'exclama Lindsay, manifestement ravie. Si tu m'avais dit que des bottes de cow-boy existaient précisément dans cette couleur, j'en aurais acheté une paire dès le premier jour. J'avais besoin de vêtements et comme je ne pouvais pas revenir dans la maison de… enfin, tu comprends…

Elle se pinça les lèvres et haussa les épaules.

— Je suis allée faire quelques courses avec Alicia.

— Et tu as acheté des bottes ?

— Evidemment ! Si je dois vivre dans un ranch, j'ai besoin de bottes pour marcher dans la boue !

— Je doute que ces bottes soient destinées à la boue…

— Mais bien sûr que oui !

Il secoua la tête.

— Ecoute, Lindsay, j'apprécie tes efforts, mais je sais que tu aimes l'océan. Les vagues et la plage… J'envisageais de quitter le ranch pour…

— Et moi, Brian Sloane, c'est toi que j'aime. Toute ma vie, j'ai cherché l'amour. Qui ne se trouve pas aussi facilement que de belles vagues. Voire un emploi. Ou un style de vie. Mais un homme comme toi est unique. Je ne veux pas te quitter, ni quitter le ranch, même si j'ai peur des serpents et de toutes les bestioles de la création !

— Approche.

Il riait et souriait tant que ses muscles lui faisaient mal.

— C'est une demande en mariage, Lindsay ?

— Je ne me souviens pas de t'avoir demandé de m'épouser !

Il l'embrassa, la serra si fort dans ses bras que leurs corps se moulèrent l'un à l'autre. Comme elle lui avait manqué… Comme il avait eu peur de la perdre !

Puis il s'assit avec elle sur une vieille cagette de pommes, qui faisait office de tabouret.

Il n'avait pas besoin de réfléchir, il avait déjà pris sa décision.

— J'accepte. Je le veux.

— Tu veux quoi ? demanda-t-elle.

Il lui sourit. Le soleil créait un halo autour de sa tête.

— Quand tu me l'auras demandé poliment, je voudrai bien t'épouser, expliqua-t-il.

— Oh ! ne te moque pas de moi !

Elle lui envoya une poignée de foin.

— Je t'aime, Brian, mais je refuse de te demander en mariage avant un rendez-vous et une cour de ta part en bonne et due forme !

— Qu'est-ce que tu as dit ?

— Que je voulais un premier rendez-vous ? Une cour en règle ?

— Non que tu m'aimais. Tu es la seule à qui j'ai jamais eu envie de le dire.

Il la serra dans ses bras. Le soleil baignait la vieille grange, et le regard de Lindsay avait la même couleur que le ciel.

Une petite voix s'éleva.

— Oncle Brian ?

— Oui ?

— Grand-père veut savoir si tu as demandé Lindsay en mariage. Il aimerait bien que tu te dépêches, si ça n'est pas encore fait, parce qu'il a envie de manger ses pancakes en famille.

— Va lui dire que le mariage, c'est pour bientôt !

Brian retira un peu du foin dans les cheveux de Lindsay tandis que sa nièce quittait la grange.

— Je te préviens, vivre dans ce ranch est une aventure de tous les instants…

— Je le crois volontiers.

— Mais j'adore tes bottes, dit-il en l'embrassant sur la joue.

— Avec une bonne paire de chaussures, une femme est prête à conquérir le monde.

Elle lui caressa le cou.

— Prête à séduire un éleveur de chevaux, auxiliaire médical d'urgence devenu détective et garde du corps…

— … par amour. Et je n'ai plus qu'une mission maintenant. T'aimer. Par-dessus tout. C'est tout.

— Moi aussi. T'aimer. Plus que tout. C'est tout.

HARLEQUIN

Composé et édité par HARLEQUIN

Achevé d'imprimer en Italie (Milan)
par Rotolito Lombarda
en mars 2015

Dépôt légal en avril 2015

Pour l'éditeur, le principe est d'utiliser des papiers composés de fibres naturelles, renouvelables, recyclables, et fabriquées à partir de bois issus de forêts qui adoptent un système d'aménagement durable. En outre, l'éditeur attend de ses fournisseurs de papier qu'ils s'inscrivent dans une démarche de certification environnementale reconnue.